WEITBLICK

Das große Panorama

B2.1

Deutsch als Fremdsprache

Kurs- und Übungsbuch

Nadja Bajerski
Claudia Böschel
Hildegard Meister
Ulrike Würz (Phonetik)

sowie

Julia Herzberger
Martina Schäfer

scook
Dieses Buch gibt es auch auf
www.scook.de/eb
xsk8f-9tmup

Cornelsen

Das große Panorama

Deutsch als Fremdsprache
Kurs- und Übungsbuch B2.1

Im Auftrag des Verlages erarbeitet von
Nadja Bajerski, Claudia Böschel, Dr. Hildegard Meister sowie Ulrike Würz (Phonetik),
Julia Herzberger und Martina Schäfer (Übungsbuch),
Dieter Maenner (Aufgaben im Prüfungsformat, S. Ü 28, Ü 56, Ü 70, Ü 84)

In Zusammenarbeit mit der Redaktion: Claudia Groß, Alexandra Lemke, Jacolien de Vries sowie Maria Funk (Übungsbuch)
Konzeptentwicklung: Claudia Groß, Andrea Mackensen
Redaktionelle Mitarbeit: Katerina Chrástová
Redaktionsleitung: Gertrud Deutz

Beratende Mitwirkung: May Asali (Amman), Dr. Renata Asali (Amman), Prof. Dr. Maureen Maisha Auma (Berlin/Stendal), Spiros Koukidis (Athen), Cristina Maciel (Mexiko-Stadt), Andrea Rohde (Stuttgart)

Umschlaggestaltung: Rosendahl Berlin, Agentur für Markendesign
Layout und technische Umsetzung: Klein & Halm Grafikdesign, Berlin
Illustrationen: Bianca Schaalburg (S. 30, 53, Ü 11, Ü 12), Tanja Székessy (S. 21, 50, 52, 59, 60, 72, 77, 84, Ü 41, Ü 44, Ü 46, Ü 69, Ü 74, Ü 83) sowie Carlo Stanga (Umschlag; S. 12+13)

www.cornelsen.de

1. Auflage, 1. Druck 2019

Alle Drucke dieser Auflage sind inhaltlich unverändert und können im Unterricht nebeneinander verwendet werden.

Druck: Grafisches Centrum Cuno GmbH & Co.KG, Calbe

ISBN 978-3-06-120889-9 (Kurs- und Übungsbuch)
ISBN 978-3-06-121343-5 (E-Book)

Vorwort

WEITBLICK
Das große Panorama

Das Lehrwerk WEITBLICK Das große Panorama richtet sich an fortgeschrittene Lernende im In- und Ausland, die Deutsch für ihre Ausbildung, ihr Studium oder ihren Beruf lernen. Es führt zum Abschluss der Niveaustufen B1+ und B2 des *Gemeinsamen europäischen Referenzrahmen* von 2019 und bereitet die Lernenden auf die B2-Prüfungen *Goethe-Zertifikat B2, telc Deutsch B2* und *ÖSD Zertifikat B2* vor. Das Lehrwerk erscheint in zwei Gesamtbänden (B1+ und B2), B2 alternativ auch in zwei Teilbänden (B2.1 und B2.2).

WEITBLICK bietet den Lernenden die Möglichkeit, die deutsche Sprache entsprechend ihren Interessen zu erleben, sie zu begreifen und sprachlich sicher zu handeln.

Erleben
Jede Lernerin und jeder Lerner bringt eigene sprachliche und persönliche Erfahrungen mit. Der plurikulturelle und mehrsprachige Ansatz, dem WEITBLICK folgt, greift diese Diversität auf und ermöglicht einen vielfältigen Austausch. Auf diese Weise regt das Lehrwerk dazu an, den eigenen Blick zu erweitern und neue Perspektiven einzunehmen.

Begreifen
So vielfältig die Lernenden selbst sind, so unterschiedlich ist ihre Motivation, Deutsch zu lernen. WEITBLICK bietet den Lernenden verschiedene Möglichkeiten, die Inhalte auszuwählen, und vermittelt Strategien zum selbstbestimmten Lernen. Darüber hinaus enthält das Lehrwerk binnendifferenzierende Aufgaben zur Wiederholung und Vertiefung des Gelernten, die eine individuelle Förderung ermöglichen.

Handeln
Das wichtigste Ziel des Sprachunterrichts ist das Handeln in der Fremdsprache. Die Lern- und Übungsphasen der einzelnen Einheiten münden in handlungsorientierte Zielaufgaben, in denen das Gelernte aktiv in authentischen, kommunikativen Kontexten angewendet wird. Kooperative Aufgaben fördern außerdem das Lernen mit- und voneinander, indem die Lernenden ein gemeinsames Ziel verfolgen und eine Aufgabe zusammen lösen.

Mit der PagePlayer-App in neue Lernwelten
Unter dem Motto *Bring Your Own Device* wird das Lehrwerk sinnvoll und zielgerichtet durch digitale Bestandteile ergänzt. Über die PagePlayer-App greifen die Lernenden mit ihrem Smartphone oder Tablet bequem auf alle folgenden digitalen Materialien zum Lehrwerk zu:
- Hörtexte und Videos,
- Erklärvideos zu Lernstrategien,
- zusätzliche Lese- und Hörtexte für kooperative Aufgaben,
- unterstützende und vertiefende Aufgaben zur Binnendifferenzierung sowie
- weiterführende Links zu ausgewählten Aufgaben.

Das Lehrwerk im Überblick

WEITBLICK B2.1 umfasst sechs Einheiten und hat einen klaren, modularen Aufbau, der eine große Flexibilität in der Unterrichtsgestaltung ermöglicht. In jeder Einheit setzen sich die Lernenden mit einem übergreifenden Thema auseinander, das aus unterschiedlichen Perspektiven dargestellt wird. Diese thematische Vielfalt erlaubt einen abwechslungsreichen Unterricht und bietet differenzierte Einblicke in das Leben und die Kulturen der deutschsprachigen Länder.

Das Kursbuch

Die Vermittlung aller wichtigen Sprachhandlungen findet auf den ersten sechs Seiten jeder Einheit statt. Dieser erste Teil

- enthält vielfältige authentische Texte zu aktuellen, relevanten und lebensnahen Themen.
- trainiert alle fünf Fertigkeiten (Lesen, Hören, Schreiben, Sprechen und Hör-Sehen).
- bietet alle für die Sprachhandlungen notwendigen Werkzeuge (Wortschatz, Redemittel, Phonetik sowie grammatische Strukturen).
- vermittelt Strategien zur sicheren mündlichen und schriftlichen Textkompetenz.
- fasst die Sprachhandlungen in handlungsorientierten Zielaufgaben zusammen.

Im zweiten, modularen Teil werden die Lerninhalte vertieft. In jedem Modul stehen eine oder zwei Fertigkeiten im Fokus, die systematisch trainiert werden. Somit bieten die Module eine weitere Möglichkeit zur Binnendifferenzierung.

Das Übungsbuch

In den Übungsbuch-Einheiten finden die Lernenden zahlreiche Übungen, in denen der relevante Wortschatz, wichtige Redemittel und Strukturen geübt und vertieft sowie alle Fertigkeiten trainiert werden. Darüber hinaus gibt es Übungen und Aufgaben zur Sprachmittlung, in denen die Lernenden Textinhalte in eine andere Sprache übertragen oder zum bewussten Sprachvergleich angeregt werden.

Die Nummerierung im Übungsbuch spiegelt die Aufgaben des Kursbuchs wider. Dies ermöglicht eine eindeutige Zuordnung der Übungen zum Kursbuch.

Die PagePlayer-App

Mit der PagePlayer-App können alle digitalen Inhalte zum Kurs- und Übungsbuch heruntergeladen und anschließend abgespielt werden.

Alle im Lehrwerk abgedruckten Icons führen zu den Inhalten in der PagePlayer-App:

- Hörtext
- Video
- Erklärvideo zur Strategie
- weiterführender Link
- Textauswahl zur inhaltlichen Differenzierung
- kooperative Aufgabe mit individueller Textauswahl
- vorbereitende oder vertiefende Übung
- GI telc ÖSD Aufgabe im Prüfungsformat (Übungsbuch)

Die Webcodes

Alle digitalen Inhalte aus der PagePlayer-App sowie weitere Zusatzmaterialien sind auch online unter **www.cornelsen.de/codes** verfügbar.

Geben Sie hierfür einfach den entsprechenden Webcode oder die ISBN des Buches ein.

Unter den folgenden Webcodes findet man:

pafuba	alle digitalen Inhalte zum Kurs- und Übungsbuch WEITBLICK B2.1 – alle Hörtexte zum Kurs- und Übungsbuch – alle Videos und Strategievideos – alle zusätzlichen Texte – Transkriptionen zu den Hörtexten – Lösungen zum Übungsbuch – die alphabetische Wortliste
geqexu	alle digitalen Inhalte zu Einheit 1 (Kurs- und Übungsbuch)
tepopi	alle digitalen Inhalte zu Einheit 2 (Kurs- und Übungsbuch)
hikesa	alle digitalen Inhalte zu Einheit 3 (Kurs- und Übungsbuch)
dutawe	alle digitalen Inhalte zu Einheit 4 (Kurs- und Übungsbuch)
vayego	alle digitalen Inhalte zu Einheit 5 (Kurs- und Übungsbuch)
hazodu	alle digitalen Inhalte zu Einheit 6 (Kurs- und Übungsbuch)

Die Webcodes zu den Einheiten sind auch am Anfang der jeweiligen Einheit abgedruckt.

1 Den Horizont erweitern

Erwartungen und Erfahrungen

1 **Den Horizont erweitern. Was bedeutet das? Was verbinden Sie damit? Wie haben Sie bisher Ihren Horizont erweitert? Tauschen Sie sich aus. Die Wörter helfen.**

etwas Neues ausprobieren – Abenteuer erleben – sich überraschen lassen – eine neue Sprache lernen –

Ich mache gern lange Reisen. Dabei habe ich schon viele interessante Menschen

Inhalt

Ausblick

7 Sich und die Welt verändern

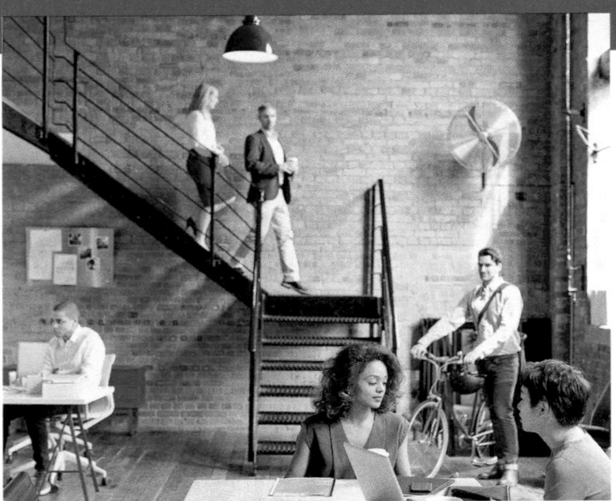

Themen:
- gesellschaftliches und politisches Engagement
- neue Arbeitsformen
- berufliche Veränderungen

Grammatik:
- Passiversatzformen
- Relativsätze mit *wer*, *wem*, *wen*

8 Bewusst konsumieren – weniger ist mehr?

Themen:
- Einkaufstypen und Konsumverhalten
- Nachhaltigkeit
- Produkteigenschaften
- Werbung

Grammatik:
- Relativsätze im Genitiv
- Partizip I und II als Adjektive
- adversative Konnektoren

9 Das perfekte Leben führen?

Themen:
- ein glückliches Leben
- Selbstoptimierung
- neue Trends
- Start-ups – die perfekte Arbeitswelt?

Grammatik:
- irreale Vergleiche in der Gegenwart und Vergangenheit
- irreale Wünsche

10 Die Welt verstehen

Themen:
· Wissenschaft
· Technik
· Politik

Grammatik:
· modale Konnektoren *indem, dadurch ... dass*
· konsekutive Konnektoren *sodass, so ... dass*
· Nominalstil

11 Geschichten erzählen

Themen:
· Kunst und Kultur
· Literatur
· Medien und Nachrichten

Grammatik:
· indirekte Rede
· Konjunktiv I

12 In vollen Zügen genießen

Themen:
· Reisen
· Genuss und Sucht
· Essen und Tischgespräche

Grammatik:
· Futur I und II für Vermutungen
· Position von *nicht*
· Modalpartikeln

Auf den ersten Blick

1 Der neue Kurs

a Kursspaziergang. Gehen Sie im Raum herum und sprechen Sie mit den anderen Teilnehmerinnen und Teilnehmern im Kurs. Stellen Sie einander Fragen und stellen Sie sich vor.

Hallo, ich heiße ... Und du / Und Sie?

Ich bin ... und komme aus ...

b Schreiben Sie eine Aussage über sich selbst auf ein Kärtchen. Lesen Sie dann Ihre Aussage laut vor. Alle anderen, auf die die Aussage auch zutrifft, stehen auf. Vergleichen Sie: Welche Gemeinsamkeiten gibt es im Kurs?

Ich wohne in einer WG.

Ich lerne Deutsch, weil ich Deutsch für mein Studium brauche.

Ich liebe Currywurst.

2 Weitblick – ein erster Blick ins Buch

a Kurskette. Was sieht man auf dem Bild? Beschreiben Sie es im Kurs. Jede/Jeder sagt einen Satz.

Im Hintergrund sieht man einen Berg. Ich glaube, das ist das Schweizer Matterhorn.

Links davon gibt es einen Fallschirmspringer.

Auf der rechten Seite sieht man die Berliner Mauer.

b Arbeiten Sie in Gruppen. Welche Themen assoziieren Sie mit den verschiedenen Motiven in der Illustration? Schreiben Sie Stichwörter auf Klebezettel.

Wandern

deutsche Geschichte

c Tauschen Sie Ihre Zettel mit einer anderen Gruppe und ordnen Sie sie in der Illustration zu. Vergleichen Sie dann Ihre Ideen.

d Welche Themen kommen in Weitblick vor? Vergleichen Sie Ihre Ideen mit dem Inhaltsverzeichnis. Auf welches Thema freuen Sie sich am meisten? Warum? Tauschen Sie sich im Kurs aus.

1 Den Horizont erweitern

Webcode: geqexu

Erwartungen und Erfahrungen

1 Den Horizont erweitern. Was bedeutet das? Was verbinden Sie damit? Wie haben Sie bisher Ihren Horizont erweitert? Tauschen Sie sich aus. Die Wörter helfen.

etwas Neues ausprobieren – Abenteuer erleben – sich überraschen lassen – eine neue Sprache lernen – eine Reise machen – Erfahrungen sammeln – ins kalte Wasser springen – die Perspektive wechseln

Ich mache gern lange Reisen. Dabei habe ich schon viele interessante Menschen kennengelernt und wichtige Erfahrungen gesammelt.

2 Neue Erfahrungen in einer anderen Kultur

1.02 1.03 **a** Über welche Erfahrungen sprechen die Personen? Wählen Sie A oder B, hören Sie und kreuzen Sie an.

A Keijo Virtanen und Ana Garcia-Lopez berichten über ihr Leben in Deutschland.

B Ling Wi und Nicolas Dubois berichten über ihr Leben in Österreich.

1 ◯ die regionale Küche
2 ◯ die Wohnungssuche
3 ◯ Duzen und Siezen
4 ◯ die Sprache / den Dialekt
5 ◯ das Heimweh
6 ◯ die Pünktlichkeit
7 ◯ die Begrüßung
8 ◯ Freizeitaktivitäten
9 ◯ die Gastfreundschaft

b Wählen Sie eine Person aus Ihrem Hörtext. Hören Sie noch einmal und machen Sie Notizen.

1 Woher kommt sie/er? Warum lebt sie/er jetzt in Deutschland bzw. Österreich?
2 Was hat sie/er in den ersten Wochen erlebt?
3 Welche kulturellen Unterschiede oder Gemeinsamkeiten hat sie/er wahrgenommen?
4 Was hat sie/ihn in Deutschland/Österreich überrascht? Was war anders, als sie/er es erwartet hatte?
5 Was empfiehlt sie/er, um sich in Deutschland bzw. Österreich gut einzugewöhnen?

c Stellen Sie Ihre Person mithilfe Ihrer Notizen aus b in der Gruppe vor.

3 Eigentlich wollte ich nach Hamburg gehen.

1.04  **a** Phonetik: das Wort *eigentlich*. Hören Sie und sprechen Sie nach.

1.04 **b** In welchen Sätzen ist *eigentlich* betont? Hören Sie noch einmal und notieren Sie.

Satz 1, …

c Was passt: Adverb oder Modalpartikel? Lesen Sie die Regel und ergänzen Sie im Grammatikkasten.

Das Wort *eigentlich*

__________: Ich wollte eigentlich nach Hamburg gehen. Aber das hat nicht geklappt.
Eigentlich wollte ich nach Hamburg gehen. Aber das hat nicht geklappt.

__________: Warum sind Sie eigentlich in die Schweiz eingewandert?

Als Adverb hat eigentlich *in Aussagesätzen eine einschränkende Bedeutung. Danach folgt oft ein Satz mit* aber. *In Fragesätzen ist* eigentlich *eine Modalpartikel und drückt Interesse oder freundliche Neugierde aus. Modalpartikeln stehen immer im Mittelfeld des Satzes und sind immer unbetont.*

▶ Grammatik A 5.4

d Kurskette. Bilden Sie Sätze mit *eigentlich* und *aber* wie im Beispiel.

Eigentlich wollte ich nach Hamburg gehen, …

… aber dann bin ich nach Berlin gegangen. Eigentlich wollte ich Medizin studieren, …

… aber dann …

e Kursspaziergang. Schreiben Sie eine Frage mit *eigentlich* auf ein Kärtchen. Fragen und antworten Sie zu zweit. Tauschen Sie dann Ihre Fragen und sprechen Sie mit der nächsten Person, usw.

Warum lernst du eigentlich Deutsch?

Warum lernst du eigentlich Deutsch?

Ich möchte ein Semester in Österreich studieren.

4 Am Ende ist sowieso alles anders, als man es geplant hat.

a Hören Sie die Sätze aus den Interviews und ergänzen Sie.

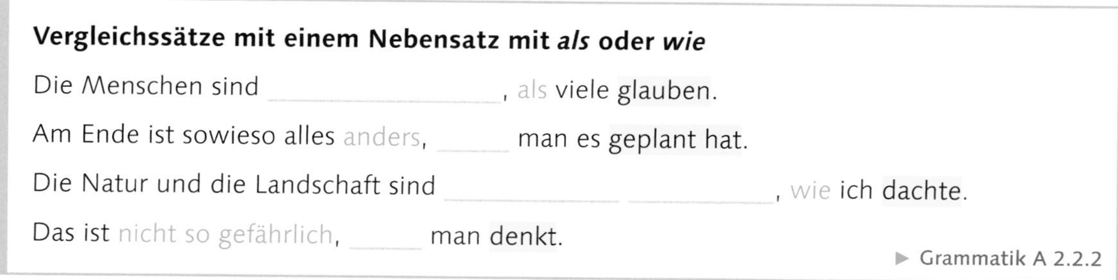

Vergleichssätze mit einem Nebensatz mit *als* oder *wie*

Die Menschen sind __________, als viele glauben.

Am Ende ist sowieso alles anders, ______ man es geplant hat.

Die Natur und die Landschaft sind __________ __________, wie ich dachte.

Das ist nicht so gefährlich, ______ man denkt.

▶ Grammatik A 2.2.2

b Wie war Ihr letzter Deutschkurs? Bilden Sie Vergleichssätze und sprechen Sie zu zweit.

der Kurs – die Lehrerin / der Lehrer – das Buch – die Themen – die Grammatik – die anderen Teilnehmerinnen und Teilnehmer

Der Kurs war besser, als ich erwartet hatte.

c Und Ihre Erfahrungen? Wählen Sie ein Thema und schreiben Sie einen kurzen Text. Beantworten Sie die Fragen und benutzen Sie die Redemittel auf Seite 25.

Die erste Zeit in einem anderen Land

Die erste Zeit in einem neuen Job

Die erste Zeit an der Uni

– Welche Erwartungen hatten Sie vorher? Haben sich Ihre Erwartungen erfüllt?
– Was hat Sie überrascht? Was war anders, als Sie erwartet hatten?

- über die Situation von Expats in der Schweiz sprechen; über Ein- und Auswandern sprechen; eine Zusammenfassung schreiben und überarbeiten
- Dativ- und Akkusativobjekte im Mittelfeld des Satzes

Das Leben in einer anderen Kultur

1 Einwandern auf Zeit

a Was glauben Sie: Worum geht es in dem Artikel? Was könnten die Personen gemeinsam haben? Lesen Sie die Überschrift, sehen Sie sich die Fotos an und sammeln Sie Ideen.

Basler Nachrichten

Zwischen den Kulturen *von Henriette Kurz*

Kim Park, Masoud Hejazi und Wendy Taylor leben als Expats in der Schweiz. Alle drei sind hochqualifiziert und wurden von ihrem Arbeitgeber, einem internationalen Pharmaunternehmen, nach Basel geschickt, um für einige Jahre in der Baseler Zweigstelle zu arbeiten.

Schwierigkeiten im Alltag

Kim Park ist erst vor zwei Monaten nach Basel gekommen. Sie hat sich sehr auf ihr Leben in der Schweiz gefreut. „Ein Leben in einem anderen Land ist ein großes Abenteuer. Man kann spannende Erfahrungen sammeln und die Perspektive wechseln. Das finde ich interessant." Kims erstes großes Abenteuer in Basel war, eine Wohnung zu finden: „Ich habe mir die Wohnungssuche viel einfacher vorgestellt", gibt Kim zu. Aber von der hohen Lebensqualität und dem vielfältigen kulturellen Angebot in Basel ist sie begeistert. „Mir gefällt es hier", sagt sie.

Kim Park, Informatikerin aus Korea

Auch Masoud Hejazi, der seit acht Monaten in Basel lebt, ist zufrieden. Trotzdem hat er sich das Leben in der Schweiz anders vorgestellt. Obwohl er Deutsch lernt, hat er selten Gelegenheit, Deutsch zu sprechen. „Eigentlich muss man hier gar kein Deutsch können. Beim Fahrkartenautomaten kann man die Sprache auswählen und auf der Straße findet man immer jemanden, der Englisch spricht." In holprigem Deutsch versucht er, im Café einen „Zwibelewaije", den typischen Baseler Zwiebelkuchen, zu bestellen. Die Bedienung antwortet aber gleich auf Englisch. Das frustriert ihn manchmal.

Masoud Hejazi, Projektmanager aus dem Iran

Wendy Taylor lebt schon seit zwei Jahren in Basel. Auch sie spricht in ihrem Alltag fast nur Englisch. In ihrem Stadtviertel leben viele Expats. „Man bleibt unter sich", sagt sie. „Am Anfang war das auch sehr nützlich. Ich wusste nicht, wie das mit den Steuern und der Krankenversicherung funktioniert. Die Schweiz ist doch sehr bürokratisch. Da haben mir die Tipps der anderen Expats sehr geholfen." Inzwischen hätte sie doch gern mehr Kontakt zu den Schweizern. „Die Schweizer sind zurückhaltender, als ich gedacht habe. Es ist nicht so leicht, hier Menschen kennenzulernen." So richtig angekommen in der Schweiz fühlt sie sich auch nach zwei Jahren noch nicht.

Wendy Taylor, Marketingmanagerin aus Großbritannien

Integration kann gelingen

Die schwierige Integration und die Parallelgesellschaft, in der die Expats leben, machen auch der Schweizer Regierung und den Unternehmen Sorgen: Die Expats sollen sich zu Hause fühlen, Freunde finden, die Schweiz als zweite Heimat erleben. Deshalb gibt es inzwischen viele Programme, die den Expats die berufliche und soziale Integration erleichtern sollen. Neben normalen Sprachkursen gibt es auch Kurse, in denen man den Dialekt und die kulturellen Besonderheiten lernen kann. Beratungsstellen helfen bei der Wohnungssuche, beim Eröffnen eines Bankkontos oder bei der Steuererklärung weiter. Und viele Unternehmen bieten den Expats ein großes Freizeitangebot an: Ausflüge in die Umgebung, Schifffahrten auf dem Rhein, sportliche Aktivitäten und After-Work-Partys mit den Schweizer Kollegen.

Auch Wendy, Kim und Masoud wollen sich besser integrieren. Kim ist in die „Basler Fasnachtsgesellschaft", einen Karnevalsverein, eingetreten. Masoud hat sich in einem Fitnessstudio in der Stadt angemeldet. Und Wendy geht seit Kurzem regelmäßig zu einem Basler Spielekreis, wo sie zum Beispiel „Jassen", ein typisches Schweizer Kartenspiel lernt. So haben die drei schon einige Basler kennengelernt. Noch sind keine engen Freundschaften entstanden, aber immerhin schon ein paar neue Kontakte.

Am Beispiel der drei Expats sieht man gut, wie schwierig das Ankommen in einer neuen Kultur sein kann. Um sich in einem anderen Land wohlzufühlen, braucht man nicht nur Kenntnisse über die Sprache und Kultur, sondern vor allem viel Geduld.

b Lesen Sie den Artikel in a und vergleichen Sie mit Ihren Vermutungen.

c Wo stehen diese Informationen? Lesen Sie noch einmal und unterstreichen Sie im Zeitungsartikel in a.

1 Welche Unterstützungsangebote gibt es für die Expats, um sich zu integrieren?
2 Was sind Expats?
3 Was machen die Expats, um mehr Kontakt zu den Schweizern zu bekommen?
4 Wie fühlen sich die Expats in Basel?
5 Welche Schwierigkeiten haben sie?

d Beantworten Sie die Fragen aus c in Ihrem Heft.

2 Ich habe mir das Leben in Basel anders vorgestellt.

a Markieren Sie die Dativ- und Akkusativobjekte in den Sätzen im Grammatikkasten in zwei Farben. Was fällt Ihnen auf? Ergänzen Sie die Regel.

Dativ- und Akkusativobjekte im Mittelfeld des Satzes

1 Ich habe mir das Leben in Basel anders vorgestellt.
2 Die Firma bietet den Expats ein Freizeitprogramm an.
3 Ich habe es mir anders vorgestellt.
4 Sie bietet es den Expats sehr günstig an.

Normalerweise steht das Dativobjekt vor dem Akkusativobjekt (Satz 1 und ___).

Wenn das Akkusativobjekt ein Pronomen ist, steht Akkusativ vor Dativ (Satz ___ und ___).

▶ Grammatik B 1.2

b Fragen und antworten Sie zu zweit wie im Beispiel.

1 die Bedienung – bringen – der Gast – der Zwiebelkuchen
2 das Unternehmen – schicken – die Mitarbeiter – das Programm
3 der Projektmanager – weiterleiten – die Kollegin – die E-Mail
4 sie – erklären – ihr Kollege – die Steuererklärung

Hat die Bedienung dem Gast den Zwiebelkuchen gebracht?

Ja, sie hat ihn ihm gebracht.

c Könnten Sie sich vorstellen, für einige Jahre in ein anderes Land zu gehen, um dort zu arbeiten oder zu studieren? Tauschen Sie sich aus.

Also ich würde gern mal für eine Zeit zum Studium nach … gehen. Dort gibt es sehr gute Unis.

3 Strategietraining: eine Zusammenfassung schreiben und überarbeiten

a Was ist bei einer Zusammenfassung wichtig? Sehen Sie das Strategievideo und machen Sie Notizen.

b Schreiben Sie mithilfe der Redemittel eine Zusammenfassung des Zeitungsartikels in 1a.

- Nennen Sie in der Einleitung das Thema.
- Benutzen Sie für den Hauptteil Ihre Informationen aus 1c und d.
- Fassen Sie im Schlussteil die Meinung der Autorin zusammen.

einen Text zusammenfassen

In dem Zeitungsartikel geht es um … / Der Zeitungsartikel handelt von …
Im ersten/zweiten/… Teil berichtet die Autorin von …
Dann/Danach/Anschließend argumentiert die Autorin … / Zum Schluss …
Die Autorin ist der Meinung, dass … / Sie findet/meint/kritisiert, dass …

▶ Redemittel S. 25

c Haben Sie alle Tipps berücksichtigt? Sehen Sie das Video zum Strategietraining noch einmal und überprüfen bzw. überarbeiten Sie Ihren Text.

- Personen beschreiben; über den ersten Eindruck sprechen; über Unterschiede in Selbst- und Fremdwahrnehmung sprechen; ein Erklärvideo über Stereotypen und Vorurteile verstehen; über Stereotypen und Vorurteile sprechen
- Perfekt: *lassen, sehen, hören*; Phonetik: Wortakzent

Vorurteile überwinden

1 Aussehen und Charaktereigenschaften

a Welche Adjektive beschreiben das Aussehen, welche den Charakter einer Person? Machen Sie zwei Listen.

kreativ – freundlich – spießig – fleißig – langweilig – aggressiv – gepflegt – selbstbewusst – nachdenklich – ruhig – hübsch – offen – optimistisch – blond – unsicher – sportlich – ängstlich – zuverlässig – naiv – ehrgeizig – elegant – neugierig – temperamentvoll – muskulös – vernünftig – eitel – arrogant – humorvoll – perfektionistisch – altmodisch – schüchtern

b Phonetik: Wortakzent. Wo liegt der Wortakzent? Lesen Sie die Adjektive aus a laut und machen Sie eine Tabelle in Ihrem Heft.

auf der 1. Silbe	*auf der 2. Silbe*	*auf der letzten Silbe*	*an anderer Stelle*
freundlich, ...	*gepflegt, ...*	*kreativ, ...*	*optimistisch, ...*

1.06  **c** Hören Sie, markieren Sie den Wortakzent in a und sprechen Sie leise mit. Vergleichen Sie mit Ihrer Tabelle.

d Auf welcher Silbe liegt der Wortakzent meistens? Welche Ausnahmen gibt es? Tauschen Sie sich aus.

e Sprechen Sie die Adjektive aus a abwechselnd zu zweit. Zeigen Sie den Wortakzent mit einer Handbewegung.

2 Der erste Eindruck

a Was finden oder glauben Sie: Wie sind die Personen auf dem Foto? Notieren Sie Ideen zu den Stichwörtern.

Aussehen	Beruf	Interessen	Charakter

A Leonie Hilbert – B Hannes Makowski – C Eva-Maria Hünig

b Vergleichen Sie Ihre Ideen aus a in Gruppen. Unterscheiden sich Ihre Eindrücke? Tauschen Sie sich aus.

> *Ich finde, Hannes Makowski sieht ein bisschen gefährlich aus. Ich könnte mir vorstellen, dass er als Türsteher in einem Club arbeitet.*

> *Wirklich!? Ich finde, er sieht sehr freundlich aus. Vielleicht …*

1.07  **c** Was wurde in dem Experiment untersucht? Hören Sie den Anfang der Radiosendung und sprechen Sie im Kurs.

1.08
1.09
1.10  **d** Arbeiten Sie zu dritt. Wählen Sie jeweils eine Person aus a. Hören Sie das passende Interview (A, B oder C) und machen Sie Notizen zu den Fragen.

1. Welchen Beruf hat sie/er?
2. Welche Hobbys und Interessen hat sie/er?
3. Wie wird sie/er von anderen wahrgenommen?
4. Warum wird sie/er so wahrgenommen?
5. Wie beschreibt sie/er sich?

e Stellen Sie Ihre Person mithilfe Ihrer Notizen aus d in der Gruppe vor und vergleichen Sie mit Ihren eigenen Ideen aus a.

> *Ich habe das Interview mit Leonie Hilbert gehört. Sie hat erzählt, dass … Das hat mich überrascht. Ich hatte erwartet, dass …*

1 f Wie ist das Perfekt? Hören Sie Sätze aus den Interviews und ergänzen Sie.

Perfekt: *lassen, sehen, hören*

Danach *hat* sie mich in Ruhe *gelassen* .

Die Leute ______ mich einmal ______ und haben sofort ...

Ich ______ schon immer gern solche Musik ______ .

Ich ______ mir vor Kurzem ein neues Piercing ______ ______ .

Der Kollege der anderen Firma ______ mich ______ ______ ...

Als er mich so ______ ______ ______, war er sehr überrascht.

Perfekt von lassen/sehen/hören *mit einem zweiten Verb:*
haben *(konjugiert)* + *Infinitiv* + lassen/sehen/hören *(Infinitiv).*
Im Nebensatz stehen drei Verben am Satzende:
haben *(konjugiert)* + *Infinitiv* + lassen/sehen/hören *(Infinitiv).*

▶ Grammatik A 1.1.3

g Fragen und antworten Sie zu zweit mit *sehen* oder *hören*. Benutzen Sie die Verben aus dem Kasten.

Klavier spielen – reinkommen – singen – streiten – arbeiten – Fußball spielen – schnarchen

Hast du mich gehört?

Ja, ich habe dich Klavier spielen hören.

3 Stereotype und Vorurteile

a Der erste Eindruck täuscht. Was ist damit gemeint? Stimmen Sie zu? Diskutieren Sie.

Vielleicht bedeutet es, dass man einen Menschen nicht nach seinem Aussehen beurteilen soll.

b Was wird im Video zum ersten Eindruck gesagt? Sehen Sie das Video und vergleichen Sie mit Ihren Ideen aus a.

c Welche Definition passt? Sehen Sie das Video noch einmal und ordnen Sie die Begriffe zu.

ein Vorurteil – eine Kategorie – ein Stereotyp

1 ______
eine Klasse oder Gruppe, in die man Dinge oder Personen wegen bestimmter gemeinsamer Merkmale einordnet

2 ______
ein vereinfachendes, verallgemeinerndes und festes Bild von Personen oder Gruppen

3 ______
eine feste, oft negative Meinung über Personen oder Gruppen, über die man nicht viel weiß

d Welche Beispiele für Kategorienbildung, Stereotype und Vorurteile werden genannt? Sehen Sie das Video noch einmal und notieren Sie.

e Welche Stereotype oder Vorurteile über Deutsche, Österreicher oder Schweizer kennen Sie? Sind sie Ihrer Erfahrung nach wahr oder falsch?

über Stereotype und Vorurteile sprechen

Ich habe schon oft gehört, dass ... / Manche Leute sind der Meinung, dass ...
Aber das ist Quatsch. / Aber das stimmt nicht. / Das ist ein Stereotyp/Vorurteil.
Ein Vorurteil gegenüber Deutschen/Österreichern/Schweizern/... ist, wenn man sagt ...
Es gibt viele Stereotype über Deutsche/Österreicher/Schweizer/... Zum Beispiel: ...

▶ Redemittel S. 25

■ einen literarischen Text verstehen; über Eitelkeit sprechen; sich unbekannte Wörter erschließen; einen Tagebucheintrag / ein alternatives Ende schreiben

Frauen sind eitel. Männer? Nie!

1 Eitelkeit

a *Frauen sind eitel. Männer? Nie –!* Das ist der Titel einer Kurzgeschichte von Kurt Tucholsky aus dem Jahr 1928. Würden Sie dem Satz zustimmen? Warum (nicht)? Sprechen Sie im Kurs.

Ich würde schon sagen, dass das stimmt.

Ich finde, das ist ein Vorurteil. Ich kenne viele eitle Männer, die stundenlang vor dem Spiegel stehen.

b Ist der Mann eitel? Warum (nicht)? Lesen Sie den ersten Teil der Geschichte und tauschen Sie sich aus.

Frauen sind eitel. Männer? Nie –!

Das war in Hamburg […] und es war vor dem dreiteiligen Spiegel. Der Spiegel stand in einem Hotel, das Hotel stand vor der Alster, der Mann stand vor dem Spiegel. Die Morgen-Uhr zeigte genau fünf Minuten vor halb zehn.

[…] Männer sind nicht eitel. Frauen sind es. Alle Frauen sind eitel. Dieser Mann stand vor dem Spiegel, weil der dreiteilig war und weil der Mann zu Hause keinen solchen besaß. Nun sah er sich […] mit dem Hängebauch im dreiteiligen Spiegel und bemühte sich, sein Profil so kritisch anzusehen, wie seine egoistische Verliebtheit das zuließ … eigentlich … und nun richtete er sich ein wenig auf – eigentlich sah er doch sehr gut im Spiegel aus, wie –? Er strich sich mit gekreuzten Armen über die Haut […] und bei dieser Betätigung sah sein linkes Auge ganz zufällig durch die dünne Gardine zum Fenster hinaus. Da stand etwas.

Es war eine enge Seitenstraße, und gegenüber, in gleicher Etagenhöhe, stand an einem Fenster eine Frau, eine ältere Frau, schien's, die hatte die […] Gardine leicht zur Seite gerafft […] und sie stierte, starrte, glotzte, äugte auf des Mannes gespiegelten Bauch. Allmächtiger.[1] Der erste Impuls hieß[2] den Mann vom Spiegel zurücktreten, in die schützende Weite des Zimmers, gegen Sicht gedeckt. So ein Frauenzimmer[3]. Aber es war doch eine Art Kompliment […] Der Mann wagte sich drei Schritt vor.

Wahrhaftig[4]: Da stand sie noch immer und äugte und starrte. Nun – man ist auf der Welt, um Gutes zu tun […] – heran an den Spiegel, heran ans Fenster! Nein. Es war zu schehnierlich[5] … der Mann hüpfte davon, wie ein junges Mädchen, eilte ins Badezimmer und rasierte sich mit dem neuen Messer, das glitt sanft über die Haut wie ein nasses Handtuch, es war eine Freude. Abspülen […] , nachwaschen, pudern … das dauerte gut und gern seine zehn Minuten. Zurück. Wollen doch spaßeshalber einmal sehen –.

Sie stand wahr[6] und wahrhaftig noch immer da; in genau derselben Stellung wie vorhin stand sie da […]

[1] *Großer Gott!* (Ausruf); [2] hier: *ließ*; [3] altmodisch: *Frau*; [4] *tatsächlich, wirklich*; [5] normalerweise: *genierlich = peinlich*; [6] hier: *wirklich*

2 Strategietraining: sich unbekannte Wörter erschließen

a Lesen Sie die Geschichte in 1b noch einmal und unterstreichen Sie alle Wörter, die Sie verstehen.

b Was könnten die markierten Wörter in 1b bedeuten? Arbeiten Sie in Gruppen und sammeln Sie Ideen. Die Fragen helfen.

- Welche Informationen gibt der Satz (der Kontext), in dem das Wort steht?
- Zu welcher Wortart (Nomen, Verb, Adjektiv usw.) gehört das Wort? Oder könnte das Wort ein Name sein (von einer Person, einem Ort …)?
- Ist das Wort ein Kompositum (ein zusammengesetztes Wort)? Kennen Sie eventuell schon einen Teil des Wortes?
- Kennen Sie ähnliche Wörter, die zur gleichen Wortfamilie gehören?
- Kennen Sie Wörter in einer anderen Sprache, die so ähnlich klingen?

„... und sie stierte, starrte, glotzte, äugte gerade auf des Mannes gespiegelten Bauch."

c Schlagen Sie die Wörter im Wörterbuch nach und überprüfen Sie Ihre Vermutung.

d Textsurfen. Eine Person steht auf und beginnt, an einer beliebigen Stelle den Text laut vorzulesen. Die anderen versuchen, die richtige Stelle zu finden, um mitzulesen. Wer die Stelle gefunden hat, steht auch auf und liest laut mit. Lesen Sie gemeinsam, bis alle stehen. Spielen Sie drei Runden.

e Wer? Wo? Was? Lesen Sie die Geschichte in 1b noch einmal und notieren Sie die wichtigsten Informationen. Fassen Sie die Geschichte dann mit eigenen Worten zusammen.

In Tucholskys Kurzgeschichte geht es um einen Mann, der ...

3 Ein überraschendes Ende

a Was glauben Sie: Wie könnte die Geschichte weitergehen? Sammeln Sie Ideen.

b Lesen Sie das Ende der Geschichte und vergleichen Sie mit Ihren Ideen. Wie finden Sie das Ende? Tauschen Sie sich aus.

Der Mann ging nun überhaupt nicht mehr vom Spiegel fort. [...] [E]r bürstete sich und legte einen Kamm von der rechten auf die linke Seite des Tischchens; er schnitt sich die Nägel und trocknete sich ausführlich hinter den Ohren, er sah sich prüfend von der Seite an, von vorn und auch sonst ... ein schiefer Blick über die Straße: die Frau, die Dame, das Mädchen – sie stand noch immer da. [...]

[E]r zog die Gardine zurück und öffnete mit leicht vertraulichem Lächeln das Fenster. Und sah hinüber. Die Frau war gar keine Frau. Die Frau [...] war – ein Holzgestell mit einem Mantel darüber, eine Zimmerpalme und ein dunkler Stuhl.

[...] Frauen sind eitel. Männer –? Männer sind es nie.

c Wählen Sie eine Aufgabe und schreiben Sie einen Text.

A Schreiben Sie einen Tagebucheintrag aus der Perspektive des Mannes. Wie fühlt er sich? Was denkt er über die Situation?

B Schreiben Sie ein alternatives Ende für die Geschichte.

Wenn sich Kulturen begegnen

1 Kulturelle Stereotype

a Welche Begriffe passen Ihrer Erfahrung nach zum Alltag in Ihrer eigenen Kultur? Welche passen Ihrer Meinung nach zur Alltagskultur in den deutschsprachigen Ländern? Schreiben Sie zwei Listen.

Alltagskultur in ...
- *Humor (auch in schwierigen Situationen macht man Witze)*

Alltagskultur in D-A-CH
- *Freundlichkeit (die Menschen sind höflich und hilfsbereit)*
- *Verschlossenheit (schwierig, Freunde zu finden)*

b Welche Gemeinsamkeiten oder Unterschiede sehen Sie zwischen den Alltagskulturen in deutschsprachigen Ländern und in Ihrer Heimat? Stellen Sie Ihre Listen in der Gruppe vor.

> *Bei uns in ... legt man viel Wert auf Zuverlässigkeit. Das haben wir mit den Deutschen gemeinsam. Aber beim Humor gibt es viele Unterschiede. Ich finde, wir sind humorvoller als die Leute in Deutschland.*

c Unterscheiden sich Ihre Wahrnehmungen von den Alltagskulturen in den deutschsprachigen Ländern? Was glauben Sie: Warum ist das so? Vergleichen Sie Ihre Listen in der Gruppe und diskutieren Sie.

> *Ich habe die Erfahrung gemacht, dass die Deutschen sehr lustig sein können. Vielleicht gibt es ja einen Unterschied zwischen jüngeren und älteren Menschen.*

d Welche Gruppen oder „Kulturen" können einen Menschen beeinflussen? Lesen Sie die Definition und notieren Sie. Sammeln Sie weitere Ideen in der Gruppe. Vergleichen Sie dann Ihre Ergebnisse im Kurs.

Transkulturalität *ist ein Konzept, das annimmt, dass „Kulturen" keine geschlossenen Systeme sind, sondern sich flexibel verändern können. Nach diesem Konzept sind Menschen nicht nur durch ihre Nationalkultur geprägt. Jeder Mensch gehört zu vielen verschiedenen Gruppen und „Kulturen" (z. B. die Familie, die Firma, der Sportverein oder eine religiöse Gruppe), die ihn beeinflussen.*

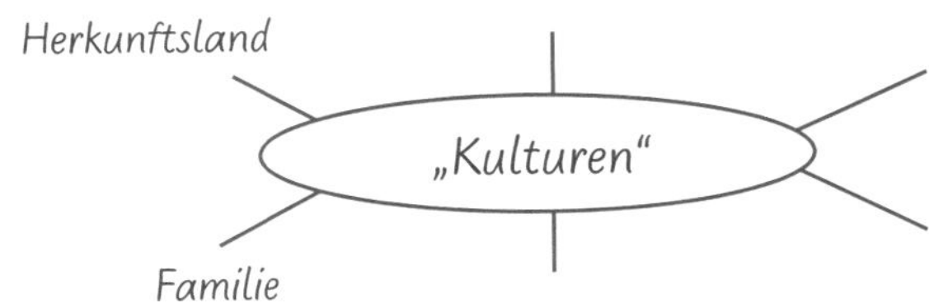

2 Transkulturelle Kommunikationsschwierigkeiten

a Arbeiten Sie in Gruppen. Wählen Sie eine Situation und diskutieren Sie die Fragen.

- Was ist hier passiert? Was für ein Kommunikationsproblem oder Missverständnis wird hier beschrieben?
- Was glauben Sie: Warum verhalten sich die Personen so? Welche kulturellen Annahmen könnten sie haben?

A

Amin kommt aus dem Irak und lebt seit Kurzem in Deutschland. Seine Nachbarin hat ihn zum Essen eingeladen. Beim Essen bietet ihm Kathrin, die Gastgeberin, eine zweite Portion an. Amin lehnt höflich ab. Als Kathrin dann das Essen abräumt, ist er überrascht und etwas enttäuscht. Kathrin merkt davon nichts.

B

Yumi aus Korea studiert seit Kurzem in Deutschland. Sie ist von ihrer Kommilitonin Lea zu einer WG-Party eingeladen worden. Als Yumi pünktlich um 21 Uhr vor der Tür steht, ist Lea noch beim Kochen und Dekorieren und etwas überrascht. Die meisten Gäste kommen erst gegen 22 Uhr. Yumi ist die erste und wundert sich.

C

Anna Mai ist Seminarleiterin an der Uni. In ihrem Seminar sind Studierende aus Deutschland, China und Japan. Frau Mai fragt während des Seminars regelmäßig nach Feedback und Kritik. Normalerweise sagen nur die deutschen Studierenden etwas. Bei der anonymen schriftlichen Evaluation am Ende des Semesters bekommt Frau Mai auch von den anderen Studierenden positive, aber auch negative Kritik. Sie ist irritiert.

D

Paul Mwangi kommt aus Kenia, wo seine Familie in einem Dorf auf dem Land lebt. Er studiert seit zwei Wochen in Deutschland und hat einen Termin bei seinem Dozenten Achim Handke. Im Büro des Dozenten bleibt er neben der Tür stehen und wartet. Achim Handke ist über die Situation irritiert. Er bittet den Studenten, sich zu setzen. Erst dann nimmt Paul Mwangi Platz.

b Stellen Sie Ihre Ideen im Kurs vor und vergleichen Sie sie mit den Lösungen unten. Was hat Sie überrascht?

c Haben Sie solche oder ähnliche Situationen selbst schon erlebt? Berichten Sie im Kurs.

über transkulturelle Schwierigkeiten und Missverständnisse sprechen
In … gilt es als sehr unhöflich, wenn … / Ich habe gelesen/gehört, dass man in … nicht …
Von einem Freund aus … weiß ich, dass man dort leicht missverstanden wird, wenn man …
Als ich einmal in … war, ist mir etwas sehr Lustiges/Peinliches passiert: …
Als …, war ich sehr irritiert/überrascht.

► Redemittel S. 25

d Was könnte dieses Zitat bedeuten? Was hat das Zitat mit kulturellen Missverständnissen zu tun? Diskutieren Sie im Kurs.

„Wir sehen die Dinge nicht so, wie sie sind. Wir sehen sie so, wie wir sind". (Anaïs Nin, Schriftstellerin)

A In einigen arabischen Ländern gehört es zur Routine, nicht gleich beim ersten Mal „Ja" zu sagen, sondern erst einmal mit „Nein" zu antworten. In Deutschland gilt ein „Ja" oder „Nein" in den meisten Situationen schon beim ersten Mal.
B Pünktlichkeit gilt im Allgemeinen in Deutschland als besonders wichtig. Unter jüngeren Menschen spielt Pünktlichkeit vor allem bei privaten informellen Treffen aber keine so große Rolle. Bei Partys kommt man lieber eine halbe Stunde zu spät als zu früh.
C In einigen asiatischen Ländern steht die Lehrperson in der Hierarchie weiter oben und sollte nicht offen kritisiert werden. In Deutschland ist es an der Uni üblich, die eigene Meinung zu sagen und Kritik zu äußern.
D Im traditionelleren ländlichen Raum Kenias gilt es als unhöflich, wenn man sich im Haus oder Büro einer Person, die in der Hierarchie weiter oben steht, einfach setzen würde. Man wartet, bis die Person es einem erlaubt. In größeren Städten Kenias ebenso wie in Deutschland werden solche Höflichkeitsformen nicht immer gepflegt.

- eine Radiosendung über extreme Freizeitaktivitäten verstehen; über extreme Hobbys und Freizeitaktivitäten sprechen; eine Zusammenfassung einer Radiosendung schreiben

An seine Grenzen gehen

1 Extreme Hobbys

a Was macht man bei diesen Hobbys? Beschreiben Sie die Fotos mithilfe der Wörter.

1 
das Eisbaden

2 
das Bungee-Jumping

3 
das Bergsteigen

4 
das Wüsten-Camping

5 
der Hindernislauf

6 
das Überlebenstraining

7 
das Wildwasser-Rafting

8 
das Fallschirmspringen

ans Ziel kommen – im Team Spaß haben – an einem Seil hochklettern – ins kalte Wasser / ins Leere / aus einem Flugzeug / von einer Brücke springen – an seine Grenzen gehen – ein Risiko eingehen – Insekten essen – das Risiko / ein Abenteuer suchen – ein Feuer machen – Abenteuer erleben – mit einem Schlauchboot durch hohe Wellen fahren – ein Hindernis überwinden

Beim Bungee-Jumping springt man an einem Seil von einer Brücke oder einem hohen Bauwerk. Dafür muss man sehr mutig sein.

b Finden Sie die Hobbys in a extrem? Warum (nicht)? Was finden Sie extrem? Tauschen Sie sich aus.

Wüsten-Camping finde ich auf jeden Fall extrem. Das ist bestimmt sehr kalt in der Nacht.

Ja, aber noch viel extremer finde ich …

2 Extreme Erfahrungen

1.12 **a** Über welche Hobbys sprechen die Personen in der Radiosendung? Hören Sie und kreuzen Sie in 1a an.

1.12 **b** Was mögen die Personen an ihren extremen Hobbys? Welche Folgen hat es für ihren Alltag? Hören Sie noch einmal und machen Sie Notizen.

	Valentin	*Özlem*	*Oliver*	*Sofia*
Warum?	*Spaß im Team*			
Folgen?	*fitter, teamfähiger*			

c Wie finden Sie die Hobbys aus der Radiosendung? Würden Sie auch gern so etwas machen? Warum (nicht)? Tauschen Sie sich aus.

d Schreiben Sie eine kurze Zusammenfassung der Radiosendung. Benutzen Sie Ihre Notizen aus b. Brauchen Sie Hilfe oder sind Sie schon fertig? Dann arbeiten Sie mit der App.

e Tauschen Sie Ihre Zusammenfassung mit einer anderen Person und vergleichen Sie: Haben Sie über alle wichtigen Punkte geschrieben?

Auf einen Blick

über Erwartungen und Erfahrungen sprechen
Ich habe mir vorgestellt, dass … Aber dann habe ich erlebt, dass …
Meine Erwartungen haben sich (voll und ganz / leider nicht) erfüllt.
Ich habe die Erfahrung gemacht, dass …
Ich habe (nicht) damit gerechnet, dass … / Ich hätte nicht gedacht/erwartet, dass …
… hat mich sehr überrascht. / An der Uni wird viel diskutiert. Das war neu für mich.
Es war viel besser / ganz anders …, als ich gedacht hatte.
Meine Erfahrungen haben mir gezeigt, dass …
Das war eine wichtige/neue Erfahrung für mich, weil …

einen Text zusammenfassen
In dem Zeitungsartikel / In der Reportage / In der Radiosendung geht es um …
Der Zeitungsartikel / Die Reportage / Die Radiosendung handelt von …
Das Thema des Textes ist … / Der Artikel informiert über …
Im ersten/zweiten Teil berichtet die Autorin / der Autor von …
Die Personen berichten/beschreiben/erklären/erzählen, wie/dass …
Zuerst/Dann/Danach/Anschließend … / Zum Schluss …
Die Autorin / Der Autor ist der Meinung, dass …
Sie/Er findet/meint/kritisiert, dass …

über Stereotype und Vorurteile sprechen
Ich habe schon oft gehört, dass …
Manche/Viele Leute sind der Meinung, dass …
Aber das ist Quatsch. / Aber das stimmt nicht. / Das ist ein Stereotyp/Vorurteil.
Ein Vorurteil gegenüber Deutschen / den Deutschen / … ist, wenn man sagt, dass …
Es gibt viele Stereotype über Deutsche / die Deutschen / … Zum Beispiel: …

über transkulturelle Schwierigkeiten und Missverständnisse sprechen
In … gilt es als sehr unhöflich, wenn … / Ich habe gelesen/gehört, dass man in … nicht … sollte.
Von einem Freund aus … weiß ich, dass man dort leicht missverstanden wird, wenn man …
Als ich einmal in … war, ist mir etwas sehr Lustiges/Peinliches/Blödes passiert: …
Als …, war ich sehr irritiert/überrascht.

Wie würden Sie gern leben?

1

2

3

4

5

6

a

1 Zu Hause

a Wie und mit wem kann man wohnen und leben? Welche Wohn- und Lebensformen sieht man auf den Fotos? Beschreiben Sie die Fotos. Die Wörter helfen.

in einem Bauwagen / auf einem Wagenplatz – auf einem Hausboot – in einem eigenen Haus / in einer Eigentumswohnung – in einer Mietwohnung / zur Miete – in einer Kommune / in einem Wohnprojekt – im Studentenwohnheim – in einer WG/Wohngemeinschaft

Auf Foto 5 sieht man die Mitbewohnerinnen einer WG. Sie wohnen wahrscheinlich zur Miete.

Oder das ist die Gemeinschaftsküche in einem Studentenwohnheim.

b Worum geht es in dem Lied? Sehen Sie das Musikvideo und tauschen Sie sich aus.

c In welcher Reihenfolge äußern sich die Personen zum Thema *zu Hause*? Sehen Sie das Video noch einmal und ordnen Sie die Personen.

a [4] die Familie
b [ ] der junge Geflüchtete
c [11] der Geflüchtete aus Afghanistan
d [ ] die Großfamilie
e [1] die junge alleinstehende Frau
f [ ] der Mann im Gefängnis
g [ ] der ältere obdachlose Mann
h [ ] die ältere Frau
i [ ] der Mann im Bauwagen
j [ ] die Frau um die 50
k [ ] die alleinerziehende Mutter mit ihrer Tochter

d Was erfährt man über die Personen? Wie leben sie? Wie fühlen sie sich? Was bedeutet *zu Hause* für sie? Wählen Sie zwei Personen aus c. Sehen Sie das Video noch einmal, lesen Sie die Texte mit und machen Sie Notizen.

e Stellen Sie Ihre Personen aus d im Kurs vor. Was denken Sie: Wer lebt gern so? Wer würde lieber anders leben? Tauschen Sie sich aus.

f Und Sie? Was bedeutet *zu Hause* für Sie? Wo sind Sie zu Hause? Berichten Sie im Kurs.

Liebe Menschen und Geborgenheit – das ist zu Hause für mich. Ich bin an vielen Orten zu Hause.

2 Alternative Wohn- und Lebensmodelle

a Welche Fotos links passen zu den Personen? Lesen Sie die Forumsbeiträge und ordnen Sie zu.

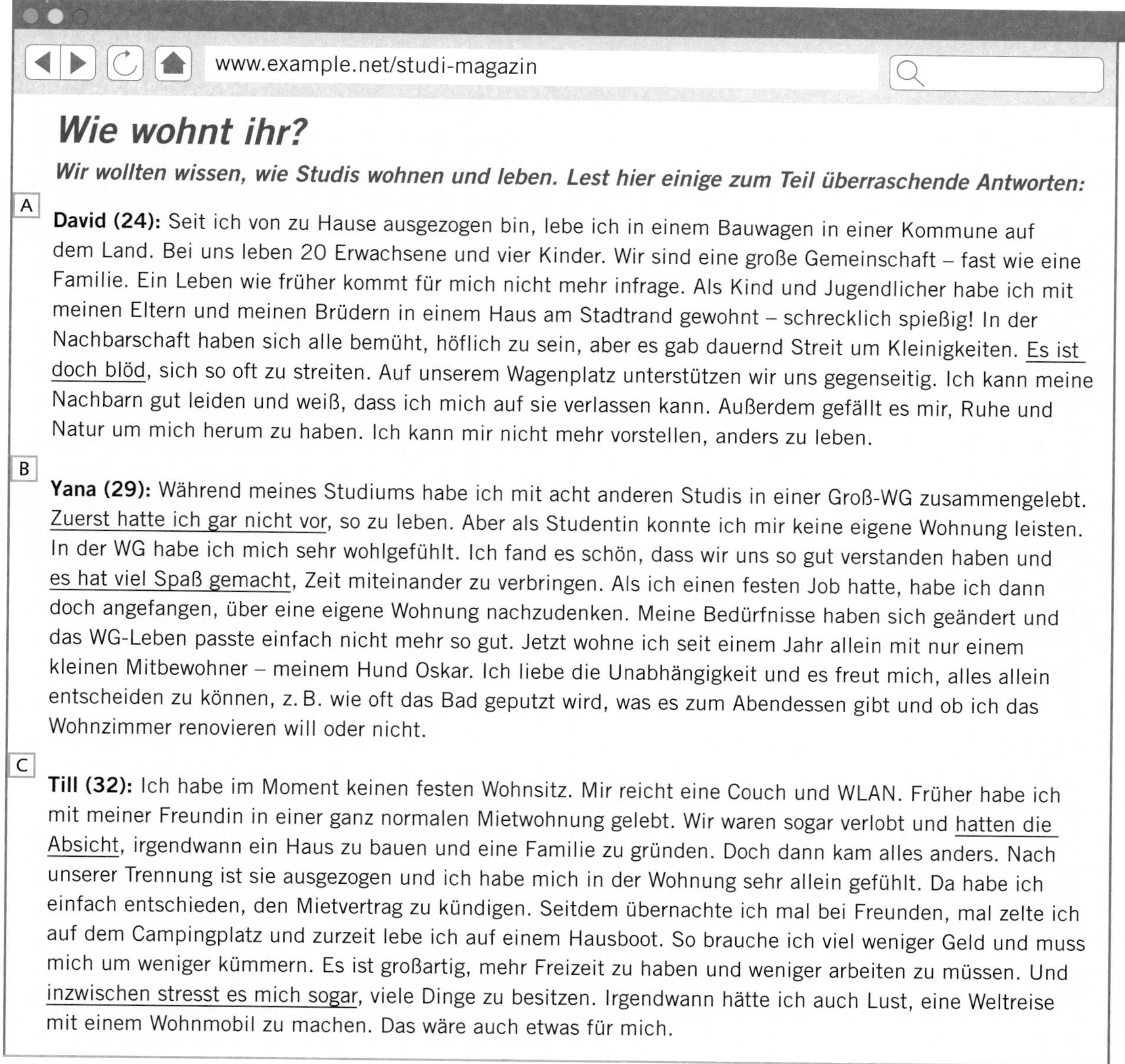

www.example.net/studi-magazin

Wie wohnt ihr?

Wir wollten wissen, wie Studis wohnen und leben. Lest hier einige zum Teil überraschende Antworten:

A

David (24): Seit ich von zu Hause ausgezogen bin, lebe ich in einem Bauwagen in einer Kommune auf dem Land. Bei uns leben 20 Erwachsene und vier Kinder. Wir sind eine große Gemeinschaft – fast wie eine Familie. Ein Leben wie früher kommt für mich nicht mehr infrage. Als Kind und Jugendlicher habe ich mit meinen Eltern und meinen Brüdern in einem Haus am Stadtrand gewohnt – schrecklich spießig! In der Nachbarschaft haben sich alle bemüht, höflich zu sein, aber es gab dauernd Streit um Kleinigkeiten. Es ist doch blöd, sich so oft zu streiten. Auf unserem Wagenplatz unterstützen wir uns gegenseitig. Ich kann meine Nachbarn gut leiden und weiß, dass ich mich auf sie verlassen kann. Außerdem gefällt es mir, Ruhe und Natur um mich herum zu haben. Ich kann mir nicht mehr vorstellen, anders zu leben.

B

Yana (29): Während meines Studiums habe ich mit acht anderen Studis in einer Groß-WG zusammengelebt. Zuerst hatte ich gar nicht vor, so zu leben. Aber als Studentin konnte ich mir keine eigene Wohnung leisten. In der WG habe ich mich sehr wohlgefühlt. Ich fand es schön, dass wir uns so gut verstanden haben und es hat viel Spaß gemacht, Zeit miteinander zu verbringen. Als ich einen festen Job hatte, habe ich dann doch angefangen, über eine eigene Wohnung nachzudenken. Meine Bedürfnisse haben sich geändert und das WG-Leben passte einfach nicht mehr so gut. Jetzt wohne ich seit einem Jahr allein mit nur einem kleinen Mitbewohner – meinem Hund Oskar. Ich liebe die Unabhängigkeit und es freut mich, alles allein entscheiden zu können, z. B. wie oft das Bad geputzt wird, was es zum Abendessen gibt und ob ich das Wohnzimmer renovieren will oder nicht.

C

Till (32): Ich habe im Moment keinen festen Wohnsitz. Mir reicht eine Couch und WLAN. Früher habe ich mit meiner Freundin in einer ganz normalen Mietwohnung gelebt. Wir waren sogar verlobt und hatten die Absicht, irgendwann ein Haus zu bauen und eine Familie zu gründen. Doch dann kam alles anders. Nach unserer Trennung ist sie ausgezogen und ich habe mich in der Wohnung sehr allein gefühlt. Da habe ich einfach entschieden, den Mietvertrag zu kündigen. Seitdem übernachte ich mal bei Freunden, mal zelte ich auf dem Campingplatz und zurzeit lebe ich auf einem Hausboot. So brauche ich viel weniger Geld und muss mich um weniger kümmern. Es ist großartig, mehr Freizeit zu haben und weniger arbeiten zu müssen. Und inzwischen stresst es mich sogar, viele Dinge zu besitzen. Irgendwann hätte ich auch Lust, eine Weltreise mit einem Wohnmobil zu machen. Das wäre auch etwas für mich.

b Wie haben die Personen früher gelebt? Wie leben sie heute? Bilden Sie drei Gruppen. Jede Gruppe wählt einen Text (A, B, C). Lesen Sie und notieren Sie die Antworten.

c Welche Wünsche oder Vorlieben hat Ihre Person? Lesen Sie Ihren Text noch einmal und schreiben Sie Sätze. Benutzen Sie die Redemittel.

> **Wünsche und Vorlieben ausdrücken**
> Sie/Er findet es toll, … zu … / … ist ihr/ihm (auch) sehr wichtig. / Sie/Er würde gern …
> Sie/Er hat den Wunsch, … zu … / Sie/Er wünscht sich, dass … / … wäre auch etwas für sie/ihn.
> … ist nichts für sie/ihn. / … kommt für sie/ihn nicht infrage.
> ▶ Redemittel S. 37

d Bilden Sie neue Gruppen. In jeder Gruppe ist mindestens eine Person aus den Gruppen A, B, C. Stellen Sie Ihre Person mithilfe der Informationen aus b und c vor.

e Welche Wohnform finden Sie am interessantesten? Mit welcher Person können Sie sich (gut oder gar nicht) identifizieren? Tauschen Sie sich in der Gruppe aus.

3 Ich habe keine Lust, in einem spießigen Reihenhaus zu leben.

a Lesen Sie den Grammatikkasten und unterstreichen Sie in den Forumsbeiträgen in 2a die Satzanfänge, nach denen ein Infinitiv mit *zu* folgt. Machen Sie dann eine Liste in Ihrem Heft.

Infinitiv mit *zu*
Ich habe keine Lust, in einem spießigen Reihenhaus zu leben.
Ich habe vor, irgendwann umzuziehen. Es ist toll, wenig arbeiten zu müssen.

Ein Infinitivsatz mit zu *folgt nach bestimmten Nomen, Verben und Formulierungen.*

▶ Grammatik B 2.1.1

Nomen (+haben)	*Es + Verb + Objekt*	*Es ist / Ich finde es + Adjektiv*	*bestimmte Verben*
die Absicht (haben) *Es macht Spaß*	*Es stresst mich*	*Es ist blöd*	*vorhaben*

b Welche Sätze sind im Forum anders formuliert? Suchen Sie die Textstellen in 2a und notieren Sie.

1 David: Es ist doch blöd, dass man sich so oft streitet.
2 David: Ich weiß, dass ich mich auf meine Nachbarn verlassen kann.
3 Yana: Ich fand es schön, dass wir uns so gut verstanden haben.
4 Till: Ich habe entschieden, dass ich den Mietvertrag kündige.
5 Till: Es stresst mich, dass ich so viele Dinge besitze.

1 Es ist doch blöd, dass man sich so oft streitet. / Es ist doch blöd, sich so oft zu streiten.

c Welcher Satz aus b passt? Lesen Sie die Regeln im Grammatikkasten und ordnen Sie die Sätze zu.

Infinitivsätze mit *zu* und Nebensätze mit *dass*

Es ist doch blöd, dass man sich so oft streitet. – Es ist doch blöd, sich so oft zu streiten.

Manche Nebensätze mit dass *kann man alternativ als Infinitivsätze mit* zu *formulieren.*

Ein Infinitivsatz mit *zu* ist möglich:

- *wenn die Subjekte im Hauptsatz und* dass*-Satz identisch sind.* ☐
- *wenn das Objekt im Hauptsatz identisch mit dem Subjekt im* dass*-Satz ist.* ☐
- *wenn das Subjekt im Hauptsatz* es *und das Subjekt im* dass*-Satz* man *ist.* 1

Ein Infinitivsatz mit *zu* ist nicht möglich:

- *wenn die Subjekte im Hauptsatz und* dass*-Satz verschieden sind.* ☐
- *wenn im Hauptsatz ein Modalverb oder ein bestimmtes Verb wie z. B.* wissen, sagen, antworten *steht.* ☐

▶ Grammatik B 2.1.1

d Schreiben Sie Sätze mit *dass* zu den Satzanfängen. Tauschen Sie dann Ihre Sätze mit einer anderen Person und schreiben Sie die neuen Sätze mit Infinitiv mit *zu*, wenn es möglich ist.

Es hat mich überrascht, … – Es ärgert mich, … – Wie findest du die Idee, … ? – Ich schlage vor, …

4 Und wie leben Sie?

a Wie leben und wohnen Sie? Wie haben Sie vorher gewohnt? Welche Wünsche haben Sie? Schreiben Sie einen Forumsbeitrag wie in 2a.

b Tauschen Sie Ihre Texte zu zweit und lesen Sie sie. Haben Sie ähnliche Wünsche?

Beziehungen im digitalen Zeitalter

1 Digitale Kommunikation

a Wie hat sich die Kommunikation in den letzten zehn Jahren verändert? Tauschen Sie sich aus.

Heutzutage sieht man oft Leute, die sich nicht unterhalten, sondern auf ihr Handy schauen.

b Wählen Sie Person A oder B und lesen Sie den passenden Text in der App. Wie begründen die Personen ihre Meinung? Welche Argumente nennen sie? Markieren Sie und machen Sie Notizen in Ihrem Heft.

A

Meggi

Durch digitale Medien wird die Kommunikation oberflächlicher.

Durch digitale Medien kommuniziert man mehr und intensiver.

B

James

c Arbeiten Sie zu zweit und fassen Sie die Position der Person Ihres Textes mithilfe Ihrer Notizen aus b zusammen.

d Welche Satzteile passen zusammen? Verbinden Sie. Die Texte aus b helfen.

1 Ich hatte lange den Wunsch, — b
2 Digitale Medien erlauben uns,
3 Heute bin ich froh,
4 Ich finde es traurig,

a über große Distanz den Kontakt nicht zu verlieren.
b niemals ein Smartphone zu besitzen.
c den Kontakt zu meinen Freunden verloren zu haben.
d als Kind kein Smartphone besessen zu haben.

e Welches Beispiel aus d passt? Lesen Sie den Grammatikkasten und ergänzen Sie.

> **Infinitivsätze mit *zu* in der Gegenwart und Vergangenheit**
>
> **Infinitivsatz in der Gegenwart:** Es hat mir immer gefallen, Briefe zu schreiben.
>
> *Die Handlungen im Hauptsatz und Infinitivsatz passieren gleichzeitig.* Satz 1b und ______
>
> **Infinitivsatz in der Vergangenheit:** Ich bin froh, früher viele Briefe geschrieben zu haben.
>
> *Die Handlung im Infinitivsatz ist zuerst passiert.* Satz ______ und ______
> *Man benutzt den Infinitiv Perfekt (Partizip II + zu + haben/sein).*
>
> ▶ Grammatik B 2.1.2

f Und Sie? Schreiben Sie Infinitivsätze in der Vergangenheit in Ihr Heft. Vergleichen Sie dann zu zweit.

1 Ich bin froh/traurig, früher ...
2 Es freut/ärgert mich, früher ...
3 Ich finde es gut/schlecht, früher ...

mit/ohne Internet aufwachsen – (k)einen Computer besitzen – (keine) Briefe schreiben – (nicht) immer erreichbar sein – ...

2 Strategietraining: eine Diskussion führen

a Worauf sollte man beim Diskutieren achten? Sehen Sie das Video und notieren Sie. Welche Tipps finden Sie besonders hilfreich? Tauschen Sie sich aus.

b Was denken Sie? Ist die Kommunikation durch digitale Medien intensiver oder oberflächlicher geworden? Wählen Sie eine Position und bilden Sie zwei Gruppen. Sammeln Sie Argumente und mögliche Gegenargumente in Ihrer Gruppe.

c Bilden Sie 4er-Gruppen, sodass in jeder Gruppe beide Meinungen vertreten sind, und diskutieren Sie. Benutzen Sie Ihre Argumente aus b und die Redemittel auf Seite 37.

d Fassen Sie Ihre eigene Meinung in einem kurzen Text zusammen und begründen Sie Ihre Argumente.

- über Probleme am Arbeitsplatz oder an der Universität sprechen; Ratschläge geben
- Nomen und Adjektive mit Präpositionen; Nebensätze und Infinitivsätze nach Präpositionaladverbien; Phonetik: Ratschläge flüssig sprechen

Miteinander arbeiten

1 Probleme am Arbeitsplatz und an der Universität

a Was für Situationen zeigen die Bilder? Beschreiben Sie sie. Die Wörter helfen.

eine schlechte Arbeits-/Lernatmosphäre – in Elternzeit sein / Elternzeit nehmen – ein höheres/niedrigeres Gehalt bekommen – der Gehaltsunterschied – gerecht/ungerecht – sich respektvoll/respektlos verhalten

1.13 **b** Welches Bild passt? Hören Sie und ordnen Sie in a zu. Fassen Sie dann die Gespräche kurz zusammen.

1.13 **c** Was ist richtig? Hören Sie noch einmal und kreuzen Sie an. Korrigieren Sie danach die falschen Sätze.

1. ☐ Heike verdient weniger als ihr Kollege, weil sie noch nicht so lange in der Firma ist.
2. ☐ Sie hat Angst vor dem Gespräch mit dem Betriebsrat.
3. ☐ Als Abteilungsleiter ist Jonas für viele Projekte verantwortlich.
4. ☐ Nach dem Gesetz haben Väter ein Recht auf Elternzeit.
5. ☐ Luisa möchte lieber unabhängig von der Gruppe arbeiten.
6. ☐ Mit der Arbeitsweise ihrer deutschen Kommilitonen ist sie nicht einverstanden.
7. ☐ Prof. Hering ist unzufrieden mit der Diskussionskultur in den Seminaren.
8. ☐ Prof. Eldem möchte, dass die Teilnahme an den Vorlesungen Pflicht ist.

d Welche Erfahrungen haben Sie mit den Themen aus a gemacht? Wie ist die Situation in Ihrem Heimatland? Tauschen Sie sich aus.

Auch bei uns werden Frauen leider immer noch schlechter bezahlt als Männer.

e Welche Präposition passt? Lesen Sie die Sätze in c noch einmal und ergänzen Sie.

Nomen und Adjektive mit Präpositionen

mit Akkusativ:	die Antwort auf, Lust auf, das Recht ______
	angewiesen auf, verantwortlich ______
mit Dativ:	(die) Angst ______, (das) Interesse an, die Teilnahme ______
	einverstanden ______, (un)abhängig ______, (un)zufrieden ______

▶ Grammatik A 4.1; Anhang S. 114–116

f Schreiben Sie fünf Sätze mit den Nomen und Adjektiven aus e in Ihr Heft.

2 Ich habe Angst davor, dass man mir kündigt.

a Hören Sie das erste Gespräch aus 1b noch einmal und ergänzen Sie die Sätze.

Nebensätze und Infinitivsätze nach Präpositionaladverbien

Ich bin ______ angewiesen, ______. (Ich bin auf meine Stelle angewiesen.)

Ich habe Angst ______, ______. (Ich habe Angst vor Stress.)

Das Präpositionaladverb (da + Präposition) leitet einen Neben- oder Infinitivsatz ein. Es steht normalerweise am Satzende des Hauptsatzes bzw. vor dem Verb am Satzende.

▶ Grammatik A 4.3

b Schreiben Sie Fragen und Antworten wie im Beispiel.

1 Das Projekt muss rechtzeitig fertig werden. Die Geschäftsführung ist dafür verantwortlich.
2 Sie wollen am Forschungsseminar teilnehmen. Sie haben großes Interesse daran.
3 Sie ist befördert worden. Darüber ist sie sehr glücklich.
4 Die Angestellten kommen oft zu spät. Ihr Vorgesetzter ist sehr unzufrieden damit.
5 Er hat das Stipendium wirklich verdient. Davon ist er überzeugt.

1 Wofür ist die Geschäftsführung verantwortlich? – Sie ist verantwortlich dafür, dass das Projekt ...
2 Woran ...? – Sie haben großes Interesse daran, ... zu ...

c Kurskette. Fragen und antworten Sie mit Ihren Sätzen aus b.

d Und Sie? Schreiben Sie fünf Sätze über sich. Benutzen Sie Adjektive und Nomen mit Präpositionen aus b.

Ich bin verantwortlich dafür, dass ...

3 An deiner Stelle würde ich ...

a Welche Ratschläge geben die Personen? Hören Sie noch einmal die Gespräche aus 1b und machen Sie Notizen. Vergleichen Sie dann im Kurs.

Die Kollegin rät ihr, mit dem Betriebsrat zu sprechen.

b Phonetik: Ratschläge flüssig sprechen. Hören Sie und markieren Sie den Hauptakzent.

Ratschläge geben

An deiner Stelle würde ich ... / Wenn ich Sie wäre, würde ich ... / Ich kann dir nur raten, ...
Ich würde ihnen vielleicht einfach vorschlagen, dass ... / Wie wäre es, wenn ...
Wenn du wirklich Elternzeit nehmen möchtest, würde ich ...
Hast du schon mal darüber nachgedacht, das Problem zu besprechen?

▶ Redemittel S. 37

c Hören Sie noch einmal und sprechen Sie nach.

d Üben Sie zu zweit: Setzen Sie sich gegenüber und sprechen Sie die Satzanfänge abwechselnd schnell. Unterstützen Sie den Hauptakzent mit einer Geste.

4 Ein Bekannter braucht Ihren Rat.

a Welche Informationen braucht Ole? Hören Sie die Sprachnachricht und machen Sie Notizen. Vergleichen Sie zu zweit.

b Arbeiten Sie zu zweit. Wählen Sie jeweils eine andere Informationsquelle in der App (A: FAQs für Studis oder B: Tipps im Uni-Radio). Lesen bzw. hören Sie und notieren Sie passende Tipps für Ole.

c Stellen Sie sich Ihre Ergebnisse aus b gegenseitig vor und schreiben Sie Ratschläge für Ole. Benutzen Sie die Redemittel aus 3b.

d Nehmen Sie Ihre Ratschläge für Ole als Sprachnachricht mit dem Smartphone auf. Hören Sie danach Ihre Nachricht ab und überprüfen Sie: Haben Sie flüssig und gut betont gesprochen?

Mehrere Generationen unter einem Dach

1 Das Zusammenleben mit älteren Menschen

a Wie und wo können ältere Menschen leben? Wie leben ältere Menschen in Ihrer Heimat? Sehen Sie sich die Fotos an und tauschen Sie sich aus.

1

2

3

4

Die Frau im Rollstuhl lebt wahrscheinlich in einem Altenheim. Bei uns gibt es nur wenige Altenheime.

b Wie leben die älteren Menschen hier? Lesen Sie den Zeitungsartikel und berichten Sie im Kurs.

Das Wochenblatt 07/2020

Jung und Alt unter einem Dach

Im Seniorenheim der *Villa Torgraben* steht Singen auf dem Programm. Nóra Szabó, 21, freut sich, dabei zu sein, und hilft, wo sie kann. Heinz Wimmer, ein älterer Herr im Rollstuhl, bittet sie darum, dass sie ihn näher ans Klavier schiebt. Der 86-Jährige, der von allen hier nur Opa Heinz genannt wird, ist schwerhörig. Trotzdem liebt er die Chornachmittage. Nóra Szabó verbringt viel Zeit mit Heinz und den anderen. Obwohl sie keine Altenpflegerin ist, kümmert sie sich mehrmals in der Woche um die älteren Menschen.

Die *Villa Torgraben* in Linz, Oberösterreich ist ein Mehrgenerationenprojekt mit mehreren Wohnungen. Insgesamt sieben Familien wohnen hier, davon fünfzehn junge Menschen – vor allem Studierende wie Nóra Szabó, die meisten von ihnen alleinstehend. Im angeschlossenen Seniorenheim leben zurzeit 21 Senioren und Seniorinnen in kleinen 1- bis 2-Zimmer-Appartements. Dazu gibt es einen riesigen Garten, eine große Gemeinschaftsküche und Räume zum gemeinsamen Essen, Fernsehen, Basteln oder Spielen.
„Es war uns wichtig, kein isoliertes Altenheim zu bauen, wo die Bewohner überwiegend allein sind. Wir wollten im nahen Wohnumfeld Kontakte zu anderen – auch jüngeren – Menschen ermöglichen“, erklärt Doris Dalheim, die Leiterin des Projekts. Die Idee funktioniert: Die *Villa Torgraben* gibt es seit über zehn Jahren und für die meisten Senioren aus der *Villa* kommt ein normales Altenheim nicht infrage. Annemarie Huber, 79 und seit sieben Jahren Bewohnerin der *Villa*, sagt dazu: „Nur mit Menschen in meinem Alter zusammen zu sein, wäre mir viel zu langweilig. Es ist mir sehr wichtig, dass ich den Kontakt zu jungen Menschen nicht verliere. So fühle ich mich selbst auch jünger.“ Die Senioren freuen sich über den Austausch und geben gern etwas von ihrer Liebe und Wärme an die jungen Leute weiter.

Auch für Frau Dalheim und ihr Team hat das Konzept des Mehrgenerationenprojektes viele Vorteile: „In einem normalen Heim haben die Altenpfleger und -pflegerinnen oft so viel zu tun, dass viel zu wenig Zeit bleibt, um sich in Ruhe um die älteren Menschen zu kümmern und auf ihre Wünsche einzugehen. Mit der Unterstützung der jungen Bewohner können die Älteren besser betreut werden. Und die Familien und jungen Studierenden profitieren von der günstigen Miete.“ Wer auf dem Gelände der *Villa* lebt, verpflichtet sich dazu, regelmäßig im Seniorenheim mitzuarbeiten und zahlt dadurch weniger Miete. Die Studentin Nóra Szabó könnte sich sonst allein eine 2-Zimmer-Wohnung niemals leisten. Ihr gefällt es aber nicht nur wegen der günstigen Miete im Projekt. Nóra Szabó findet es schön, viel Zeit mit den Älteren zu verbringen: „Es macht Spaß, verschiedene Sachen zu unternehmen und die Arbeit ist einfach: Wir reden miteinander, gehen zusammen eine Runde spazieren, spielen Karten oder ein Brettspiel oder singen gemeinsam im Chor. Die alten Menschen strahlen viel Ruhe aus und sind nicht so gestresst. Dabei kann ich selbst gut entspannen.“ ■

c Welche Vorteile hat das Mehrgenerationenprojekt für die verschiedenen Bewohner? Lesen Sie den Artikel in b noch einmal und machen Sie Notizen.

für die Senioren	für die Familien und Studierenden	für die Heimleitung und Altenpfleger
– Kontakt mit jüngeren Menschen		

d Vergleichen Sie Ihre Ideen aus 1c in Gruppen.

Für die Senioren ist es ein Vorteil, dass sie mehr Austausch mit jüngeren Menschen haben.

2 Das Leben im Mehrgenerationenhaus

a Was ist Nóra Szabó beim Zusammenleben wichtig? Lesen Sie das Interview und tauschen Sie sich aus.

Frau Szabó, Sie wohnen in einem Mehrgenerationenprojekt. Was ist das Besondere an dieser Wohnform?

Bei uns, in der *Villa Torgraben* leben Jung und Alt zusammen. Wir Jüngeren haben alle bestimmte Aufgaben. Ich organisiere zum Beispiel den Chornachmittag im Altenheim, pflege gemeinsam mit den Senioren den Garten und kümmere mich regelmäßig um zwei ältere Menschen: Heinz und Annemarie. Wir gehen spazieren, spielen Karten oder essen gemeinsam.

Sie studieren Pädagogik im Bachelor. Ist die Arbeit im Projekt nicht etwas viel neben dem Studium?

Nóra Szabó beim Kartenspielen mit den Altenheimbewohnern Heinz Wimmer und Annemarie Huber

Naja, ich mache das ja nicht den ganzen Tag, sondern nur zwei, drei Abende pro Woche und manchmal am Wochenende. Außerdem finde ich das Projekt großartig. Es ist toll, dass bei uns verschiedene Generationen zusammenleben. Wenn ich später mal alt bin, möchte ich auf keinen Fall allein wohnen. Der Gedanke, irgendwann einsam zu sein, macht mir Angst.

Wie sind Sie auf die Idee gekommen, hier einzuziehen?

Ich finde es schlimm, dass heutzutage so viele alte Leute allein leben. Meine Oma zum Beispiel wohnte in einem normalen Altenheim. Sie wurde dort zwar betreut, aber sie hatte kaum die Gelegenheit, sich mit anderen auszutauschen. Das hat mich sehr gestört. Deshalb finde ich Projekte wie dieses sehr wichtig.

Was gefällt Ihnen besonders am Zusammenleben mit älteren Menschen?

Ich mag die Gespräche. Die alten Leute haben so viel zu erzählen. Ich bin absolut sicher, dass wir jungen Menschen viel von den älteren lernen können. Davon bin ich überzeugt.

b Lesen Sie noch einmal und beantworten Sie die Fragen in Ihrem Heft. Brauchen Sie Hilfe oder sind Sie schon fertig? Dann arbeiten Sie mit der App.

1 Wofür ist Nóra Szabó verantwortlich?
2 Wovon ist sie begeistert?
3 Wovor hat sie Angst?
4 Womit ist sie unzufrieden?
5 Wovon ist sie überzeugt?

1 Sie ist für den Garten und den Chornachmittag verantwortlich. Sie ist auch dafür verantwortlich, … zu …

c Wie finden Sie dieses Wohnprojekt? Wäre das jetzt oder im Alter vorstellbar für Sie? Gibt es solche Angebote in Ihrem Heimatland? Sprechen Sie im Kurs.

Für mich persönlich wäre das wahrscheinlich nichts. Ich möchte lieber mit Menschen in meinem Alter zusammenleben.

Also ich finde das eine tolle Idee, weil …

- über die Vor- und Nachteile digitaler Technik sprechen; ein Radiointerview zum Thema Digitalisierung verstehen; beim Hören mithilfe von Schlüsselwörtern Detailinformationen verstehen; darüber sprechen, wie Digitalisierung das Arbeitsleben verändert; die eigene Meinung schriftlich wiedergeben

Mensch und Maschine

1 Digitale Technik

a Welche Rolle spielt digitale Technik in Ihrem Leben? Wofür nutzen Sie digitale Technik (im Studium, im Beruf oder in der Freizeit)? Tauschen Sie sich in Gruppen aus.

Ich melde mich immer online zu den Seminaren an und kann auch alle Seminarunterlagen digital ansehen. Das finde ich super praktisch.

Auf der Arbeit nutze ich natürlich einen digitalen Terminkalender. Aber privat kommt das für mich nicht infrage. Da habe ich noch immer einen Kalender aus Papier.

b Welche Vor- oder Nachteile hat digitale Technik Ihrer Meinung nach? Notieren Sie Ideen in der Gruppe.

Vorteile	*Nachteile*
– man kann Zeit sparen	*– man muss immer online sein*

2 Wie Digitalisierung das Arbeitsleben verändert

1.19 **a** Über welche Themen wird in der Radiosendung gesprochen? Hören Sie und kreuzen Sie an.

1 ☐ Roboter
2 ☐ selbstfahrende Autos
3 ☐ Online-Banking
4 ☐ künstliche Intelligenz
5 ☐ Spracherkennung
6 ☐ automatischer Kundenservice

b **Strategietraining: Detailinformationen mithilfe von Schlüsselwörtern verstehen.** Lesen Sie die Sätze und unterstreichen Sie die Schlüsselwörter.

1 ☐ Computer werden immer intelligenter und können mehr Aufgaben für Menschen erledigen.
2 ☐ Technischer Fortschritt kann Menschen mit Behinderungen helfen.
3 ☐ Die Digitalisierung gibt mehr Menschen die Möglichkeit, von überall auf der Welt aus zu arbeiten.
4 ☐ Die Interaktion zwischen Mensch und Maschine ist unpersönlich.
5 ☐ Roboter werden nicht müde und können das Pflegepersonal unterstützen.
6 ☐ Digitale Technik funktioniert nicht immer gut. Es kann zu Fehlern kommen.
7 ☐ Anstrengende oder langweilige Arbeiten können von Robotern übernommen werden.
8 ☐ Die Menschen machen sich zu stark von der Technik abhängig.
9 ☐ Die Digitalisierung geht zu schnell. Es fehlen Fachkräfte.
10 ☐ Es gibt weniger Arbeit für Menschen mit einem niedrigen Bildungsniveau.

c Welche Wörter haben Sie in b unterstrichen? Warum? Vergleichen Sie Ihre Schlüsselwörter und begründen Sie.

In Satz 1 habe ich „intelligenter" und „Aufgaben" unterstrichen. Da es sowieso um Technik geht, finde ich das Wort „Computer" hier nicht wichtig.

1.19 **d** Welche Argumente für oder gegen Digitalisierung nennen die Experten? Hören Sie noch einmal und kreuzen Sie in b an. Achten Sie beim Hören auf die Schlüsselwörter bzw. auf ähnliche Wörter.

1.19 **e** Hören Sie noch einmal und überprüfen bzw. ergänzen Sie Ihre Ergebnisse in c.

3 Und was denken Sie?

a Wie verändert Digitalisierung Ihrer Meinung nach das Arbeitsleben? Schreiben Sie einen kurzen Text und begründen Sie Ihre Meinung. Benutzen Sie die Redemittel auf Seite 37. Die Argumente in 2b helfen.

b Tauschen Sie Ihre Texte mit einer Partnerin / einem Partner und lesen Sie sie. Sind Sie einer Meinung? Vergleichen Sie und sprechen Sie zu zweit.

Du hast geschrieben, dass … Das ist interessant. Das sehe ich nämlich ganz anders, weil …

Zukunftswünsche

1 Was ist wichtig im Leben?

a Was glauben Sie: Was wünschen sich die beiden auf dem Foto? Arbeiten Sie zu zweit und wählen Sie jeweils eine Person. Schreiben Sie fünf Wünsche für Ihre Person. Die Redemittel auf Seite 37 helfen.

b Lesen Sie die Wünsche Ihrer Person vor und vergleichen Sie: Passen die Wünsche der beiden zusammen?

2 Und Sie? Was ist Ihnen wichtig im Leben?

a Schreiben Sie eine Rangliste von 1–10 in Ihr Heft. Benutzen Sie die Wörter aus dem Schüttelkasten und ergänzen Sie weitere Ideen.

Karriere machen – eine Familie gründen – die Welt kennenlernen – viele Freunde haben – oft in den Urlaub fahren – ein Eigentumshaus besitzen – viel Geld verdienen – die große Liebe finden – gesund bleiben – eine interessante Arbeit haben – ...

b Arbeiten Sie in Gruppen. Stellen Sie Ihre Rangliste vor und vergleichen Sie: Haben Sie ähnliche Wünsche und Ziele? Welche Gemeinsamkeiten, welche Unterschiede gibt es?

Mir ist es am wichtigsten, eine Familie zu gründen. Das habe ich auf Platz 1.

Das ist mir auch wichtig. Aber es steht nicht an erster Stelle. Noch wichtiger, als eine Familie zu gründen, ist für mich, Karriere zu machen.

c Wo sehen Sie sich in fünf oder zehn Jahren? Welche Wünsche, Pläne und Ziele haben Sie? Schreiben Sie einen Text. Die Redemittel helfen.

über Pläne und Wünsche für die Zukunft sprechen
Es ist mir sehr wichtig, dass ... Daher möchte ich ... / ... bedeutet mir sehr viel. Deshalb will ich später einmal ...
In der Zukunft möchte ich ... erreichen. Deshalb ... / Ich möchte/will später unbedingt ... Darum ...
Für meine Zukunft wünsche ich mir ... / Es ist mein Ziel / größter Traum, später einmal ...
Ich hoffe, dass ich in der Zukunft ... / Ich habe vor, in fünf Jahren ... zu ...

▶ Redemittel S. 37

- sagen, was einem in einer Freundschaft wichtig ist; über Probleme in Freundschaften sprechen; Wünsche ausdrücken; Ratschläge geben

Unter Freundinnen

1 Freundschaften

a Was wünschen Sie sich von einer Freundschaft? Welchen Aussagen stimmen Sie zu? Lesen Sie und kreuzen Sie an. Was ist Ihnen noch wichtig? Notieren Sie weitere Ideen.

1 ◯ Mir ist wichtig, dass man sich alles erzählt und keine Geheimnisse voreinander hat.
2 ◯ Ich will viel Zeit mit meinen Freunden verbringen. Wenn wir wenig Kontakt haben, leidet unsere Freundschaft.
3 ◯ Ich wünsche mir, dass man unabhängig bleibt. Zu viel Nähe ist nichts für mich.
4 ◯ Man kann nur befreundet sein, wenn man die gleichen Werte und Interessen hat.
5 ◯ Ich möchte mich auf meine Freunde verlassen können, wenn ich ihre Unterstützung brauche.
6 ◯ Meine Partnerschaft ist mir wichtiger als jede Freundschaft. Das müssen meine Freunde verstehen.
7 ◯ Ich zähle nur wenige Menschen zu meinen Freunden. Oberflächliche Freundschaften kommen für mich nicht infrage.

b Tauschen Sie sich in Gruppen über Ihre Meinungen in a aus.

Meine Freunde sind mir wichtig, aber ich brauche meine Unabhängigkeit. Das können manche meiner Freunde nicht gut verstehen.

Als meine beste Freundin ihren neuen Freund kennengelernt hat, war ich sehr eifersüchtig. Ich hatte Angst davor, sie zu verlieren.

1.20 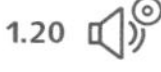 **c** Wie ist die Freundschaft von Samira und Edda? Welches Problem gibt es? Hören Sie das Telefongespräch und sprechen Sie im Kurs.

Samira

Edda

d Kennen Sie solche Probleme? Mit wem können Sie sich besser identifizieren: Mit Edda oder Samira? Tauschen Sie sich aus.

Ich kann Edda gut verstehen. Wenn ich meine Freunde zu selten sehe, fühle ich mich schnell einsam.

2 Ratschläge in Sachen Freundschaft

1.20 **a** Was wünscht sich Edda von ihrer Freundschaft mit Samira? Hören Sie und notieren Sie ihre Wünsche. Vergleichen Sie Ihre Notizen zu zweit.

mehr miteinander unternehmen; ...

b Stellen Sie sich vor, Edda bittet Sie um Rat. Sprechen Sie mit Ihrer Partnerin / Ihrem Partner aus a. Wählen Sie jeweils eine Rolle (A oder B) und spielen Sie das Gespräch. Tauschen Sie danach die Rollen.

A

Sie sind Edda und bitten B um Rat. Berichten Sie von dem Telefongespräch und erklären Sie, was Sie sich wünschen.

B

Edda (A) erzählt Ihnen von dem Telefongespräch. Geben Sie ihr Ratschläge, was sie tun könnte, um die Situation zu verbessern.

Auf einen Blick

Wünsche und Vorlieben ausdrücken
Ich finde es toll/wichtig, dass … / … zu …
… ist mir (auch) sehr wichtig.
Ich wünsche mir schon lange, dass … / … zu … / Ich habe (schon lange) den Wunsch, … zu …
Ich würde gern/lieber / auf keinen Fall …
… wäre auch etwas für mich.
… ist/wäre nichts für mich. / … kommt für mich nicht infrage.

eine Diskussion führen

die eigene Meinung ausdrücken
Meiner Meinung/Einschätzung nach … / Aus meiner Sicht …
Ich bin der Ansicht, dass …
Es ist/wird kritisch, wenn … / Ich finde es problematisch, wenn …
Ich halte wenig/nichts davon, … zu …

Argumente nennen
Zum einen …, zum anderen … / Einerseits …, andererseits …
Ein weiteres Argument dafür/dagegen ist … / Es gibt gute Gründe für/gegen …
Dafür/Dagegen spricht, dass … / Ein Vorteil/Nachteil von … ist …

auf andere Meinungen reagieren
Das überzeugt mich nicht. / In diesem Punkt habe ich eine ganz andere Meinung. Im Gegenteil: …
Ich teile Ihre/deine Meinung über … (nicht).
Teilweise haben Sie / hast du recht, aber …
Ich verstehe Ihre/deine Position, aber trotzdem/dennoch …
Ich bezweifle, dass … / Da muss ich Ihnen/dir widersprechen.
Das sehe ich (ganz) anders.

Ratschläge geben
An Ihrer/deiner Stelle würde ich … / Wenn ich Sie/du wäre, würde ich …
Ich kann Ihnen/dir nur raten/empfehlen, dass … /… zu …
Ich würde vielleicht einfach …
Wenn Sie/du wirklich … möchten/möchtest, würde ich …
Am besten wäre es, wenn …
Wenn Sie mich fragen / du mich fragst, sollten Sie / solltest du …
Vielleicht könnten Sie / könntest du …?
Warum machen Sie / machst du nicht …?
Haben Sie / Hast du schon mal darüber nachgedacht, … zu …?

über Pläne und Wünsche für die Zukunft sprechen
Es ist mir sehr wichtig, dass … Daher möchte ich …
… bedeutet mir sehr viel. Deshalb will ich später einmal …
In der Zukunft möchte ich … erreichen. Deshalb … / Ich möchte/will später unbedingt … Darum …
Für meine Zukunft wünsche ich mir … / Es ist mein Ziel / größter Traum, später einmal …
Ich hoffe, dass ich in der Zukunft … / Ich habe vor, in fünf Jahren … zu …

3 Suchen und finden

Webcode: hikesa

Auf der Suche nach Informationen

1 Wissen auf Abruf

a Wie suchen Sie im Internet Informationen? Was für Informationen suchen Sie? Tauschen Sie sich aus.

b Wie hat sich die Informationssuche durch Smartphones verändert? Lesen Sie und sprechen Sie im Kurs.

Internet und Smartphone – Hilfe in allen Lebenslagen?

Früher saß man in der Kneipe und konnte ewig diskutieren, ob und welche Harry-Potter-Filme eigentlich für einen Oscar nominiert waren. Vier Leute – vier Meinungen und am Ende hat man vielleicht das Thema gewechselt, weil man sich nicht einigen konnte. Heute googelt schnell jemand auf dem Smartphone und die Antwort ist da: Es waren zwölf Nominierungen, aber kein Film hat je einen Oscar gewonnen. Und nebenbei erfährt man noch, dass es inzwischen ein Spin-Off zur Harry-Potter-Reihe gibt. Und einer dieser Spin-Off-Filme erhielt 2017 tatsächlich einen Oscar für das beste Kostümdesign.

c Welche Überschrift passt zu welchem Textabschnitt? Lesen Sie weiter und ordnen Sie zu.

1 Neue Kompetenzen sind gefragt
2 Mehr Wissen für alle
3 Das „Wo?" wird wichtiger als das „Was?"
4 Suchmaschinen: neutral oder subjektiv?

☐ Wenn man bei Google die Begriffe „Oscar" und „Harry Potter" eingibt, dann zeigt die Suchmaschine innerhalb von 0,44 Sekunden ungefähr 121.000 Ergebnisse. Das online gesammelte Wissen – auf Webseiten und Blogs, in Videos oder Podcasts – wird nach den Stichwörtern durchsucht und in einer bestimmen Reihenfolge angezeigt. Neutral oder objektiv sind die Ergebnisse aber nicht unbedingt. Verschiedene Faktoren beeinflussen das Suchergebnis. Zum einen der eigene „digitale Fußabdruck". Denn bei jedem Online-Besuch hinterlässt man auch Informationen über sich selbst: Welche Produkte hat man online gekauft, welche Videos zu welchen Themen zuletzt gesehen, welche Wörter in E-Mails besonders oft benutzt? Spezielle Programme erkennen und merken sich unser Online-Verhalten und nutzen Filter, die das Suchergebnis beeinflussen. Daher ist es nicht ungewöhnlich, dass man auf dem Smartphone andere Informationen erhält, als auf dem Laptop und dass andere Nutzer bei gleichen Suchbegriffen wieder andere Ergebnisse bekommen. Oft findet man auch Werbung für Produkte – z. B. die letzte Harry-Potter-DVD auf Amazon – weit oben in der Ergebnisliste. Für uns Nutzer bedeutet das, dass die ersten Treffer nicht unbedingt die besten sind.

☐ Die riesigen Mengen an Daten und Informationen, die uns das Internet anbietet, erfordern einen neuen Umgang mit diesem Wissen. Es ist wichtig, zu erkennen, welchen Inhalten man vertrauen kann und welchen besser nicht. Nicht alles, was man im Netz findet, sollte in Hausarbeiten zitiert oder als Quelle angegeben werden. Doch zu erkennen, ob eine Information korrekt ist, ist leider oft nicht so einfach. Die Entwicklung der digitalen Technologien und ihrer Möglichkeiten ist oft viel schneller, als die Menschen lernen können, mit ihnen umzugehen.

☐ Der Wissenschaftler Peter Burke spricht in seinem Buch *Die Explosion des Wissens* davon, dass wir gleichzeitig Informationsgiganten und Wissenszwerge werden: Obwohl – oder sogar weil – wir auf unzählige Informationen zugreifen können, haben wir wenig eigenes Faktenwissen. Das Wissen, wie etwas funktioniert oder wann etwas Wichtiges in der Geschichte passiert ist, wird weniger wichtig. Anders als früher, kommt es nicht so sehr darauf an, alles zu wissen. Wichtiger wird die Frage, wo man die Informationen findet, die man braucht.

☐ Das Internet macht lebenslanges Lernen einfacher. Durch die Möglichkeit, auf riesige Informationsmengen zuzugreifen, können wir uns selbst weiterbilden und sind seltener auf das Wissen von Experten angewiesen. Ein Online-Lexikon wie Wikipedia liefert schnell Erklärungen zu komplexen Themen. Unzählige Blogs oder YouTube-Videos bieten nützliches Wissen für den Alltag. So kann man lernen, sein Fahrrad selbst zu reparieren, die perfekte Schwarzwälder Kirschtorte zu backen oder sich auf schwierige Fragen in einem Vorstellungsgespräch vorzubereiten. Schnell, einfach und kostenlos bilden wir uns weiter.

d Arbeiten Sie in Gruppen. Schreiben Sie zu jedem Abschnitt eine Frage auf einen Zettel. Mischen Sie die Zettel und geben Sie sie an eine andere Gruppe weiter.
e Ordnen Sie in der Gruppe die neuen Fragen den Abschnitten zu und schreiben Sie Antworten. Geben Sie die Fragen und Antworten an die nächste Gruppe weiter.
f Überprüfen Sie in der Gruppe, ob die Antworten zu den Fragen passen.

2 Es ist sehr praktisch, sich im Internet zu informieren.

a Welche Sätze kann man umstellen? Wo entfällt das *es* bei der Umstellung des Satzes? Lesen Sie den Grammatikkasten und kreuzen Sie an.

Das Wort *es*

Das Wort es *hat verschiedene Funktionen. Je nach Funktion ist* es *obligatorisch oder kann entfallen.*

***es* muss stehen**
als Pronomen:
Das Smartphone ist ein wichtiges Kommunikationsgerät. = Es ist ein wichtiges Kommunikationsgerät.
als grammatisches inhaltloses Subjekt oder Objekt:
Es kommt darauf an. / Wie geht es dir? / Sie hat es eilig.

***es* entfällt bei Umstellung des Satzes**
***es* bezieht sich auf einen Nebensatz mit *dass* oder auf einen Infinitivsatz:**
Es nervt mich, dass man so viel Werbung im Internet sieht.
(Dass man so viel Werbung im Internet sieht, nervt mich.)
Ich finde es praktisch, alles mit dem Handy zu organisieren.
(Alles mit dem Handy zu organisieren, finde ich praktisch.)

▶ Grammatik A 5.2

1 ◯ Das Smartphone ist besonders praktisch, wenn ich es eilig habe.
2 ◯ Es ist wichtig, die richtigen Inhalte auszuwählen.
3 ◯ Wird es morgen regnen?
4 ◯ Es ist nicht ungewöhnlich, dass ich auf dem Smartphone andere Ergebnisse erhalte als auf dem PC.
5 ◯ Das Harry-Potter-Spin-Off läuft im Kino. Kennst du es schon?

b Schreiben Sie die Sätze aus a ohne *es*, wo es möglich ist.
c Ergänzen Sie die Satzanfänge und schreiben Sie Sätze mit *dass* oder Infinitiv mit *zu*.

Ich finde es wichtig, … – Es ist schön, … –
Es macht mir Spaß, … – Es nervt mich sehr, …

Ich finde es wichtig, dass man den Informationen im Netz vertrauen kann.

d Tauschen Sie Ihre Sätze mit einer Partnerin / einem Partner. Schreiben Sie die Sätze neu ohne *es*.

3 Wikipedia – Wissen ist Macht

a Benutzen Sie Wikipedia? Wann und wofür? Tauschen Sie sich aus.
b Wie funktioniert Wikipedia? Was wissen Sie darüber? Sammeln Sie Ideen.
c Lesen Sie die Fragen. Sehen Sie dann das Video in Abschnitten und machen Sie Notizen.

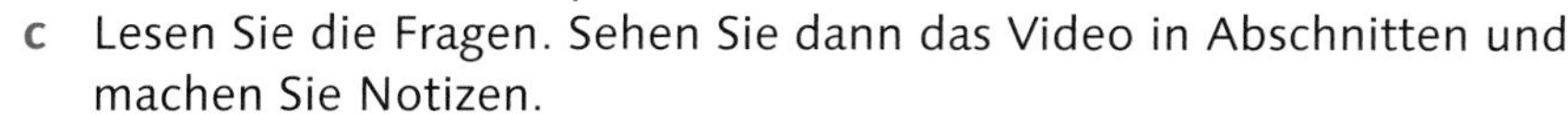

1 Was ist das Besondere an Wikipedia? Was ist das „Wiki-Prinzip"? *(0:00–2:00)*
2 Wer schreibt die Artikel auf Wikipedia? Wie kommen die Inhalte auf die Internetseite? *(2:00–3:00)*
3 Wie wird die Qualität gesichert? Warum ist ein kritischer Umgang mit Wikipedia wichtig? *(3:00–4:33)*

d Welche Informationen waren neu für Sie? Vergleichen Sie mit Ihren Ideen aus b.
e Und Sie? Vertrauen Sie den Informationen aus dem Internet? Tauschen Sie sich aus.

Den Traumjob finden

1 Berufliche Ziele

a Welche Ziele haben Sie? Was machen Sie dafür? Tauschen Sie sich aus.

Ich möchte in Österreich studieren. Deshalb lerne ich viel Deutsch, um die B2-Prüfung zu bestehen.

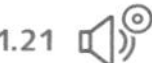
1.21 b Welche beruflichen Ziele haben die Personen? Hören und notieren Sie.

Mika (25), Design-Student

Ziel: ______

Thea (31), Altenpflegerin

Ziel: ______

Carlos (37), freiberuflicher Lehrer

Ziel: ______

1.21 c Mika, Thea oder Carlos? Zu wem passt die Information? Hören Sie noch einmal und ergänzen Sie.

1. *Mika* schließt gerade ihr/sein Studium ab, nachdem sie/er die Studienrichtung gewechselt hat.
2. ______ sammelt Erfahrungen in einer freiberuflichen Tätigkeit neben dem Studium.
3. ______ sucht eine unbefristete Stelle und möchte mehr Verantwortung übernehmen.
4. ______ hat ihre/seine feste Stelle als Angestellte/Angestellter gekündigt, um etwas Neues anzufangen.
5. ______ möchte sich an der Uni einschreiben und muss dafür eine Aufnahmeprüfung bestehen.
6. ______ fand durch einen Nebenjob zu ihrem/seinem Traumberuf.
7. ______ macht eine berufsbegleitende Fortbildung und muss eine Abschlussprüfung ablegen.
8. ______ braucht für die Bewerbung ihren/seinen Lebenslauf, ein Bewerbungsschreiben und ein Portfolio.

2 Sich beruflich neu orientieren

a Wer schreibt an wen und warum? Lesen Sie den Briefkopf und tauschen Sie sich aus.

Thea Nordhäus – Linkestraße 52 – 38112 Braunschweig } ☐

Braunschweig, 28.12.2019 } ☐

Vivatana Pflegezentrum
Peiner Straße 12
38112 Braunschweig } ☐

Bewerbung um die Stelle als Praxisanleiterin } ☐

b Was steht in einem Bewerbungsschreiben? Was sollte man beachten? Sammeln Sie Ideen.

Ich denke, man muss auf jeden Fall von seinen Erfahrungen berichten.

Ich würde schreiben, was ich mir von der neuen Stelle wünsche.

c **Strategietraining: ein Bewerbungsschreiben verfassen.** Sehen Sie das Strategievideo, notieren Sie die wichtigsten Informationen und vergleichen Sie mit Ihren Ideen. Welche Informationen waren neu für Sie? Tauschen Sie sich aus.

d Wie finden Sie Theas Bewerbung? Welche Tipps aus dem Video hat sie berücksichtigt? Lesen Sie ihre Bewerbung und sprechen Sie im Kurs.

Sehr geehrte Damen und Herren, ▢

in Ihrer Anzeige im Braunschweiger Stadtanzeiger habe ich von der Stelle als Praxisanleiterin in der Pflege erfahren. Da ich im Moment auf der Suche nach neuen beruflichen Herausforderungen bin, bewerbe ich mich um die Stelle in Ihrem Unternehmen. ▢

Nach dem Abschluss meiner Berufsausbildung zur Altenpflegerin konnte ich bereits drei Jahre Berufserfahrung in einer Klinik sammeln. Zu meinen Aufgaben gehören die Pflege und Betreuung der Patienten im Alltag. Ich motiviere sie aber auch zu mehr Bewegung und unterstütze sie beim Aufbau sozialer Kontakte mit anderen Patienten. Dabei hilft mir meine aufgeschlossene und feinfühlige Art. In meiner jetzigen Position arbeite ich regelmäßig neue Kolleginnen und Kollegen ein, was mir viel Spaß macht. Deshalb entschied ich mich zu einer berufsbegleitenden Fortbildung zur Praxisanleiterin in der Pflege und erhielt kürzlich das Zertifikat. ▢

Mit dem Eintritt in Ihr Unternehmen verbinde ich die Erwartung, junge Menschen in ihrer Ausbildung zu betreuen und zu unterstützen und so die Arbeitsbedinungen in der Pflegebranche zu verbessern. Außerdem reizt mich das große Weiterbildungsangebot Ihres Unternehmens, da ich es wichtig finde, immer wieder Neues zu lernen. Ich bin sehr verantwortungsbewusst, flexibel und belastbar und glaube daher, dass ich für die Stelle sehr geeignet wäre.
Gern überzeuge ich Sie in einem persönlichen Gespräch von meinen Fähigkeiten. 1

Mit freundlichen Grüßen

Thea Nordhäus ▢

e Wie ist ein Bewerbungsschreiben aufgebaut? Lesen Sie noch einmal den Briefkopf und die Bewerbung und ordnen Sie in a und d zu.

1 Motivation und Ziele
2 bisherige Berufserfahrung
3 Einleitung / Gründe für die Bewerbung
4 Betreff (Thema des Briefes)
5 Adresse des Empfängers
6 Adresse des Absenders
7 Ort und Datum
8 Anrede
9 Gruß/Unterschrift

f Richtig oder falsch? Lesen Sie noch einmal und kreuzen Sie an. Korrigieren Sie die falschen Sätze.

	richtig	falsch
1 Thea hat von einer Kollegin von der offenen Stelle erfahren.	▢	▢
2 Sie hat vor drei Jahren ihre Ausbildung als Altenpflegerin abgeschlossen.	▢	▢
3 Im Umgang mit den Patienten ist sie sensibel und hat eine offene Art.	▢	▢
4 Seit sie die Fortbildung beendet hat, arbeitet sie auch neue Kollegen ein.	▢	▢
5 Thea findet es wichtig, sich regelmäßig weiterzubilden.	▢	▢

3 Ein Bewerbungsschreiben verfassen

a Mika und Carlos suchen eine Stelle. Welche Erfahrungen und Fähigkeiten brauchen sie dafür? Wählen Sie eine Person (A oder B), lesen Sie die passende Stellenanzeige in der App und notieren Sie.

A Mika bewirbt sich um ein Praktikum bei einer Werbeagentur.

B Carlos bewirbt sich um eine Stelle als Englischlehrer.

b Welche Erfahrungen und Fähigkeiten bringen Mika bzw. Carlos schon für die Stelle mit? Hören Sie noch einmal den Text zu Ihrer Person und machen Sie Notizen.

c Schreiben Sie das Bewerbungsschreiben für Ihre Person. Benutzen Sie Ihre Notizen aus a und b und die Redemittel auf Seite 49.

d Tauschen Sie Ihre Bewerbung mit einer anderen Person. Wie finden Sie die Bewerbung? Lesen Sie sie und tauschen Sie sich aus.

Auf der Suche nach frischen Ideen

1 Unter Druck stehen

1.24 **a** Was glauben Sie: Wer sind die Personen? Wo sind sie? Was machen sie? Sehen Sie sich das Foto an, hören Sie und sammeln Sie Ideen.

b Lesen Sie den Text und überprüfen Sie Ihre Ideen aus a.

Viele Unternehmen führen im Bewerbungsprozess ein Assessment-Center durch, um ihre potentiellen Mitarbeiter genauer zu prüfen. Sie möchten sehen, wie die Bewerber arbeiten, wenn sie unter großem Druck stehen. Ein wichtiger Teil sind Gruppengespräche. Dafür wird eine Situation aus dem Arbeitsalltag simuliert, in der die Bewerber gemeinsam in der Gruppe unter Zeitdruck ein Problem oder einen Konflikt lösen müssen. Die Mitarbeiter der Personalabteilung beobachten, ob die Bewerber die richtigen Fragen stellen, an passender Stelle Kritik üben und zum richtigen Zeitpunkt eine gemeinsame Entscheidung treffen. Für die Arbeitgeber spielen auch soziale Kompetenzen für die spätere Zusammenarbeit eine wichtige Rolle. Deshalb sollte man sich als Bewerberin oder Bewerber nicht nur Mühe geben, eine Lösung zu finden, sondern vor allem auch gut im Team arbeiten können.

c Haben Sie schon einmal an einem Assessment-Center teilgenommen? Wie war das? Berichten Sie.

> *Ich habe während eines Berufsvorbereitungsseminars ein paar Aufgaben aus einem Assessment-Center gemacht. Das war ein gutes Training für echte Bewerbungssituationen.*

d Welches Verb passt? Suchen Sie die Nomen-Verb-Verbindungen in b und ergänzen Sie.

Nomen-Verb-Verbindungen

unter Druck *stehen*	ein Problem/einen Konflikt ______	eine Frage ______
Kritik ______	eine Entscheidung ______	eine (wichtige) Rolle ______
sich Mühe ______	eine Lösung ______	

Eine Nomen-Verb-Verbindung ist eine Kombination aus einem Nomen und einem bestimmten Verb mit einer festen Bedeutung. Manche Nomen-Verb-Verbindungen kann man mit einem einfachen Verb ausdrücken, z. B. Kritik üben = kritisieren.

▶ Grammatik A 5.5; Anhang S. 117

e Was bedeuten diese Nomen-Verb-Verbindungen? Verbinden Sie. Der Text in b hilft.

1 eine große/wichtige Rolle spielen	a gestresst sein
2 sich Mühe (bei/mit etwas) geben	b (etwas z. B. ein Problem) lösen
3 Kritik (an etwas/jemandem) üben	c fragen
4 unter Druck stehen	d wichtig sein
5 eine Lösung (für etwas) finden	e (etwas) entscheiden
6 eine Frage stellen	f (etwas/jemanden) kritisieren
7 eine Entscheidung treffen	g sich bemühen

f Wählen Sie fünf Nomen-Verb-Verbindungen aus e und schreiben Sie das Nomen und das Verb jeweils einzeln auf Kärtchen. Mischen Sie die Kärtchen und tauschen Sie sie mit einer anderen Person.

g Was passt zusammen? Legen Sie die Kärtchen neu zusammen. Schreiben Sie dann zu jeder Nomen-Verb-Verbindung einen Satz in Ihr Heft.

2 Eine Lösung finden

a Welche Aufgabe muss die Gruppe lösen? Hören Sie noch einmal und tauschen Sie sich aus.
b Welche Vorschläge machen die Personen? Wofür entscheidet sich die Gruppe am Ende? Hören Sie weiter und notieren Sie. Vergleichen Sie danach im Kurs.
c Was sagen die Personen? Hören Sie und ergänzen Sie den Redemittelkasten.

Vorschläge diskutieren und sich einigen

Vorschläge machen	Wie ______ es, wenn wir … ? / Ich ______ da noch eine Idee: …
Gegenvorschläge machen	Ich ______ es besser, wenn … / ______ wir nicht lieber …?
Kompromisse vorschlagen und sich einigen	Wir ______ uns vielleicht auf Folgendes einigen: … Ja, das ______ vielleicht. / Gut, dann machen wir das so. Okay, dann einigen wir uns darauf, dass … /

▶ Redemittel S. 49

d Wie heißen die Verben? Lesen Sie den Grammatikkasten und ergänzen Sie die Infinitive.

Konjunktiv II ohne *würde*

Bei den Verben haben *und* sein, *den Modalverben und einigen besonders häufig gebrauchten Verben benutzt man den Konjunktiv II ohne* würde.

z. B. es wäre (*sein*) – ich fände (______) – das ginge (______) – wir bräuchten (______)

Konjunktiv II ohne würde: *Verbstamm im Präteritum (ggf. + Umlaut) + Endung:*

ich ging → ich ginge – wir brauchen → wir bräuchten

▶ Grammatik A 1.4.1

e Kursspaziergang: Gehen Sie durch den Raum und sprechen Sie mit verschiedenen Personen. Machen Sie Vorschläge und reagieren Sie. Benutzen Sie dabei Verben im Konjunktiv II ohne *würde*.

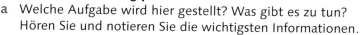

Wie wäre es, wenn wir morgen zusammen Eis essen gehen?

Ja, das fände ich super.

3 Eine Veranstaltung planen

a Welche Aufgabe wird hier gestellt? Was gibt es zu tun? Hören Sie und notieren Sie die wichtigsten Informationen.

Veranstaltung: *zu organisieren:*
Teilnehmer: *Budget:*

b Phonetik: englische Wörter im Deutschen. Gibt es diese Wörter auch in Ihrer Sprache? Wie schreibt und spricht man sie? Vergleichen Sie im Kurs.

1 das Catering 2 das Marketing 3 das Start-up 4 der Co-Working-Space
5 das Homeoffice 6 die Location 7 der Manager 8 das/der Event

c Hören Sie und markieren Sie den Wortakzent in den Wörtern in b.
d Hören Sie noch einmal und sprechen Sie nach.

e Planen Sie zu dritt das Event aus a. Wählen Sie jeweils A, B oder C und lesen Sie die Angebote in der App. Wählen Sie zwei geeignete Angebote aus und notieren Sie die wichtigsten Informationen.

A Veranstaltungsort
B Catering
C Abendprogramm

f Stellen Sie Ihre Vorschläge in der Gruppe vor, diskutieren Sie und einigen Sie sich. Die Redemittel auf Seite 49 helfen. Notieren Sie Ihre Ergebnisse auf einem Plakat.
g Präsentieren Sie Ihr Plakat im Kurs und begründen Sie Ihre Entscheidungen.

Der berufliche Werdegang

1 Ein Lebenslauf

a Worauf sollte man bei einem Lebenslauf achten? Welche Informationen sollte man nennen? Sammeln Sie Ideen.

Man sollte auf jeden Fall über seine Berufserfahrungen schreiben.

Die Informationen sollten chronologisch geordnet sein.

b Lesen Sie den Lebenslauf von Jonas Biermann und vergleichen Sie mit Ihren Ideen.

Lebenslauf von Jonas Biermann

Anschrift: Melchiorstraße 328, 50670 Köln

Geburtsdatum und -ort: 15.04.1986 in Köln
Familienstand: verheiratet

Telefon: 0162 – 20 814 30
E-Mail: jbiermann@example.net

Berufserfahrung

seit 10/2017:	freiberuflicher Online-Redakteur für diverse Kunden im Raum Köln u. a.: *GEDANKENtanken* (Redaktion); *Digital Effects* (Recherche, Schreiben von Artikeln)
07/2014 – 04/2016:	Bildredakteur bei *Prima Produktion*, Köln (Recherche von Bildmaterial, Klärung von Rechten, Budgetverwaltung)
10/2012 – 06/2014:	Redaktionsassistent bei *Prima Produktion*, Köln (Themenrecherche und -auswahl, Recherche von Bildmaterial)
09/2010 – 09/2012:	Produktionsassistent bei *Kreativlounge*, Köln (Planung und Begleitung der Dreharbeiten, Betreuung der Schauspieler*innen)

Aus- und Weiterbildung

05/2016 – 10/2017:	Weiterbildung zum Online-Redakteur bei *mabeg-Institut Medien,* Hamburg
09/2010 – 09/2012:	Masterstudium: International Marketing und Media Management (berufsbegleitend) Abschluss M. A., Note: 1,2 *Rheinische Fachhochschule Köln*
09/2006 – 08/2010:	Bachelorstudium: International Media and Entertainment Management Abschluss B. A., Note: 1,0 *NHTV Breda University of Applied Science,* Breda, Niederlande
08/1998 – 03/2005:	Schulbildung: Abschluss: Abitur, Note 1,4 *Hansa-Gymnasium, Köln*

Praktika und Auslandserfahrungen

10/2009 – 03/2010:	Auslandssemester; *Northern Arizona University,* Flagstaff, USA
04/2007 – 09/2007:	Praktikum als Videojournalist bei *center.tv Heimatfernsehen Köln GmbH* (Recherche, Schreiben und Vertonung von Beiträgen)
06/2005 – 07/2006:	Mitarbeiter im *EPCOT-Themenpark, Walt Disney World,* Florida, USA

Sprachkenntnisse	Deutsch (Muttersprache), Englisch (TOEFL C1), Niederländisch (CNaVT B2)
Sonstige Qualifikationen	sicherer Umgang mit Microsoft-Office-Anwendungen geübter Umgang mit Adobe Photoshop, Adobe InDesign Führerschein Klasse B

Köln, 06.02.2020

Jonas Biermann

Ich hätte nicht gedacht, dass man ein Foto braucht.

Ich glaube, dass das Foto aber nicht obligatorisch ist.

c Was sagt Jonas über seinen beruflichen Werdegang? Lesen Sie den Lebenslauf noch einmal und ergänzen Sie die Verben in der passenden Form.

abschließen – ~~auswählen~~ – betreuen – recherchieren – verwalten – weiterbilden

1 Als Redaktionsassistent habe ich die Themen für Sendungen *ausgewählt* und recherchiert.
2 Ich habe als Praktikant oft für Beiträge zu verschiedenen Themen ______.
3 Im Jahr 2016 konnte ich mich zum Online-Redakteur ______.
4 Bei meinem ersten Job habe ich die Schauspieler am Set ______.
5 Als Bildredakteur gehörte es zu meinen Aufgaben, das Budget für Bildrechte zu ______.
6 Ich habe mein Bachelorstudium mit der Bestnote ______.

d Was war wann? Suchen Sie die Informationen aus c im Lebenslauf und ordnen Sie zu.

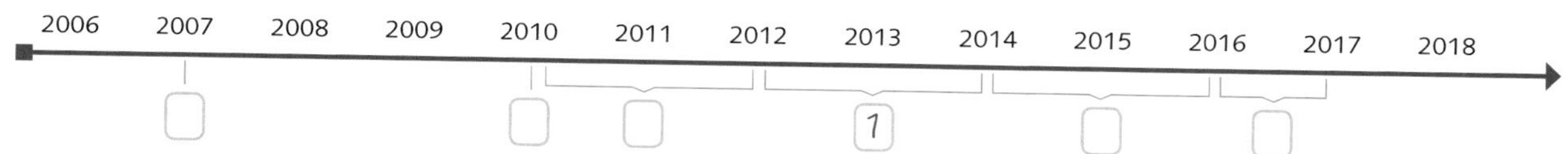

e Suchen Sie die Informationen im Lebenslauf und schreiben Sie die Antworten. Achten Sie auf die richtige Zeitform der Verben.

1 Was für eine Stelle hatte Jonas Biermann nach seinem Masterstudium?
2 Was hat er gemacht, bevor er in die Niederlande gegangen ist?
3 Wo und als was hat er während des Masterstudiums gearbeitet?
4 Was hat er gemacht, nachdem er die Schule abgeschlossen hatte?
5 Was macht er seit seiner Weiterbildung?

1 Nachdem er sein Masterstudium beendet hatte, hat er als ... bei ... gearbeitet.

f Fragen und antworten Sie zu zweit mit Ihren Sätzen in e.

Was für eine Stelle hatte Jonas Biermann nach seinem Masterstudium?

Nachdem er ...

2 Und Ihr Lebenslauf?

a Notieren Sie mindestens fünf Informationen zu Ihrem Lebenslauf und bereiten Sie eine kurze Präsentation vor. Brauchen Sie Hilfe oder sind Sie schon fertig? Dann arbeiten Sie mit der App.

2006–2013	*Gymnasium in ...; Abitur*
2013–2017	*... – Studium an der Universität ...*
2017	*Praktikum bei ...*

b Stellen Sie Ihren beruflichen Werdegang mithilfe Ihrer Notizen aus a in Gruppen vor. Stellen Sie Fragen zu den Präsentationen der anderen.

Ich bin von 2006 bis 2013 aufs Gymnasium gegangen. Sobald ich mein Abitur hatte, habe ich angefangen zu studieren.

Hast du während deines Studiums auch gearbeitet?

c Schreiben Sie Ihren Lebenslauf wie in 1b.
d Mischen Sie die Lebensläufe und verteilen Sie sie im Kurs. Stellen Sie den Lebenslauf vor, ohne den Namen der Person zu nennen. Die anderen raten, von wem der Lebenslauf ist.

Die Person hat in den USA Elektrotechnik studiert.

Das ist bestimmt Amy. Sie kommt aus den USA.

▪ über Wandern und Erholung in der Natur sprechen; mit einer Mindmap arbeiten; ein Interview mit einer Bloggerin verstehen

Ruhe finden

1 In der Natur

a **Strategietraining: mit einer Mindmap arbeiten.** Woran denken Sie bei dem Wort *Natur*? Was kann man in der Natur machen? Notieren Sie zu zweit Ideen.

b Vergleichen Sie Ihre Mindmap mit einem anderen Paar. Erklären Sie sich gegenseitig unbekannte Wörter und ergänzen Sie neue Ideen in Ihrer Mindmap.

c Sind Sie gern in der Natur? Warum (nicht)? Was machen Sie dort? Tauschen Sie sich im Kurs aus.

Ich bin gern in meinem Garten. Dort kann ich Ruhe und Erholung vom Alltag finden.

2 Der kleine rote Rucksack

a Welche Frage passt? Lesen Sie das Interview und ordnen Sie die Fragen zu.

Welche Tipps hast du für Wander-Anfänger? – Das Bloggen ist also dein Ausgleich zum Job? – Wieso hast du deine Meinung geändert? – ~~Anne, dein Blog heißt „Litte Red Hiking Rucksack". Was können wir da lesen?~~ – Wie bist du zum Wandern gekommen? – Und seit wann bloggst du? – Viele wünschen sich in der Natur auch Ruhe vom Handy. Ist Bloggen da nicht ein Widerspruch?

Aktiv und draußen 02/20

Interview mit ... *Anne, leidenschaftlicher Wanderin und Bloggerin*

Natur liegt schwer im Trend! Vor allem Großstädter suchen einen Ausgleich zum stressigen Leben in der Stadt. Eine der beliebtesten Outdoor-Aktivitäten der Deutschen ist das Wandern. Fast die Hälfte der Bevölkerung geht regelmäßig wandern oder klettern. Anne, freiberufliche Deutschlehrerin aus Berlin, ist eine von ihnen und schreibt darüber in ihrem Blog (www.littleredhikingrucksack.de).

Anne, dein Blog heißt „Little Red Hiking Rucksack". Was können wir da lesen?

Ich schreibe hier über Erlebnisse während meiner Wanderungen. Mein kleiner, roter Wanderrucksack ist fast immer dabei, daher der Name. Auf dem Blog könnt ihr etwas zu den Orten und Routen lesen, wo ich gewandert bin und so vielleicht auch Ideen für eure nächsten Reisen finden. Aber ihr bekommt auch Tipps, was man beim Wandern braucht und worauf man achten sollte. Es macht natürlich Spaß, einfach spontan loszulaufen. Aber mit guter Vorbereitung ist es noch besser.

____

Mein erstes Wandererlebnis ist inzwischen fast 20 Jahre her und auch eine ganz lustige Geschichte. In der Schulzeit war ich in einem Feriencamp in den österreichischen Alpen. Eigentlich hatte ich mich für ein Camp an der Ostsee beworben. Das war aber leider schon voll und so wurde ich einfach in die Berge geschickt. „Was soll ich denn da???", dachte ich damals. Ich wollte Strand und Meer – die Wanderungen in den Bergen fand ich damals ziemlich langweilig. Inzwischen ist das anders.

Vor einigen Jahren – 2013 – hatte ich ziemlich plötzlich das Bedürfnis, mal „raus zu müssen": Niemanden sehen, mit niemandem sprechen, weg aus Berlin, alleine sein! Eine Auszeit von meinem stressigen Berufsalltag. Da habe ich mitten in der Nacht angefangen, im Internet zu recherchieren und habe den „Caminho Portugues" – das ist ein Teil des berühmten Jakobsweges – entdeckt. Ich habe den Flug gebucht, Wanderschuhe gekauft und zwei Wochen später ging es los. Meine erste große Wanderung – das war der Beginn einer großen Liebe.

Den Blog gibt es seit 2017. Als ich wieder einmal von einer mehrwöchigen Wanderung zurückkam, fiel es mir schwer, in den Berufsalltag zurückzufinden. Obwohl ich doch gerade erst im Urlaub gewesen war, fühlte ich mich müde und lustlos. Mir wurde klar: Ich brauche Veränderungen in meinem Leben. Ich finde es toll, Deutsch zu unterrichten. Aber ich wollte mehr als das! Also habe ich mit dem Bloggen angefangen.

Ja, absolut. Sagen wir, ich bin Teilzeit-Bloggerin. Diese Abwechslung zwischen arbeiten, wandern und bloggen macht mich einfach glücklich. Und es ist ein großes Glück, dass ich meine zwei Hobbys – Wandern und Erzählen – kombinieren kann. Nach meiner ersten Wanderung war ich so stolz darauf, den Weg alleine geschafft zu haben. Plötzlich hatte ich das Gefühl, dass ich alles schaffen kann. Und genau dieses Gefühl möchte ich anderen Menschen gern mitgeben, ihnen Mut machen: Auch wenn nur drei Leute durch meinen Blog inspiriert werden und das Wandern mal ausprobieren, dann hat sich das Schreiben schon gelohnt.

Das ist eine sehr gute Frage. Mir ist es wichtig, die Natur und Landschaften mit meinen eigenen Augen zu sehen und nicht nur durch die Kamera oder das Handydisplay. Während einer Wanderung will ich mich auf das konzentrieren, was um mich herum passiert. Da würde ich nichts posten. Aber da es in den Bergen selten Empfang gibt, ginge das sowieso nicht. Meine Berichte schreibe ich erst zu Hause. Dabei genieße ich es sehr, nochmal in die Erlebnisse einzutauchen.

Jede Tour ist einzigartig. Natürlich sind passende Kleidung und Schuhe, ein guter Rucksack und die richtige Menge an Gepäck wichtig. Noch viel wichtiger finde ich aber die Entscheidung, ob man allein oder mit anderen Menschen wandert. Ich bin oft mit meiner Frau Nathalie unterwegs. Das ist toll. Aber man kann auch mal in schwierige Situationen kommen: Man geht an seine körperlichen Grenzen, hat vielleicht unterschiedliche Wünsche und ein eigenes Lauftempo. Da muss man gut kommunizieren können, dem anderen vertrauen und sich auf ihn verlassen können. Vor allem sollte es beim Wandern darum gehen, die Zeit zu genießen und nicht so streng mit sich zu sein. Man will ans Ziel kommen. Aber es kommt nicht so sehr darauf an, wie schnell das geht. ■

b Lesen Sie noch einmal und beantworten Sie die Fragen in Ihrem Heft.

1 Wann war Anne zum ersten Mal wandern? Wie fand sie das?
2 Warum hat sich Anne entschieden, auf dem *Caminho Portugues* zu wandern?
3 Wie hat sich Anne nach ihrer ersten Wanderung gefühlt?
4 Warum postet Anne nicht während ihrer Wanderungen auf ihrem Blog?
5 Warum empfiehlt Anne, sich gut zu überlegen, ob man zusammen mit anderen Menschen wandert?

c Was passt zusammen? Lesen Sie noch einmal und verbinden Sie.

1	Es macht Spaß,	a	Deutsch zu unterrichten.
2	Anne fiel es schwer,	b	die Natur mit den eigenen Augen zu sehen.
3	Anne findet es toll,	c	beim Bloggen nochmal in die Erlebnisse einzutauchen.
4	Für Anne ist es ein großes Glück,	d	zwei Hobbys kombinieren zu können.
5	Es ist ihr wichtig,	e	die Zeit zu genießen.
6	Sie genießt es sehr,	f	einfach spontan loszulaufen.
7	Beim Wandern sollte es darum gehen,	g	in den Berufsalltag zurückzufinden.

d Mit *es* oder ohne *es*? Fragen und antworten Sie zu zweit mit den Sätzen aus c wie im Beispiel.

Was macht Spaß?

Einfach spontan loszulaufen, macht Spaß. Was fiel Anne schwer?

e Und Sie? Was tun Sie, wenn Sie eine Auszeit brauchen? Schreiben Sie einen kurzen Text.
f Arbeiten Sie zu dritt. Tauschen Sie Ihre Texte und vergleichen Sie: Haben Sie ähnliche Interessen?

Kreativ gelöst

1 Wer sucht, der findet …

a Welche Dienstleistungen kennen Sie? Sammeln Sie Wörter an der Tafel.

1.30 b Welcher Titel passt? Hören Sie den Anfang des Podcasts und kreuzen Sie an.

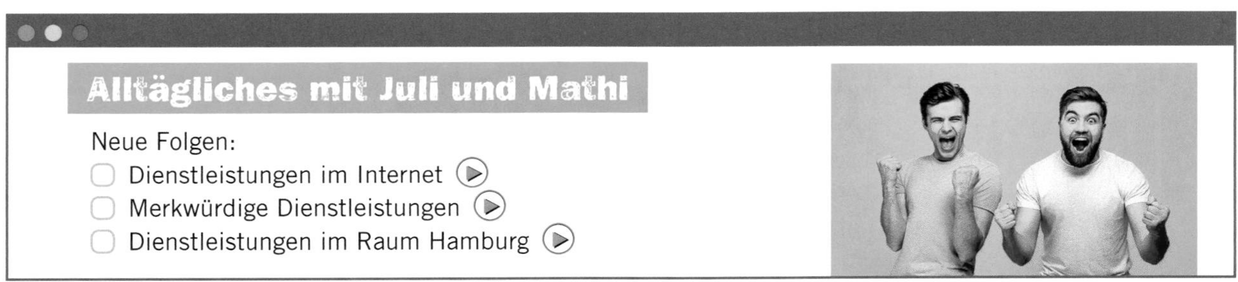

Alltägliches mit Juli und Mathi
Neue Folgen:
Dienstleistungen im Internet
Merkwürdige Dienstleistungen
Dienstleistungen im Raum Hamburg

1.31 c Über welche Anzeigen berichtet der Podcast? Lesen Sie, hören Sie dann und kreuzen Sie an.

a
Studis aufgepasst!
Wir unterstützen euch bei der Erstellung eurer Haus- und Abschlussarbeiten.
Unser Workshop- und Seminarangebot:
- Ideenfindung und Recherche
- korrektes Zitieren
- Zeitmanagement
b
Die große Liebe haben Sie schon gefunden?
Doch die richtigen Worte fehlen Ihnen manchmal?
Professioneller Liebesbriefschreiber bietet seine Hilfe an.
Sie liefern die Ideen, ich helfe mit dem passenden Text.
Diskret und zuverlässig.
c
Job-Coaching:
Was will ich? Was kann ich? Wie erreiche ich meine Ziele?
Wir trainieren mit Ihnen Situationen für das Vorstellungsgespräch oder Assessment-Center und geben Tipps für das perfekte Bewerbungsschreiben.
d
Partnervermittlung für Ihr Haustier:
Hasen und Meerschweinchen günstig wochen- und monatsweise zu vermieten.
e
Keine Lust auf alleine Shoppen?
Gemeinsam finden wir das perfekte Abendkleid, das richtige Hemd für das Bewerbungsgespräch und etwas Passendes für jeden Anlass.
Sympathische, geduldige und stilsichere Studenten unterstützen Sie bei Ihrem nächsten Einkaufsbummel.
f
Reparaturservice:
ehemaliger Hausmeister bietet Reparaturen jeglicher Art, auch Reinigung möglich
Preis: Verhandlungsbasis
Kontakt: 0162-2090503
g
Biete
Bitte Nachhilfe in Deutsch (Rechtschreibung und Gramatik). Auch Korrekturlesen für Seminararbeiten und Abschlussarbeiten.
Günstig und zeitlich flexibl.

1.31 d Hören Sie noch einmal und korrigieren Sie die falschen Sätze.

1. Ein Schweizer Gesetz verbietet, Meerschweinchen zu Hause zu halten.
2. Seit es das Internet gibt, wird das Schwarze Brett nicht mehr benutzt.
3. Es ist gesetzlich verboten, für Bewerbungen einen Ghostwriter zu engagieren.
4. Matthi würde gern einen Liebesbriefeschreiber engagieren.

e Wie finden Sie die vorgestellten Dienstleistungen? Tauschen Sie sich aus.

Das Angebot des Liebesbriefschreibers hört sich sehr gut an. Das wäre auf jeden Fall etwas für mich.

2 Besondere Dienstleistungen

a Was ist Ihre Idee für eine besondere Dienstleistung? Schreiben Sie eine kurze Anzeige.

b Gestalten Sie ein Schwarzes Brett im Kurs. Hängen Sie Ihre Anzeigen auf und lesen Sie sie. Welche Dienstleistung interessiert Sie? Tauschen Sie sich aus.

Auf einen Blick

ein Bewerbungsschreiben verfassen

Einleitung	Mit großem Interesse habe ich Ihre Stellenanzeige gelesen. In Ihrer Anzeige suchen Sie ... / In Ihrer Anzeige in ... habe ich von der Stelle ... erfahren. An der Stelle als ... bin ich sehr interessiert.
Gründe für die Bewerbung	Da ich mich beruflich verändern möchte, bewerbe ich mich um die Stelle als ... / um einen Praktikumsplatz in Ihrem Unternehmen. Ich bin auf der Suche nach neuen beruflichen Herausforderungen. Daher ...
Berufserfahrung	Meine Berufsausbildung zur/zum ... habe ich erfolgreich abgeschlossen. Seitdem ... Nach erfolgreichem Abschluss meines Studiums / meiner Ausbildung ... In meiner jetzigen Tätigkeit als ... konnte ich viele Erfahrungen im Bereich ... sammeln. Ich bin zurzeit als ... tätig. / Durch meine Tätigkeit als ... weiß ich, dass ... Zu meinen Aufgaben gehören ... / In meiner jetzigen Position ...
Motivation und Ziele	An der ausgeschriebenen Stelle reizt mich, dass ... Von einem Wechsel zu Ihrer Firma erhoffe ich mir, ... / dass ... Mit dem Eintritt in Ihr Unternehmen verbinde ich die Erwartung, ... Ich bin sehr flexibel/belastbar/zuverlässig/... Daher glaube ich, dass ich für die Stelle sehr geeignet wäre.
Abschluss	Mit der Tätigkeit als ... kann ich zum ... beginnen. Ich würde mich freuen, Sie in einem Vorstellungsgespräch persönlich überzeugen zu können. / Gern überzeuge ich Sie von meinen Fähigkeiten in einem persönlichen Gespräch. / Über die Einladung zu einem persönlichen Gespräch freue ich mich sehr.

Vorschläge diskutieren und sich einigen

Vorschläge machen	Wie wäre es mit ... ? / Wie wär's, wenn wir ...? Ich finde, man sollte zuerst ... Könnten wir nicht ...? / Wir könnten doch (auch) ... Erstmal würde ich vorschlagen, dass ... Ich hätte da noch eine Idee: ... Was halten Sie / hältst du davon?
Gegenvorschläge machen	Ich hätte einen anderen Vorschlag: ... / Ich fände es besser, wenn ... Ich würde es vielleicht lieber so machen: ... Sollten wir nicht lieber ...? / Lassen Sie uns / Lasst uns lieber ... Es wäre vielleicht/bestimmt besser, wenn ... Keine schlechte Idee! Aber wie wäre es, wenn ...?
Kompromisse vorschlagen und sich einigen	Warum machen wir es denn nicht so: ...? Wir könnten uns vielleicht auf Folgendes einigen: ... Schön, dann können wir also festhalten, dass ... Okay, dann einigen wir uns darauf, dass ... Gut, dann machen wir das so.

Webcode: dutawe

4 Auf Augenhöhe kommunizieren

Botschaften senden

1 Kommunikation

a Wer kommuniziert hier wie und mit wem? Welche Arten der Kommunikation sieht man? Beschreiben Sie das Bild. Die Wörter helfen.

Die beiden Männer rechts im Bild streiten sich. Das erkennt man an der Körpersprache.

digital – Gebärdensprache – Gesichtsausdruck – Körpersprache – nonverbal – schriftlich – verbal – Zeichen

b Welche anderen Beispiele für Kommunikation kennen Sie noch? Sprechen Sie im Kurs.

2 Wo ist Julie? – Sie könnte krank sein.

2.02 **a** Wer sagt was? Hören und ergänzen Sie: P (Pablo) oder L (Lena).

1 ☐ Sie könnte zu Hause sein, weil sie krank ist.
2 ☐ Sie müsste noch im Seminar bei Prof. Sambanis sein.
3 ☐ Vermutlich ist Julie bei Prof. Kurzler im Büro.
4 ☐ Julie bereitet sich bestimmt in der Bibliothek auf ihre Prüfung vor.

2.03 **b** Wie drücken Pablo und Lena ihre Vermutungen aus? Hören Sie und vergleichen Sie mit den Sätzen in a. Ergänzen Sie dann die Modalverben und Adverbien im Grammatikkasten.

Vermutungen über die Gegenwart und Zukunft mit Modalverben ausdrücken
Sie könnte krank sein. – Sie ist vielleicht krank.

	Modalverb	Adverb
sehr sicher (100 %) ↑	________	sicher/bestimmt
	müsste	höchstwahrscheinlich/________ ________
	________	wahrscheinlich/vermutlich/sicherlich
nicht so sicher	könnte/kann	*vielleicht*/eventuell/möglicherweise

▶ Grammatik A 1.5.2

c Was ist mit Julie los? Schreiben Sie Vermutungen mit verschiedenen Modalverben und Adverbien.

im Stau stehen – keinen Hunger haben – ein Bewerbungsgespräch haben – auf Reisen sein – etwas später kommen – beim Arzt sein

Sie könnte im Stau stehen.
Sie steht möglicherweise im Stau.

3 Ohne Worte

a Welche Überschrift passt wo? Lesen Sie den Zeitschriftenartikel und ergänzen Sie die Überschriften.

Kann man Körpersprache lernen? – Körpersprache: universell oder kulturell? – Mit den Händen sprechen – Was der Gesichtsausdruck verrät – ~~Was die Körpersprache erzählt~~

Kommunikation und Körpersprache

„Wir können nicht nicht kommunizieren", lautet ein berühmtes Zitat des Kommunikationswissenschaftlers Paul Watzlawick. Denn Kommunikation ist sehr viel mehr als nur die gesprochene Sprache. Ein Großteil unserer Kommunikation läuft nonverbal ab, zum Beispiel über Mimik, Gestik, Körperhaltung und Bewegungen. Diese Art der Kommunikation findet oft unbewusst statt, also ohne dass man darüber nachdenkt. Deshalb verrät sie viel über die Gefühle und Gedanken der Gesprächspartner.

Was die Körpersprache erzählt

Wir hüpfen vor Freude oder lassen unsere Schultern hängen, wenn wir traurig sind. Ein gesenkter Kopf kann Nervosität oder Scham bedeuten. Wer sich schnell und hektisch bewegt, wirkt gestresst. Studien haben gezeigt, dass mehr als 80 % des Inhalts einer Aussage über Körpersprache und Stimme kommuniziert und verstanden werden. Entscheidend ist also weniger, was wir sagen, sondern, wie wir es sagen und wie wir uns dabei verhalten. Wenn mein Gesprächspartner lacht, weiß ich, dass er sich gut amüsiert. Wenn er seine Arme verschränkt, wirkt er verärgert. Wer bei einem Vortrag unruhig hin und her läuft, seine Hände knetet oder sich ständig ins Gesicht fasst, ist vermutlich sehr nervös.

Aber Vorsicht: Körpersprache ist keine Weltsprache. Wissenschaftliche Studien zeigen, dass es nur wenige Gefühle gibt, die weltweit gleich ausgedrückt werden. Diese sogenannten primären Emotionen haben sich vermutlich evolutionär entwickelt und sind daher universell, also unabhängig von der kulturellen Sozialisation eines Menschen. Wut erkennt man beispielsweise überall an einem Stirnrunzeln, Freude an einem Lächeln. Bei Überraschung oder Angst sind Augen und Mund weit geöffnet. Auch Trauer oder Ekel sehen bei den meisten Menschen ähnlich aus. Alle anderen Körpersignale sind allerdings kulturell erlernt und können deshalb durchaus missverständlich sein. Zum Beispiel wird ein Kopfschütteln in vielen Teilen der Welt als „Nein" verstanden, in Indien oder Bulgarien ist es jedoch ein Zeichen der Zustimmung. Jede Kultur hat ihr eigenes System, das man erst erlernen muss.

Die Mimik bezeichnet unsere Gesichtsbewegungen. Dabei sind die Augen besonders wichtig. Mit unserem Blick zeigen wir dem Gesprächspartner, dass wir ihn wahrnehmen und was wir über ihn denken. Auch Blickkontakt wird kulturell sehr unterschiedlich interpretiert: In einigen Kulturen ist das Anschauen des Gesprächspartners ein Zeichen von Respekt und fehlender Blickkontakt wird als Desinteresse oder Unhöflichkeit verstanden. In anderen Kulturen drückt es das Gegenteil aus: Hier wird direkter Blickkontakt als unangenehm oder respektlos empfunden.

Beim Sprechen bewegen wir oft unsere Hände, ohne es zu merken. Unsere Gestik verstärkt, was wir sagen. Wie stark wir gestikulieren, kann dabei von unserer Persönlichkeit, unserem aktuellen Gefühlszustand oder auch unserer kulturellen Sozialisation abhängen. Extrovertierte Menschen gestikulieren oft mehr als introvertierte. Wenn wir aufgeregt oder verärgert sind, bewegen wir unsere Hände sehr schnell. Und manche Gesten setzen wir bewusst ein, um etwas Bestimmtes auszudrücken. Solche Gesten können leicht missverstanden werden, wenn nicht beide Gesprächspartner den gleichen kulturellen Hintergrund haben. So bedeutet zum Beispiel der nach oben gestreckte Daumen in Deutschland oder Brasilien „Alles okay!". In anderen Ländern ist diese Geste jedoch eine schlimme Beleidigung.

Für eine gute Kommunikation ist es wichtig, dass wir verstehen, wie unsere Körpersprache auf andere wirkt. Obwohl ein Großteil der Körpersprache unbewusst abläuft und daher schwer kontrollierbar ist, kann man dennoch lernen, sie bewusst einzusetzen. So können wir beispielsweise Körperhaltungen und Bewegungen gezielt trainieren, um eine bestimmte Wirkung zu erzielen. Wenn ich weiß, dass ich in schwierigen Situationen wie zum Beispiel in einem Vorstellungsgespräch oft nervös oder unsicher wirke, kann ich vorher üben, eine Körperhaltung einzunehmen, die Sicherheit ausstrahlt. ■

b Was steht im Text? Lesen Sie noch einmal in a auf Seite 51 und unterstreichen Sie.

1 Nonverbale Kommunikation verläuft meistens *unbewusst/bewusst.*
2 Der Großteil einer Aussage wird *über Worte / über Körpersprache und Stimme* kommuniziert.
3 Die primären Emotionen werden *weltweit gleich / kulturabhängig unterschiedlich* ausgedrückt.
4 Direkter Blickkontakt wird in manchen Kulturkreisen als eher *unhöflich/extrovertiert* verstanden.
5 Die Gestik *ist immer kulturell erlernt / kann vom Charakter abhängen.*
6 Die eigene Körpersprache kann man *üben und verändern / nicht kontrollieren.*

c Welche Informationen aus dem Artikel in a waren neu für Sie? Was fanden Sie interessant? Tauschen Sie sich aus.

Mich hat überrascht, dass Kopfschütteln in Indien Zustimmung bedeutet.

d *Ohne dass …* oder *ohne … zu … ?* Was passt? Lesen Sie die Beispiele und ergänzen Sie die Regel.

Modale Infinitiv- und Nebensätze mit *ohne … zu …* und *ohne dass …*

Die Kommunikation findet unbewusst statt, ohne dass man darüber nachdenkt.
Beim Sprechen bewegen wir unsere Hände, ohne es zu merken.

__________ *leitet einen Nebensatz ein. Nach* __________ *folgt ein Infinitiv mit zu.*
__________ *kann man nur benutzen, wenn das Subjekt im Hauptsatz und Infinitivsatz identisch ist.*

▶ Grammatik B 2.1.3

e Ergänzen Sie den Satz. Schreiben Sie jeweils einen Satz mit *ohne dass …* und *ohne … zu … .*

Ich kann nicht lügen, …

f Kursspaziergang. Gehen Sie herum und lesen Sie sich Ihre Sätze vor.

Ich kann nicht lügen, ohne rot zu werden.

Ich kann nicht lügen, ohne dass man es merkt.

4 Gesten international

a Kennen Sie diese Gesten? Was könnten Sie bedeuten? Äußern Sie Vermutungen. Die Redemittel auf Seite 61 helfen.

1
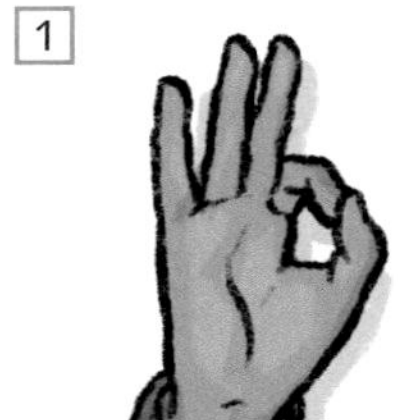

2

3
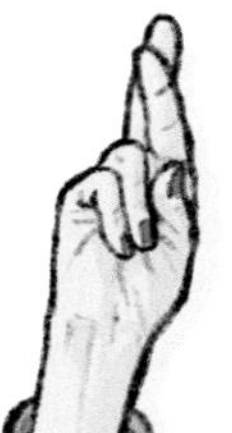

4

5

Die Geste auf dem ersten Bild würde bei uns in … bedeuten, dass …

b Was bedeuten diese Gesten in den verschiedenen Ländern? Sehen Sie das Video und notieren Sie.

1 Deutschland: „Alles okay!"
Frankreich/Belgien/Tunesien: …

c Welche typischen Gesten benutzt man in Ihrer Heimat oder in einer Kultur, die Sie gut kennen? Zeigen Sie eine Geste. Die anderen raten, was die Geste bedeutet.

Richtig streiten

1 Streitgespräche

a Was glauben Sie: Worüber streiten die Personen? Was könnten Sie sagen? Äußern Sie Vermutungen.

1

2

3

b Hören Sie und vergleichen Sie mit Ihren Vermutungen in a.

c Richtig oder falsch? Hören Sie noch einmal und kreuzen Sie an.

		richtig	falsch
1	Der Sohn findet, dass sein Vater übertreibt.	◯	◯
2	Der Vater kritisiert seinen Sohn, ohne auf sein eigenes Verhalten zu achten.	◯	◯
3	Das Ehepaar streitet darüber, wie ihre Ferienpension auf Sardinien hieß.	◯	◯
4	Der Mann wirft seiner Frau vor, dass sie vergesslich ist.	◯	◯
5	Herr Senger ärgert sich, dass die Konferenzplanung noch nicht fertig ist.	◯	◯
6	Herr Buhl hat die Einladungen ohne das Konferenzprogramm verschickt.	◯	◯

2 Umgang mit Kritik

a Phonetik: emotionale Intonation. Hören Sie und markieren Sie die Redemittel, die eher emotional klingen. Vergleichen Sie dann Ihre Ergebnisse im Kurs. Unterscheiden sich Ihre Eindrücke?

Kritik äußern
Ich kann leider nicht nachvollziehen, warum … / Ich verstehe echt nicht, warum …
Es ist mir ein Rätsel, wieso … / Kannst du mir mal sagen, warum …?
Für mich wäre es leichter, wenn …

auf Kritik reagieren
Es tut mir leid, das ist mir gar nicht aufgefallen. / Ich verstehe, was Sie meinen, aber …
Nein, da irrst du dich. / Das war wohl ein Missverständnis. / Aus meiner Sicht …
Immer bist du am Meckern, dabei … / Jetzt übertreibst du aber!

▶ Redemittel S. 61

b Welche Beschreibungen passen zu den markierten Redemitteln? Hören Sie noch einmal und kreuzen Sie an.

1 ◯ sehr stark betont 2 ◯ eher ruhig 3 ◯ viel Melodie 4 ◯ Satzmelodie fällt stark ab

c Wie finden Sie den Ton in den Streitgesprächen? Gibt es Ihrer Meinung nach kulturelle Unterschiede beim Streiten? Sprechen Sie im Kurs.

Bei uns streitet man noch viel emotionaler! Das ist ganz normal.

d Üben Sie die Redemittel zu zweit. Äußern Sie abwechselnd Kritik und reagieren Sie auf die Kritik.

Es ist mir ein Rätsel, wieso du immer zu spät kommst!

Jetzt übertreibst du aber! Gestern war ich pünktlich!

e Arbeiten Sie zu zweit. Lesen Sie jeweils die Informationen für Ihre Rolle (A oder B) in der App und schreiben Sie dann gemeinsam ein Streitgespräch. Die Redemittel auf Seite 61 helfen.

f Spielen Sie Ihr Streitgespräch im Kurs vor.

Digitale Kommunikation

1 Digitale Medien

a Was machen Sie online? Wie oft und in welchen Situationen? Tauschen Sie sich aus.

Apps benutzen – Online-Dating machen – Nachrichten lesen – soziale Netzwerke benutzen – E-Mails lesen und schreiben – über Messenger-Dienste kommunizieren – über das Internet telefonieren

Ich benutze regelmäßig soziale Netzwerke, um auf dem Laufenden zu bleiben.

b Welches Thema passt zu welcher Frage? Ordnen Sie zu. Sehen Sie sich dann die Grafik an und beantworten Sie die Fragen zu zweit.

a Zeitpunkt der Umfrage – **b** Autor oder Quelle – **c** Thema der Grafik – **d** befragte Personen

1 ☐ Worum geht es in der Grafik? Worüber informiert die Grafik?
2 ☐ Wer hat die Umfrage durchgeführt? / Woher kommen die Informationen?
3 ☐ Wann wurde die Umfrage durchgeführt? / Aus welchem Jahr sind die Zahlen?
4 ☐ Wer hat an der Umfrage teilgenommen? / Wer wurde befragt?

In der Grafik geht es um die Frage, …

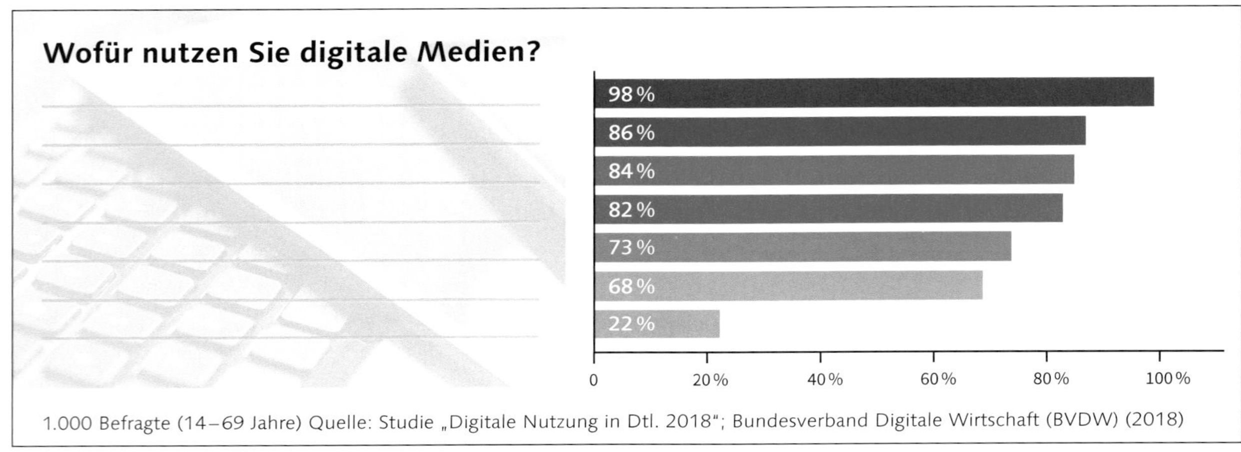

c Was glauben Sie: Was haben die Befragten gesagt? Welche Aktivität in a passt zu welcher Prozentzahl in der Grafik? Diskutieren Sie in Gruppen.

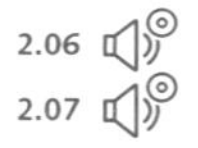

2.06 d Was machen die Befragten online? Hören Sie das Interview und ergänzen Sie in der Grafik in b.

2.07 e Was ist richtig? Hören Sie weiter und kreuzen Sie an. Hören Sie dann noch einmal und korrigieren Sie die falschen Antworten.

1 ☐ Über die Hälfte der Befragten nutzt regelmäßig die „Gefällt-mir-Funktion". Ein etwas kleinerer Anteil schreibt in sozialen Medien Nachrichten an andere.
2 ☐ Unter den sozialen Netzwerken wird Facebook am häufigsten benutzt. Die Nutzerzahl von beruflichen Netzwerken wie XING oder LinkedIn ist kleiner.
3 ☐ Die Zahl der Smartphone-Nutzer ist niedriger als die Zahl der Laptop-Nutzer.
4 ☐ WhatsApp ist nach dem Facebook-Messenger der beliebteste Nachrichtendienst.
5 ☐ Nur wenige Befragte finden, dass reale Kontakte eine höhere Qualität haben als Kontakte im Internet.

f Wie finden Sie die Ergebnisse der Studie? Was hat Sie überrascht? Vergleichen Sie mit Ihren eigenen Nutzungsgewohnheiten und tauschen Sie sich im Kurs aus.

Mich hat überrascht, dass es immer noch so viele Laptop-Nutzer gibt. Ich nutze vor allem das Smartphone.

2 Der größte Teil der Befragten schreibt E-Mails.

a Unterstreichen Sie die Komparativ- und Superlativformen in den Sätzen in 1e und ergänzen Sie die passenden Beispiele im Grammatikkasten.

Komparativ und Superlativ

als Adjektiv oder Adverb ohne Nomen
bleiben der Komparativ und Superlativ unverändert.

Komparativ	= *Adjektiv* + er	Die Nutzerzahl von XING ist ______.
Superlativ	= am + *Adjektiv* + sten	Facebook wird ______ benutzt.

als Adjektiv vor einem Nomen
werden der Komparativ und Superlativ wie andere Adjektive dekliniert.

Komparativ	= *Adjektiv* + er + *Adjektivendung*	ein etwas ______ Anteil
Superlativ	= *Adjektiv* + (e)st + *Adjektivendung*	der ______ Nachrichtendienst

▶ Grammatik A 2.2.1

b Sprechen Sie zu dritt und bilden Sie Komparativ- und Superlativformen wie im Beispiel.

eine Suchmaschine (gut) – die App (beliebt) – der Nachrichtendienst (bekannt) – das Angebot (groß) – ein Teil der Befragten (gering) – die Antwort (häufig) – die Online-Zeitung (wichtig)

eine gute Suchmaschine

eine bessere Suchmaschine

die beste Suchmaschine – eine beliebte App

c Schreiben Sie zu jeder Wortgruppe in b einen Satz. Benutzen Sie die Adjektive im Komparativ oder Superlativ.

Die beste Suchmaschine, die ich kenne, ist ...

3 Strategietraining: eine Grafik beschreiben

a Was ist bei einer Grafikbeschreibung wichtig? Sehen Sie das Strategievideo zweimal und notieren Sie die wichtigsten Informationen. Vergleichen Sie dann in der Gruppe.

Einleitung: Hauptinformationen nennen; ...
Hauptteil:
Schluss:

b Wählen Sie ein Thema und lesen Sie dazu die passende Grafik in der App. Beschreiben Sie die Grafik in einem kurzen Text. Benutzen Sie die Redemittel auf Seite 61.

A

Digitale Kommunikation in Unternehmen

B

Mediennutzung von Jugendlichen

c Sehen Sie das Strategievideo noch einmal. Haben Sie alle Tipps berücksichtigt? Überprüfen Sie Ihren Text.

d Arbeiten Sie in Gruppen. Eine Person liest in der Gruppe ihre Grafikbeschreibung vor. Vergleichen Sie die Informationen aus der Grafik mit Ihren eigenen Erfahrungen zum Thema.

Einfach mal reden!

1 Streitthema Arbeit

a Wann kann die Arbeit für das Privatleben zum Problem werden? Sammeln Sie Ideen im Kurs.

Wenn man zu viele Überstunden macht, hat man weniger Freizeit.

b Was stört Lukas? Was möchte er? Wie reagiert seine Freundin? Lesen Sie und sprechen Sie im Kurs.

www.beispiel.net/fragen-im-forum

Neueste Frage

Lukas 87: **Meine Freundin und ich streiten immer über ihre Arbeit – was soll ich machen?**

Hey Leute, vielleicht könnt ihr mir weiterhelfen. Mein Freundin Lea und ich haben einen kleinen Sohn (Jannik, 2 Jahre). Und seit Lea nach der Elternzeit wieder angefangen hat, zu arbeiten, streiten wir uns dauernd. Lea ist Web-Designerin und hat seit sechs Monaten einen neuen Job in einem jungen Start-up. Sie macht regelmäßig Überstunden und nimmt dann nach der Arbeit manchmal noch an sozialen Aktivitäten der Firma teil. Oft kommt sie, ohne mir Bescheid zu sagen, erst zwei oder drei Stunden nach Feierabend nach Hause. Dann muss ich mich allein um unseren Sohn kümmern und den Haushalt mache ich sowieso allein. Ich liebe es, Zeit mit Jannik zu verbringen, aber das ärgert mich trotzdem. Und wenn ich das Thema anspreche, gibt es jedes Mal Streit. Lea sagt, dass ich Verständnis dafür haben sollte, weil sie ja noch neu in der Firma ist und sich erstmal beweisen muss. Außerdem hat sie das Gefühl, dass sie an den sozialen Aktivitäten nach Feierabend teilnehmen sollte, um sich besser in der Firma zu integrieren. In dem Start-up gibt es viele junge alleinstehende Mitarbeiter*innen. Die freuen sich natürlich darüber, gemeinsam mit ihren Kolleg*innen nach der Arbeit noch etwas zu machen. Aber wir haben doch eine Familie. Da finde ich das nicht ok. Ich bin ziemlich ratlos. Habt ihr vielleicht Tipps? Was kann ich machen?

Antworten lesen

c Was würden Sie Lukas raten? Was würden Sie an seiner Stelle tun? Tauschen Sie sich aus.

Er sollte offen über seine Gefühle reden.

2 Konstruktiv streiten

a Was empfehlen die anderen Forumsteilnehmer? Lesen Sie die Tipps 1–10 und die Antworten im Forum. Unterstreichen Sie die Ratschläge im Text und ordnen Sie die Antworten zu.

1 [a] den anderen respektieren und wertschätzen
2 [ ] gemeinsam Zeit mit schönen Dingen verbringen
3 [ ] wichtige Gespräche nicht unter Zeitdruck führen
4 [a] über Gefühle sprechen, anstatt Vorwürfe zu machen
5 [ ] sich in die Perspektive des anderen hineinversetzen
6 [ ] vor allem positive Sachen sagen
7 [ ] Verallgemeinerungen vermeiden
8 [ ] sich auf das Wichtige konzentrieren
9 [ ] sich gegenseitig aufmerksam zuhören und Fragen stellen
10 [ ] dem anderen kein schlechtes Gewissen machen

Antworten lesen

a *Brighid:* Hallo Lukas, du klingst sehr frustriert. Sprichst du so direkt auch mit deiner Freundin? Das könnte sie verletzen und dann fühlt sie sich und ihre Arbeit von dir nicht wertgeschätzt. Ich wäre da sehr vorsichtig. Ich denke es ist wichtig, dass du nicht so oft sagst, was sie falsch macht, sondern dass du ihr erklärst, wie du dich dabei fühlst! Dann kann sie deine Kritik sicher viel besser annehmen. Die Arbeit deiner Freundin klingt ja eigentlich ziemlich cool. Wenn sie eure Familie dafür vernachlässigt, ist das natürlich doof. Ich kann mir allerdings kaum vorstellen, dass sie „nie" etwas im Haushalt macht. Manchmal nehmen wir etwas so wahr, weil wir genervt sind. Aber das ist selten die Realität. Deshalb sollte man auch mit solchen allgemeinen Formulierungen aufpassen. Ich wünsche euch alles Gute! Bri

b *Olivia:* Streit gehört zu jeder Beziehung dazu ;). Aber ihr müsst aufpassen, wie ihr kommuniziert. Ihr solltet zum Beispiel darauf achten, dass ihr die wirklich wichtigen Themen besprecht und nicht immer nur nervige Kleinigkeiten. Denn das bringt euch beide nicht weiter. Und dabei ist es auch ganz wichtig, dass ihr euch gegenseitig richtig zuhört. Dazu gehört auch, dass du nachfragst, wenn du etwas nicht verstehst, was sie sagt. Jeder hat seine Meinung und seine Gründe. Deshalb ist es wichtig, dass du versuchst, dich auch in die Perspektive deiner Freundin hineinzuversetzen.

c *Jovin:* Naja, deine Freundin hat jetzt nun mal diesen Job. Das musst du akzeptieren. Wahrscheinlich hat sie für euren Sohn und eure Familie lange auf ihre eigene Karriere verzichtet. Da ist es nur fair, dass du sie jetzt auch unterstützt. Du solltest ihr kein schlechtes Gewissen machen. Wenn sie ihren Job mag, dann verdirbst du ihr damit nur die Laune. Und wenn sie selbst unzufrieden mit der Situation ist, dann verstärkst du nur ihren Stress und setzt sie noch mehr unter Druck. Ich glaube viel wichtiger als ewige Diskussionen sind gemeinsame Aktivitäten. Unternehmt etwas, macht schöne Sachen miteinander und verbringt mehr gemeinsame Zeit. Dann erlebt ihr etwas Schönes, kommt euch wieder näher und seid wahrscheinlich auch beide offener für schwierige Gespräche.

d *Thaddäus:* Hallo Lukas, das klingt nach einer komplizierten Situation. Ich denke, ihr braucht unbedingt ein Gespräch in Ruhe. Dafür würde ich euch raten, dass ihr euch verabredet, um unter vier Augen und mit genügend Zeit über eure Probleme zu sprechen. Nicht am Telefon und auch nicht abends in der letzten Viertelstunde vor dem Schlafengehen, wenn ihr beide müde seid. Mach deiner Freundin vielleicht erstmal ein Kompliment. (Sie arbeitet sehr hart, sicher auch, um für euch als Familie zu sorgen!) Konzentriert euch in dem Gespräch einfach darauf, was ihr an dem anderen gut findet und mögt und darauf, was ihr euch in Zukunft voneinander wünscht. Ich hoffe, es hilft. Viel Glück!

b Was passt zusammen? Suchen Sie die Ausdrücke in den Forumsantworten in a und verbinden Sie.

1 die Familie	a verderben
2 Kritik	b setzen
3 sich in eine Person	c vernachlässigen
4 jemandem ein schlechtes Gewissen	d sprechen
5 jemandem die Laune	e machen
6 jemanden unter Druck	f annehmen
7 jemandem ein Kompliment	g hineinversetzen
8 unter vier Augen	h machen

c Arbeiten Sie zu zweit. Wählen Sie eine Aufgabe und sprechen bzw. schreiben Sie.

A Wählen Sie jeweils eine Rolle (Lukas oder Lea) und spielen Sie ein Gespräch zwischen den beiden. Versuchen Sie, das Problem im Gespräch konstruktiv zu lösen.

B Welche Tipps der Forumsteilnehmer finden Sie besonders gut? Welche anderen Tipps hätten Sie? Schreiben Sie zu zweit eine Antwort an Lukas im Forum.

Kommunikation am Arbeitsplatz

1 Ärger im Berufsleben

a Wer schreibt hier an wen und warum? Lesen Sie und sprechen Sie im Kurs.

Von: o.senger@lund-company.beispiel.com

Betreff: gemeinsame Zusammenarbeit

Sehr geehrter Herr Buhl,
wir haben ja heute Mittag schon kurz über die Konferenz und die Probleme bei der Organisation gesprochen. Ich möchte Ihnen gern noch einmal schriftlich darstellen, warum ich mit unserer Zusammenarbeit unzufrieden bin. Ich habe leider den Eindruck, dass Sie nicht immer pünktlich und zuverlässig arbeiten. Die Konferenzorganisation ist nur ein Beispiel dafür. Zu gemeinsamen Terminen erscheinen Sie oft unvorbereitet und ich muss wichtige Entscheidungen allein treffen, da Sie Ihre Meinung nicht einbringen. Ich weiß, dass Sie erst seit wenigen Wochen an diesem Projekt mitarbeiten. Trotzdem kann ich nicht nachvollziehen, dass Sie noch immer nicht wissen, was Ihre Aufgaben sind. Ihre Unzuverlässigkeit führt dazu, dass ich Ihre Arbeit teilweise übernehmen muss. Für mich wäre es leichter, wenn Sie die Besprechungsprotokolle regelmäßig lesen und sich selbstständig die nötigen Informationen besorgen würden. Wenn Sie danach noch Fragen haben, können Sie sich natürlich jederzeit an mich wenden. Für die Zukunft würde ich mir wünschen, dass Sie selbstständiger arbeiten und mehr Verantwortung in unseren gemeinsamen Projekten übernehmen.

Mit freundlichen Grüßen, Olaf Senger

b Wie klingt die E-Mail für Sie? Wie würde man in Ihrer Heimat am Arbeitsplatz Kritik ausdrücken? Tauschen Sie sich in Gruppen aus.

2 Eine schwierige E-Mail

a Was kritisiert Herr Senger an der Zusammenarbeit? Unterstreichen Sie in der E-Mail in 1a.

b Was glauben Sie: Welche Probleme hat Herr Buhl in der Zusammenarbeit mit Herrn Senger? Was könnte er vorschlagen, um die Zusammenarbeit zu verbessern? Notieren Sie zu zweit Ideen. Brauchen Sie Hilfe oder sind Sie schon fertig? Dann arbeiten Sie mit der App.

- *Problem: schlechte Kommunikation; Aufgabenverteilung nicht klar*
  → Vorschlag: bessere Kommunikation durch regelmäßige Treffen

c Schreiben Sie zu zweit Herrn Buhls Antwort an Herrn Senger. Benutzen Sie Ihre Notizen aus b und die Redemittel auf Seite 61. Schreiben Sie zu folgenden Punkten:

- Reagieren Sie auf die Kritik des Kollegen: Zeigen Sie Verständnis oder widersprechen Sie.
- Beschreiben Sie Ihre eigene Perspektive und die Gründe für Ihr Verhalten.
- Machen Sie Vorschläge, wie die zukünftige Zusammenarbeit verbessert werden könnte.

Sehr geehrter Herr Senger,
danke für Ihre E-Mail. Ich möchte mich gern zu Ihrer Kritik und Ihren Vorwürfen, was unsere Zusammenarbeit betrifft, äußern. ...

d Hängen Sie Ihre Antworten im Kursraum auf. Gehen Sie herum und lesen Sie die Antworten. Welche E-Mail ist Ihrer Meinung nach am besten? Warum? Tauschen Sie sich aus.

Es liegt mir auf der Zunge

1 Strategietraining: unbekannte Wörter umschreiben

a Was tun Sie, wenn Ihnen auf Deutsch ein Wort nicht einfällt? Sammeln Sie Ideen im Kurs.

b Welche Tipps werden hier gegeben? Welche finden Sie besonders nützlich? Lesen und unterstreichen Sie und vergleichen Sie mit Ihren Ideen in a.

Wenn die Worte fehlen

Kennen Sie das: Sie sind mitten in einem Gespräch auf Deutsch, alles läuft super – doch plötzlich: Blackout! Die Vokabel, die Sie jetzt eigentlich brauchen, fällt Ihnen absolut nicht ein. Für Sprachenlernende eine sehr unangenehme Situation, aber eigentlich auch völlig normal. Und die gute Nachricht: Es gibt ein paar hilfreiche Strategien, um den Blackout zu überspielen:

Fast jede Vokabel kann man mit anderen Worten umschreiben. Erklären Sie einfach, was Sie meinen. Das dauert vielleicht ein bisschen länger, aber am Ende werden Sie auch verstanden, ohne die Vokabel zu benutzen. Vielleicht fällt Ihnen ja auch ein Synonym ein, also ein Wort, das die gleiche oder eine ähnliche Bedeutung hat. Manche deutschen Wörter kommen ursprünglich auch aus anderen Sprachen. Versuchen Sie doch mal, ein Wort aus einer anderen Sprache „einzudeutschen". Aber Vorsicht vor „falschen Freunden"! Das englische „become" hat mit dem deutschen „bekommen" wenig zu tun.

Und vergessen Sie nicht: Kommunikation läuft nicht nur über Worte ab. Setzen Sie Ihre Körpersprache ein und zeigen Sie einfach, was Sie sagen wollen. Wenn Sie mit Händen und Füßen kommunizieren, sorgen Sie auf jeden Fall für gute Stimmung. Probieren Sie es aus!

c Was passt zusammen? Verbinden Sie. Ergänzen Sie dann die passende Strategie.

ein Synonym nennen – die Funktion beschreiben – Beispiele nennen – ~~eine Definition geben~~ – das Gegenteil nennen

1	Damit kann man chatten.	a	Ferien	
2	Wut, Ekel und Freude	b	Nachrichtendienst	
3	Wenn man kommuniziert, ohne zu sprechen.	c	unbewusst	
4	Nicht bewusst, sondern …	d	nonverbal	*Definition geben*
5	Ein anderes Wort für „Urlaub".	e	Gefühle	

2 Wörter raten

a Arbeiten Sie in Gruppen. Schreiben Sie die Wörter einzeln auf Kärtchen. Ziehen Sie jeweils ein oder mehrere Kärtchen. Zeigen Sie Ihr Wort nicht. Wählen Sie eine Strategie (1, 2 oder 3) und stellen Sie das Wort dar. Die anderen raten Ihr Wort.

der/die Bewerber/in – berufsbegleitend – die Dienstleistung – die Elternzeit – der Fußabdruck – die Geschäftsführung – der Horizont – muskulös – sich Mühe geben – recherchieren – schüchtern – das Stipendium – surfen – der/die Türsteher/in – das Vorurteil – das Wohnmobil

1

Zeichnen Sie das Wort.

2

Stellen Sie das Wort pantomimisch dar.

3

Ein tragbarer Computer.
Erklären Sie das Wort.

b Wiederholen Sie das Spiel aus a mit Wörtern, die Sie in dieser Einheit neu gelernt haben.

Mit den Augen hören

1 Was bedeutet *barrierefrei*? Lesen Sie die Definition und beschreiben Sie die Bilder mithilfe der Wörter. Kennen Sie weitere Beispiele für Barrierefreiheit? Tauschen Sie sich aus.

barrierefrei: Etwas ist so gebaut oder organisiert, dass es von Menschen mit Behinderung ohne fremde Hilfe genutzt werden kann.

blind – gehörlos – dolmetschen – das Signal – die Gebärdensprache – die Untertitel (Pl.) – der Rollstuhl – die Rampe – das Hörgerät

2 Laura Schwengber – eine Musikdolmetscherin

2.08 **a** Was ist das Thema des Podcasts? Hören Sie den Anfang und tauschen Sie sich aus.

2.09 **b** In welcher Reihenfolge wird über die Themen gesprochen? Hören Sie und ordnen Sie die Themen.

- a [1] Gehörlosenkultur
- b [ ] Meinung der Zuschauer
- c [ ] Musikdolmetschen auf der Bühne
- d [ ] Vom Gebärden- zum Musikdolmetschen
- e [ ] Wie Gehörlose Musik wahrnehmen
- f [ ] Laura Schwengbers Berufswahl

2.09 **c** Was ist richtig? Hören Sie noch einmal und kreuzen Sie an.

1. ◯ Die deutsche Gebärdensprache ist als offizielle Sprache anerkannt.
2. ◯ Gehörlose Menschen können Musik über Vibrationen wahrnehmen.
3. ◯ Die Gebärdensprachdolmetscherin Laura Schwengber ist auch professionelle Musikerin.
4. ◯ 2011 hat sie zum ersten Mal die Lieder beim Eurovision Song Contest gedolmetscht.
5. ◯ Laura Schwengber dolmetscht die Musik, ohne ihre eigenen Gefühle zu zeigen.
6. ◯ Sie benutzt nicht nur die Gebärdensprache, sondern auch ihren ganzen Körper.
7. ◯ Manche Fans reisen vor allem wegen Laura Schwengber zu den Konzerten.

d Ein Musikvideo mit Laura Schwengber. Sehen Sie das Video eine Minute ohne Ton und achten Sie auf die Mimik, Gestik und Bewegungen der Dolmetscherin. Was macht sie? Was glauben Sie: Wie ist das Lied (traurig, fröhlich, schnell, langsam usw.)? Sammeln Sie Ihre Ideen und Eindrücke im Kurs.

e Sehen Sie das Video jetzt noch einmal komplett mit Ton und vergleichen Sie mit Ihren Ideen.

f Wie finden Sie Laura Schwengbers Beruf? Tauschen Sie sich aus.

Von diesem Beruf habe ich noch nie etwas gehört, aber ich finde toll, was sie macht!

Auf einen Blick

Vermutungen äußern
Das / Diese Geste könnte/dürfte/müsste (vielleicht/wohl) bedeuten, dass ...
Es kann/könnte auch sein, dass es/sie ... bedeutet.
Damit wird vielleicht/vermutlich/wahrscheinlich ausgedrückt, dass ...
Ich bin (fast) sicher, dass es ... bedeutet. / Bestimmt/Sicher soll das heißen, dass ...

Kritik äußern

formell
Ich kann leider (überhaupt) nicht nachvollziehen, warum ...
Ich habe leider den Eindruck, dass ... / Für mich wäre es leichter, wenn ...

informell
Ich verstehe echt/gar/absolut nicht, warum ... / Es ist mir ein Rätsel, warum ...
Kannst du mir mal sagen, warum ...?
Warum musst du (eigentlich) ständig ...? / Du könntest (doch) wenigstens mal ...

auf Kritik reagieren

formell
Es tut mir leid, das ist mir gar nicht aufgefallen. / Das war wohl ein Missverständnis.
Ich verstehe, was Sie meinen / du meinst, aber ...
Ja, Sie haben / du hast (ja) recht. Aber ...
Nein, da irren Sie sich / irrst du dich. / Aus meiner Sicht ...
Warum glauben Sie denn, dass ... / Es würde mir helfen, wenn ...

informell
Entschuldigung, so war das (doch gar) nicht gemeint.
Was soll das denn jetzt?! / Jetzt übertreibst du aber!
Ich verstehe echt nicht, warum ...
Immer bist du am Meckern, dabei machst du selbst immer ...
Warum musst du mich eigentlich ständig kritisieren? / Immer musst du recht haben!

eine Grafik beschreiben

Einleitung
In der Grafik geht es um ... / Die Grafik informiert über ...
In der Grafik wird/werden ... verglichen/unterschieden.
Die Grafik stellt ... dar. / Die Grafik zeigt / stellt dar, wie viele ...
Die Grafik stammt von ... (Quelle) / ist aus dem Jahr ... / Die Angaben sind in Prozent.
Für die Statistik wurden ... Personen im Alter von ... bis ... Jahren / aus verschiedenen Altersgruppen befragt.

wichtigste Ergebnisse beschreiben
Aus der Grafik geht hervor / wird deutlich, dass ... / Man kann deutlich erkennen, dass ...
Auffällig/Interessant ist auch, dass ...

Zahlen nennen und Unterschiede beschreiben
... Prozent der Befragten sind der Meinung, dass ... / Jeder zweite Befragte findet, dass ...
Fast/Über die Hälfte (der Befragten) sagt, dass ...
Der größte Teil / Die Mehrheit / Die Minderheit / Ein Drittel / Ein Viertel findet, dass ...
Auf dem ersten Platz / An erster Stelle steht (mit großem Abstand) ...
(Knapp) Dahinter folgt ... mit ... Prozent.
Die Zahl der ... ist von ... auf ... gestiegen/gesunken.
Die Zahl der ... ist höher/niedriger als die Zahl der ...

Zusammenfassung und Interpretation
Insgesamt sieht man, dass ... / Zusammenfassend kann man sagen, dass ...
Daraus lässt sich schließen, dass ...

5 Einfach mal abschalten

Webcode: vayeqo

Den Kopf frei bekommen

1 Einfach mal abschalten. Was machen die Menschen auf den Fotos? Was könnte *abschalten* hier bedeuten? Tauschen Sie sich aus.

Auf dem fünften Foto spielen Leute Theater. Was könnte das mit „abschalten" zu tun haben?

Auf Foto 2 sieht man Leute meditieren. Vielleicht hat „abschalten" mit „entspannen" zu tun.

2 Der perfekte Ausgleich

2.10  **a** Was machen die Personen, um abzuschalten? Welches Foto passt zu wem? Hören und notieren Sie.

Wer?	*Was macht sie/er?*
Adrian	*auf dem „Philosophenweg" spazieren gehen (Foto 3)*
Marisa	
Keren	
Yoko	
Felipe	

2.10  **b** Wovon wollen sich die Personen erholen? Was gefällt ihnen besonders an ihrem Hobby? Wählen Sie zwei Personen. Hören Sie noch einmal und ergänzen Sie Ihre Notizen. Stellen Sie dann Ihre Personen in der Gruppe vor.

Wer?	*Was macht sie/er?*	*Wovon erholt sie/er sich?*	*Was gefällt ihr/ihm daran?*
Adrian	*auf dem „Philosophenweg" spazieren gehen (Foto 3)*	*lernt fürs Examen, ...*	*die Stille/Naturgeräusche, ...*

2.11  **c** Was sagen die Personen? Hören Sie die Ausschnitte aus der Radiosendung und verbinden Sie.

1 Wenn ich spazieren gehe,
2 Beim Applaus des Publikums
3 Beim Meditieren
4 Wenn ich Gemälde betrachte,
5 Beim Kochen

a kommen meine Gedanken zur Ruhe.
b muss ich mal nicht an Zahlen denken.
c wird mein Kopf wieder frei.
d fällt die ganze Nervosität von mir ab.
e gebe ich mich den Farben und Formen hin.

d Lesen Sie den Grammatikkasten und ergänzen Sie den passenden Satz aus c. Formulieren Sie dann die übrigen Sätze in c mit *wenn* bzw. *bei* um.

Die temporale Präposition *bei* (+ Dativ)

Beim ______________________________.
(Wenn das Publikum applaudiert, fällt die ganze Nervosität von mir ab.)

Die temporale Präposition bei *drückt aus, dass etwas gleichzeitig passiert. Oft benutzt man nach* bei *ein nominalisiertes Verb.*

beim Spazierengehen / bei einem Spaziergang

▶ Grammatik A 3.4

e Und Sie? Wobei können Sie gut abschalten? Berichten Sie. Benutzen Sie die Redemittel auf Seite 73.

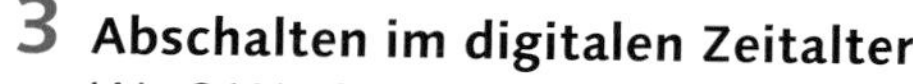

3 Abschalten im digitalen Zeitalter

a Wer? Was? Wo? Warum? Hören Sie und machen Sie Notizen zu den Fragewörtern.

b Wie gliedert Frau Kumar ihren Vortrag? Hören Sie weiter und ordnen Sie die Folien.

a ***Stress im Berufsleben:***
- *Überstunden/Zeitdruck*
- *hohe Erwartungen (Karriere)*
- *Familie und Beruf*
- *wenig Zeit für Entspannung*

☐

b ***„RELAX“ –***
vielseitig, einfach, praktisch
Auch im Büro kann man
das Gras unter den Füßen spüren!

Vielen Dank für Ihre Aufmerksamkeit! ☐

c ***Das erfahren Sie heute:***
- *Stressursachen*
- *Funktionen der App*
- *technische Informationen*

☐

d ***Was bietet die App?***
- *angeleitete Meditationen*
- *Entspannungsphasen im Büro*
- *Naturgeräusche und Musik*
- *Pausen-Erinnerung*

☐

e ***Technische Informationen:***
- *in 6 Sprachen*
- *für alle Betriebssysteme*
- *verschiedene Abo-Modelle (Einzel-Abo, Firmen-Abo)*

☐

f ***Produktpräsentation***
Entspannungs-App „RELAX“

Sunita Kumar
(Leiterin Forschung und Entwicklung) 1

c Was sagt Frau Kumar? Hören Sie noch einmal und kreuzen Sie an.

1 ☐ Fast alle Berufstätigen wollen zwischendurch mal entspannen.
2 ☐ Studierende leiden am meisten unter Stress.
3 ☐ Höhere Erwartungen im Beruf führen zu Stress.
4 ☐ Mithilfe von einfachen Methoden kann man innerhalb von fünf Minuten entspannen.
5 ☐ Mithilfe der App kann man Pausen besser einhalten.
6 ☐ Das Abonnement bezahlt man einmalig und kann dann die App ein Jahr nutzen.

d Lesen Sie den Grammatikkasten und ergänzen Sie die passenden Sätze aus c.

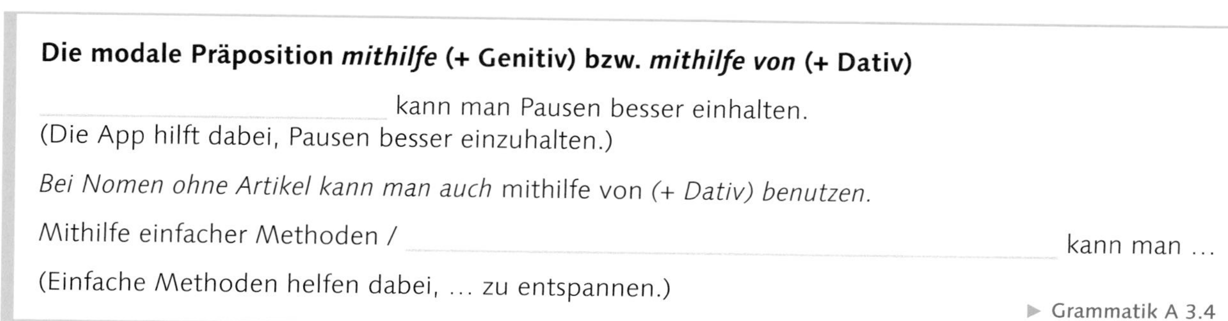

Die modale Präposition *mithilfe* (+ Genitiv) bzw. *mithilfe von* (+ Dativ)

______________________ kann man Pausen besser einhalten.
(Die App hilft dabei, Pausen besser einzuhalten.)

Bei Nomen ohne Artikel kann man auch mithilfe von *(+ Dativ) benutzen.*

Mithilfe einfacher Methoden / ______________________ kann man …
(Einfache Methoden helfen dabei, … zu entspannen.)

▶ Grammatik A 3.4

e Schreiben Sie Sätze mit *mithilfe* oder *mithilfe von*.

1 Die App hilft Berufstätigen dabei, Stress abzubauen.
2 Regelmäßige Pausen helfen dabei, die Konzentration zu steigern.
3 Meditation hilft dabei, das innere Gleichgewicht zu finden.
4 Ein Hobby hilft dabei, dass man sich nach Feierabend besser von der Arbeit ablenken kann.

1 Mithilfe der App können Berufstätige ...

f Wie finden Sie die App? Können Sie sich vorstellen, eine solche Entspannungs-App zu nutzen? Warum (nicht)? Tauschen Sie sich aus.

Ich finde die Erinnerungsfunktion sehr praktisch. Ich könnte mir vorstellen, dass ich mithilfe dieser Funktion öfter Pausen machen würde.

4 Strategietraining: eine Präsentation halten

a Welche Entspannungsmethode finden Sie interessant? Wählen Sie eine Methode. Lesen Sie in der App (A oder B) oder recherchieren Sie Informationen (C) und machen Sie Notizen zu den Fragen.

A **Pilates – Entspannung durch tiefes Atmen und Gymnastik**

B **Origami – Entspannung durch Konzentration und Fingerfertigkeit**

C **Ihre persönliche Entspannungsmethode**

1 Wie funktioniert die Methode?
2 Woher kommt sie?
3 Warum ist diese Methode entspannend?
4 Für wen ist die Methode geeignet?
5 Macht man sie allein oder in der Gruppe?
6 Was braucht man dafür?

b Worauf sollte man bei einer Präsentation achten? Sammeln Sie Ideen im Kurs. Sehen Sie dann das Strategievideo und machen Sie Notizen. Vergleichen Sie mit Ihren Ideen.

c Bereiten Sie eine Präsentation über Ihre Entspannungsmethode aus a vor. Benutzen Sie Ihre Notizen und überlegen Sie sich eine Gliederung.

2.14 **d** Phonetik: flüssig präsentieren. Lesen und hören Sie die Redemittel und markieren Sie den Hauptakzent.

eine Präsentation halten

Einleitung	In meiner Präsentation geht es um ... / Im ersten Teil geht es darum, dass ... Anschließend werde ich ... / Zum Schluss möchte ich ...
Hauptteil	Ein wichtiger Aspekt ist, dass ... / Ich möchte darauf hinweisen, dass ... Besonders hervorheben möchte ich ... / Dazu nenne ich Ihnen folgende Beispiele: ...
Schluss	Abschließend/Zusammenfassend kann man sagen, dass ... Ich bedanke mich für Ihre Aufmerksamkeit. Haben Sie Fragen?

► Redemittel S. 73

e Sprechen Sie die Redemittel in d abwechselnd zu zweit. Versuchen Sie die Wortgruppen so zu sprechen, als wären Sie ein Wort.

f Arbeiten Sie in 4er-Gruppen. Halten Sie Ihre Präsentation in der Gruppe. Benutzen Sie die Redemittel aus d und beachten Sie die Hinweise aus dem Video. Die anderen geben Feedback, wie Ihnen die Präsentation gefallen hat.

Feedback geben

Die Präsentation hat mir (sehr) gut gefallen, weil ... / Den Aspekt/Punkt ... haben Sie / hast du gut erklärt.
Ich denke, der Aspekt/Punkt ... hat noch gefehlt.
Was mir noch nicht so gut gefallen hat, ist, dass ... / Vielleicht könnte man ...

► Redemittel S. 73

Weniger Stress im Alltag und Beruf

1 Stress im Arbeitsleben

a Was können Gründe für Stress im Beruf sein? Sammeln Sie Ideen.

b Welche Ursachen für Stress gibt es? Lesen Sie und notieren Sie. Vergleichen Sie mit Ihren Ideen aus a.

Immer mehr Arbeitnehmer*innen klagen über Stress im Beruf

Das Arbeitsleben ist in den letzten Jahren durch Smartphones, Internet und digitale Medien immer stressiger geworden. Das haben zahlreiche Studien bewiesen. Viele Arbeitnehmer*innen klagen: „Ich gehe morgens wegen der vielen Arbeit nur noch ungern ins Büro." Während der Arbeit liegt bei vielen außerdem das Handy gut sichtbar auf dem Schreibtisch und lenkt von der Arbeit ab. Jederzeit könnte ja eine wichtige Nachricht auf dem Handy ankommen.

Neben der ständigen Erreichbarkeit und Reizüberflutung durch digitale Medien können auch andere Faktoren im Berufsleben Stress verursachen. Wegen des Zeitdrucks und eines zu hohen Arbeitspensums machen viele Arbeitnehmer*innen regelmäßig fast selbstverständlich Überstunden. Auch fehlende Anerkennung durch Vorgesetzte oder Kolleg*innen oder Konflikte am Arbeitsplatz sind Stressauslöser. ■

c In welcher Reihenfolge stehen die Angaben im Satz? Lesen Sie den Grammatikkasten und markieren Sie die unterstrichenen Satzteile in b in verschiedenen Farben wie im Beispiel. Ergänzen Sie dann die Regel.

modal (Wie/Womit?) –
kausal (Warum?) – lokal (Wo/Wohin?) –
~~temporal (Wann / Wie oft?)~~

Reihenfolge der Angaben im Hauptsatz (Te-Ka-Mo-Lo)

Ich gehe morgens wegen der vielen Arbeit ungern ins Büro.

In einem Aussagesatz stehen die Angaben oft in folgender Reihenfolge:

temporal (Wann / Wie oft?) → ______ → ______ → ______

Um eine Angabe besonders zu betonen, kann man sie auch an den Anfang stellen.

Wegen des Zeitdrucks machen viele Arbeitnehmer regelmäßig fast selbstverständlich Überstunden.

▶ Grammatik B 1.3

2 Stress abbauen

a In welcher Reihenfolge kommen die Informationen vor? Sehen Sie das Video und nummerieren Sie.

- a ☐ Die Menschen müssten sich mehr bewegen, um Stress abzubauen.
- b ☐ Stress ist wahrscheinlich auch für andere Krankheiten verantwortlich.
- c ☐ Claus Rottenbacher hat sein Leben komplett umgestellt, um mehr Freiheit zu haben.
- d 1 Claus Rottenbacher hatte ein Unternehmen gegründet.
- e ☐ Nach einem Zusammenbruch bekam Claus Rottenbacher die Diagnose: Stress.
- f ☐ Stress ist eine alte körperliche Reaktion, um sich gegen Gefahren zu verteidigen.
- g ☐ Claus Rottenbacher hatte viel Druck und bekam gesundheitliche Probleme.

b Wie finden Sie Claus Rottenbachers Entscheidung? Sprechen Sie im Kurs.

c Wie kann man Stress abbauen? Arbeiten Sie zu zweit. Lesen Sie jeweils einen Text (A oder B) in der App und notieren Sie die Tipps.

d Stellen Sie sich die Tipps gegenseitig vor. Welche Tipps finden Sie persönlich wichtig? Welche anderen Tipps zum Stressabbau kennen Sie? Einigen Sie sich auf drei Favoriten.

- über die Vor- und Nachteile verschiedener Energieformen sprechen; einen Zeitungsartikel über Energiewende und Atomkraft verstehen; Bedingungen ausdrücken; einen Leserbrief schreiben
- Bedingungssätze mit *wenn* und *falls* und uneingeleitete Bedingungssätze

Kraftwerke abschalten?

1 Energieformen

a Wie heißen die Energieformen? Sehen Sie sich die Fotos an und ordnen Sie zu.

1 die Atomenergie
2 die Kohleenergie
3 die Wasserkraft
4 das Erdgas
5 die Solarenergie
6 die Windenergie

a 

b 

c 

d 

e 

f 

b Welche Vor- oder Nachteile haben die Energieformen aus a Ihrer Meinung nach? Tauschen Sie sich aus. Die Wörter helfen.

nachhaltig – umweltfreundlich – gefährlich – teuer – zuverlässig – unabhängig – radioaktive Strahlung – die Katastrophe – die Luft-/Umweltverschmutzung – erneuerbar – der Rohstoff

Windenergie ist sehr nachhaltig, weil man keine Rohstoffe braucht. Das ist ein Vorteil.

2 Energiewende und Atomenergie

a Worum geht es in dem Artikel? Was bedeutet *Energiewende*? Lesen Sie und sprechen Sie im Kurs.

Weltweit steigt der Energieverbrauch immer schneller, sowohl in Privathaushalten als auch in der Industrie und im Verkehr. Studien zeigen, dass es spätestens in 200 Jahren nicht mehr genug Rohstoffe für die Energiegewinnung geben wird. Konventionelle Energieformen wie Kohle oder Erdgas können außerdem schwere Umweltprobleme verursachen und den Klimawandel beschleunigen. Deshalb fordern Umweltschützer eine Energiewende: Konventionelle Energien soll durch erneuerbare umweltfreundliche Energieformen wie Sonne, Wind und Wasserkraft ersetzt werden. Welche Rolle die Atomenergie dabei zukünftig spielen wird, ist sehr umstritten. Lesen Sie hierzu unser Streitgespräch.

b Spielt die Diskussion um die Energiewende in Ihrer Heimat auch eine Rolle? Berichten Sie im Kurs.

c Welche Argumente für und gegen Atomkraft werden genannt? Lesen Sie die Stellungnahmen, unterstreichen und notieren Sie die Argumente. Berichten Sie dann im Kurs.

gegen Atomkraft	*für Atomkraft*
– radioaktive Strahlung ist gefährlich	*– umweltfreundlicher als Gas oder Kohle*

Gegen Atomkraft spricht, dass gefährliche radioaktive Strahlung produziert wird.

Ja, aber dafür spricht, dass …

Atomkraftwerke abschalten? – Ein Streitgespräch

Die Energiewende ist alternativlos!

Die Atomkraftwerke sollten so schnell wie möglich abgeschaltet werden. Die radioaktive Strahlung stellt eine große Gefahr für die Menschen und die Umwelt dar. Dabei geht es nicht nur um Atomkatastrophen wie 1986 in Tschernobyl oder 2011 in Fukushima. Auch im täglichen Betrieb von Atomkraftwerken tritt radioaktive Strahlung aus. Wasser-, Wind- und Solarenergie sind umweltfreundlicher und weniger gefährlich. Würde man nur noch nachhaltige Energieformen verwenden, wäre die Welt viel sicherer.

Ein großes Problem ist der Atommüll. Der Transport und die Lagerung sind nicht nur gefährlich, sondern auch sehr teuer. Der Atommüll wird ein unlösbares Problem, wenn die Atomkraftwerke weiterarbeiten.

Auch wirtschaftlich lohnt sich die Energiewende. Baut man mehr Solar-, Wind- und Wasserkraftwerke, dann entstehen auch neue Arbeitsplätze. Und Länder, in denen oft die Sonne scheint, können auf diese Weise die Energiekosten stark reduzieren.

Pia Roth

Wir können auf Atomkraftwerke nicht verzichten!

Atomenergie ist viel umweltfreundlicher als andere konventionelle Energieformen wie Kohle oder Gas. Würde man mehr Atomenergie einsetzen, könnte der Klimawandel aufgehalten werden. Atomkraftwerke arbeiten viel zuverlässiger als Solaranlagen, Wind- oder Wasserkraftwerke. Diese alternativen Energien sind stark vom Wetter abhängig. Daher wird manchmal zu viel und manchmal zu wenig Energie produziert. Falls die Atomkraftwerke abgeschaltet werden, droht ein globaler Stromausfall.

Außerdem wäre der Atomausstieg sehr teuer: Die Atomkraftwerke müssten zurückgebaut und der atomare Müll sicher gelagert werden. Würde man plötzlich alle Atomkraftwerke schließen, würden allein in Deutschland 35.000 Arbeitsplätze verloren gehen.

Gegner der Atomenergie argumentieren immer wieder mit der Gefahr von Atomunfällen. Bei den hohen Sicherheitsstandards, die für die Kraftwerke gelten, ist das Risiko eines Reaktorunfalls heutzutage jedoch minimal.

Hans Maaß

3 Falls die Atomkraftwerke wirklich abgeschaltet werden, ...

a Suchen Sie die Informationen in den Texten in 2c und ergänzen Sie die Sätze. Markieren Sie die Verben.

Bedingungssätze mit *wenn*, *falls* und uneingeleitete Bedingungssätze

Der Atommüll wird ein unlösbares Problem, wenn/falls die Atomkraftwerke weiterarbeiten.

Falls ______________________________, droht ein globaler Stromausfall.

Würde ______________________________, wäre die Welt viel sicherer.

In uneingeleiteten Bedingungssätzen entfällt wenn *oder* falls. *Der Nebensatz steht immer vor dem Hauptsatz. Das konjugierte Verb steht auf Position 1.*

▶ Grammatik B 2.2.2

b Markieren Sie weitere uneingeleitete Bedingungssätze in den Texten in 2c.

c Falls man die Atomkraftwerke abschalten würde ... Was wäre dann? Schreiben Sie drei Sätze mit *falls*.

Falls man die Atomkraftwerke abschalten würde, gäbe es weniger Naturkatastrophen.

d Sprachschatten. Sprechen Sie zu zweit wie im Beispiel. Benutzen Sie Ihre Sätze aus c.

Falls man die Atomkraftwerke abschalten würde, gäbe es weniger Naturkatastrophen.

Stimmt. Würde man die Atomkraftwerke abschalten, gäbe es weniger Naturkatastrophen. Falls man ...

4 Ein Leserbrief

a Was denken Sie über das Thema Energiewende und Atomenergie? Schreiben Sie einen Leserbrief zu dem Zeitungsartikel in 2c. Benutzen Sie die Redemittel auf Seite 73.

b Tauschen Sie Ihren Leserbrief mit einer anderen Person. Lesen Sie und vergleichen Sie Ihre Meinungen.

Stromausfall

1 *Blackout – Morgen ist es zu spät.* Ein Roman von Marc Elsberg

a Stellen Sie sich vor, dass für mehrere Tage der Strom ausfällt. Was würde passieren? Welche Folgen hätte das? Sammeln Sie Ideen.

> *Würde der Strom für längere Zeit ausfallen, könnte man zum Beispiel den Computer nicht benutzen.*

> *Ja, das stimmt. Und falls das passiert, könnte man nicht mehr ins Internet gehen. Das fände ich schrecklich!*

b Was denken Sie: Was passiert in der Geschichte? Lesen Sie die Einleitung und sammeln Sie Ideen.

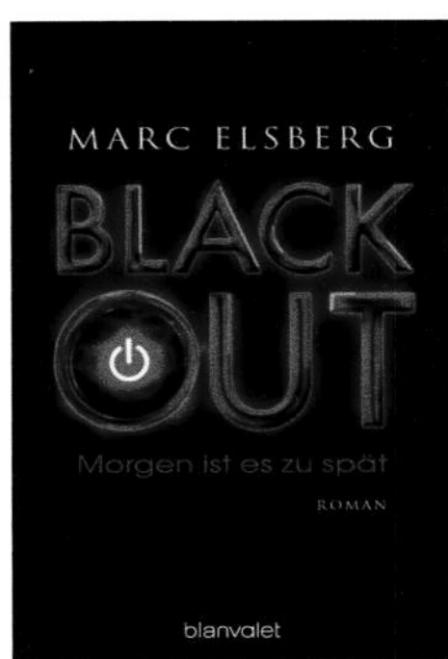

> Die drei Freundinnen Chloé, Lara und Sonja sind unterwegs in den Skiurlaub in Österreich. Sie fahren mit dem Auto auf der Autobahn Richtung Bregenz und haben nicht mehr viel Benzin. Der Strom ist in weiten Teilen Europas ausgefallen.

c Wer? Wann? Wo? Was? Lesen Sie den Romanauszug und machen Sie Notizen zu den Fragen.

Nahe Bregenz

„Hier geht auch nichts mehr! Keine einzige Tankstelle, bei der man Sprit bekommt!", rief Chloé. „Das ist doch nicht zu fassen!" Sonja Angström lehnte sich zwischen die beiden Vordersitze und betrachtete das Chaos. Heftiger Schneefall hatte eingesetzt. Wie schon bei den Tankstellen davor: Massenhaft Autos, wild durcheinander geparkt, manche auf der Suche nach einem Ausweg. Sie schielte auf die Tankanzeige von Chloés Citroën. Ein gelbes Licht signalisierte, dass sie bereits auf Reserve unterwegs waren. „Mit unserem Tank kommen wir nicht mehr bis zur Hütte", stellte sie fest. […]

In ihre Anoraks verpackt, stapften sie zwischen den anderen Autos Richtung Shop. Viele Wagen waren leer. Bei einigen lief der Motor. In anderen hatten sich die Passagiere in warme Kleidung gewickelt, manche schliefen hinter Scheiben mit Eisblumen. Aus einem winkte ein Kind. „Unheimlich", meinte Lara.

Die Tankstelle war tatsächlich zugesperrt. Sie umrundeten das Gebäude und fanden die Toiletten auf der Rückseite. Kaum hatten sie die Tür geöffnet, schlug ihnen Gestank entgegen. Sonja konnte gerade noch das Waschbecken erkennen. Weiter drinnen war es zu dunkel, um irgendetwas zu sehen. „Hier setze ich mich auf keine Toilette", erklärte sie.

Sie wanderten weiter zur Raststätte. Hinter einigen Fenstern sah Sonja einen kaum wahrnehmbaren Schein. Die Tür war offen. Von drinnen hörten sie Stimmen. „Da ist wer", stellte Lara fest. Schwaches Licht schien durch das geriffelte Glas einer großen Doppeltür. Als sie den Gastraum betraten, erfasste Sonja ein Gefühl von Abenteuer. […]

Alle Tische waren besetzt. Auf einigen brannten Kerzen. Die Gäste unterhielten sich, aßen, schwiegen, schliefen. Hier war es deutlich wärmer als draußen. In ihre Nasen kroch ein muffiger Geruch. Ein Mann mit Daunenjacke kam ihnen entgegen, um den Hals eine schwarze Fliege. „Wir sind voll", erklärte er. „Aber wenn Sie noch ein Plätzchen finden, können Sie gern bleiben." „Haben Sie etwas zu essen?", fragte Angström. „Vieles ist aus. Am besten gehen Sie in die Küche. Die geben Ihnen von dem, was noch da und genießbar ist. Bezahlen müssen Sie bar. Den regulären Restaurantbetrieb mussten wir vorübergehend aufgeben. Licht, Wasser, sanitäre Anlagen, Herde, Kühlschränke, Heizung, Buchungs- und Zahlungssysteme funktionieren nicht." […]

d Vergleichen Sie Ihre Antworten aus c in der Gruppe. Welche Stellen im Text haben Ihnen zur Lösung geholfen? Tauschen Sie sich aus.

Im Text steht, dass es Schnee gab. Also muss es Winter sein.

Ja. Und die Leute brauchen Kerzen wegen des Stromausfalls. Vermutlich ist es schon dunkel, weil es abends ist.

e Wo steht das im Text? Welche Formulierungen verwendet der Autor? Markieren Sie im Romanauszug und notieren Sie die Zeilen.

1 Sonja sah sich das Chaos an. *Zeile 5*
2 Es hatte heftig begonnen zu schneien. ……
3 Sonja sah vorsichtig nach, wie viel Benzin noch im Tank war. ……
4 Sie liefen durch den Schnee zum Tankstellenshop. ……
5 Sie gingen um das Gebäude herum. ……
6 Als sie die Tür öffneten, kam ihnen ein unangenehmer Geruch entgegen. ……
7 Für Sonja fühlte es sich wie ein Abenteuer an. ……
8 Es gibt fast kein Essen mehr. ……
9 Die Toiletten sind kaputt. ……

f Was bedeuten die Wörter? Suchen Sie sie im Romanauszug in c und verbinden Sie.

1 der Anorak
2 der Sprit
3 massenhaft
4 der Passagier
5 zugesperrt
6 die Raststätte
7 (einen Raum) betreten
8 genießbar
9 regulär
10 vorübergehend

a verschlossen, abgeschlossen
b für eine (unbestimmte) Zeit
c hineingehen
d der Fahrgast (hier: der Autofahrer oder der Beifahrer)
e das Autobahnrestaurant
f normal
g essbar
h das Benzin
i eine wasserdichte Jacke
j sehr viele

g Welche Folgen hat der Stromausfall in der Geschichte? Lesen Sie den Romanauszug in c noch einmal und machen Sie Notizen.

an der Tankstelle	*auf den Toiletten*	*im Restaurant*	*für die Menschen*
– es gibt kein Benzin			

2 Und Sie? Was würden Sie tun?

a Wie würden Sie sich fühlen? Was würden Sie an Stelle der drei Frauen tun? Sprechen Sie in Gruppen.

Das klingt sehr stressig. Vielleicht würde ich den Urlaub abbrechen.

b Wie könnte die Geschichte weitergehen? Schreiben Sie zu zweit eine Fortsetzung.

Nachdem die drei Freundinnen eine schlaflose Nacht im Auto verbracht hatten, beschlossen sie am nächsten Tag, ...

c Lesen Sie Ihre Texte im Kurs vor. Welche Fortsetzung gefällt Ihnen am besten? Warum?

Eine Fachtagung

1 Ein wissenschaftlicher Vortrag

a Welchen Titel könnte die Tagung haben? Lesen Sie das Programm und kreuzen Sie an.

1 ▢ Umweltschutz – eine nachhaltige Zukunft gestalten
2 ▢ Wenn Stress zum Problem wird – Ursachen, Folgen und Prävention
3 ▢ Zukunftsplanung im Beruf – Karriere durch persönliches Management

Tagungsprogramm

09.00	Begrüßung
09.15–10.45	Keynote: **Prof. Kerstin Fellner:** Menschliche Krisen und Zukunftsmanagement ▢
11.00–11.30	Kaffeepause
11.30–13.00	Vortrag und Workshop: **Stefan Harlinger:** Persönliche Realität und Wunschbilder ▢
13.00–14.00	Mittagessen
14.00–15.30	Vortrag und Workshop: **Dr. Mike Lewis:** Dem Burnout vorbeugen – das innere Gleichgewicht finden ▢
15.30–16.00	Kaffeepause
16.00–16.45	Vortrag: **Louise Bonnet**: Stressabbau durch autogenes Training ▢
17.00–19.00	**Offenes Programm – Zeit für Ihre Ideen** *Präsentationen zu folgenden Themen möglich:* Ein Leben ohne Internet / Entspannungsmethoden, die nichts kosten / Stress im Studium oder im Berufsleben / Entspannungs-Apps ▢

2.15 b Welchen Vortrag hören Sie? Hören Sie den Anfang des Vortrags und kreuzen Sie in a an.

2.15 c Wie ist der Vortrag gegliedert? Hören Sie noch einmal und notieren Sie Stichwörter.

1. Teil: ______
2. Teil: ______
3. Teil: ______
Abschluss: *Zusammenfassung*

2.16 d Was ist ein Burnout? Was können Ursachen eines Burnouts sein? Hören und notieren Sie.

2.17 e Welche „Burnout-Phase“ passt? Lesen Sie die Sätze, hören Sie weiter und ordnen Sie die Phasen zu.

1 Man verliert das Interesse an seinen Hobbys und seinen Freunden. ______
2 Man arbeitet sehr engagiert und will perfekt sein. *Phase 1*
3 Man fühlt sich hoffnungslos und verzweifelt. ______
4 Man ist bei der Arbeit nicht mehr motiviert und wartet nur noch auf den nächsten Urlaub. ______
5 Man kann sich schlecht konzentrieren und macht Fehler bei der Arbeit. ______
6 Man wird hilflos oder aggressiv und gibt sich oder anderen die Schuld. ______
7 Man leidet unter Schlaflosigkeit und körperlichen Schmerzen. ______

f Was sagt Mike Lewis? Hören Sie weiter und kreuzen Sie an.

1 Um ein Burnout zu vermeiden, sollte man …
a ▢ versuchen, sich selbst stärker zu motivieren.
b ▢ die eigenen Erwartungen kritisch überprüfen.

2 In der ersten Phase sollte man …
a ▢ mit Kultur oder Kontakten zu Freunden abschalten.
b ▢ sich vor allem über die eigenen Erfolge freuen.

3 Um sich zu entspannen, empfiehlt Dr. Lewis, …
a ▢ einen Gesundheitskurs zu besuchen.
b ▢ regelmäßige Auszeiten in den Alltag einzubauen.

4 Es ist für jeden Menschen wichtig, …
a ▢ ein ruhiges Arbeitsumfeld zu haben.
b ▢ die individuellen Stressfaktoren besser zu kennen.

5 Ab der vierten Burnout-Phase sollte man …
a ▢ mit Freunden und Bekannten über die belastende Situation sprechen.
b ▢ sich bei Ärzten oder Psychologen Hilfe holen.

Dem Burnout vorbeugen

g Wie hat Ihnen der Vortrag gefallen? Finden Sie das Thema interessant? Warum (nicht)? Sprechen Sie im Kurs.

Für mich ist das Thema sehr interessant. Ich kenne leider einige Leute, die an einem Burnout leiden.

2 Strategietraining: Folien für einen Vortrag gestalten

a Dr. Lewis wurde gebeten, zu seinem Vortrag Folien zu zeigen. Arbeiten Sie zu zweit und gestalten Sie Folien wie im Beispiel (auf einem Plakat oder am Computer). Benutzen Sie Ihre Ergebnisse aus 1c–f und beachten Sie die Hinweise. Brauchen Sie Hilfe oder sind Sie schon fertig? Dann arbeiten Sie mit der App.

- Prüfen Sie, wie viele Themen angesprochen werden. Jedes Thema sollte eine eigene Folie bekommen. Überlegen Sie auch, wie Sie die erste und letzte Folie gestalten können.
- Notieren Sie nur die wichtigsten Informationen: Schreiben Sie pro Folie maximal 5–6 Stichpunkte (keine ganzen Sätze).
- Gestalten Sie Ihre Folien übersichtlich: Formulieren Sie eine Überschrift und schreiben Sie nicht zu klein.

Burnout – Was ist das?
- *keine einheitliche Definition*
- *emotionaler Zustand: „ausgebrannt", überlastet, erschöpft*
- *negative Folgen für die Gesundheit*
- *Ursachen: Stress u. Überforderung, Perfektionismus, fehlende Abgrenzung von der Arbeit*

b Arbeiten Sie in Gruppen und vergleichen Sie Ihre Folien. Welche finden Sie besonders gelungen? Warum? Geben Sie sich gegenseitig Feedback. Die Redemittel auf Seite 73 helfen.

3 Ihr Vortrag auf der Tagung

a Wählen Sie ein Thema aus dem offenen Programm der Tagung in 1a und machen Sie Notizen für einen Kurzvortrag (ca. 5 Minuten). Gestalten Sie Folien zu Ihrem Kurzvortrag.

b Arbeiten Sie in Gruppen. Halten Sie Ihren Kurzvortrag und zeigen Sie dazu Ihre Folien. Die anderen stellen Nachfragen.

Nachfragen stellen
Ich hätte eine Frage zu dem Punkt … / Verstehe ich Sie/dich richtig, dass …?
Einen Punkt habe ich nicht ganz verstanden. / Was meinen Sie / meinst du mit …?
Mich würde noch interessieren, … / Ich würde gern wissen, …

▶ Redemittel S. 73

Lustige Geschichten

1 Te-Ka-Mo-Lo. Was passt? Ordnen Sie die Begriffe zu den passenden Kategorien.

temporal (Wann / Wie oft?)	*kausal (Warum?)*	*modal (Wie/Womit?)*	*lokal (Wo/Wohin?)*
	- trotz des schönen Wetters		

2 Kettengeschichte

a Arbeiten Sie in Gruppen und wählen Sie gemeinsam ein Thema (A, B oder C) für Ihre Geschichte. Jede/Jeder schreibt das Thema oben auf ein Blatt Papier.

A	B	C
Ein plötzlicher Stromausfall	Ein stressiger Arbeitstag	Ein erholsames Wochenende

b Schreiben Sie den ersten Satz der Geschichte auf Ihr Papier. Benutzen Sie dabei möglichst viele Te-Ka-Mo-Lo-Angaben. Geben Sie Ihr Papier nach rechts weiter.

c Lesen Sie den ersten Satz und schreiben Sie einen passenden Satz mit Te-Ka-Mo-Lo-Angaben in die nächste Zeile. Knicken Sie das Papier um, sodass man nur den letzten Satz sieht. Geben Sie das Papier nach rechts weiter.

d Schreiben Sie den nächsten Satz, knicken Sie das Papier und geben Sie es weiter. Spielen Sie insgesamt acht Runden.

e Falten Sie das Blatt, das Sie bekommen haben, auf und lesen Sie Ihre Geschichten in der Gruppe vor. Welche Geschichte ist am lustigsten?

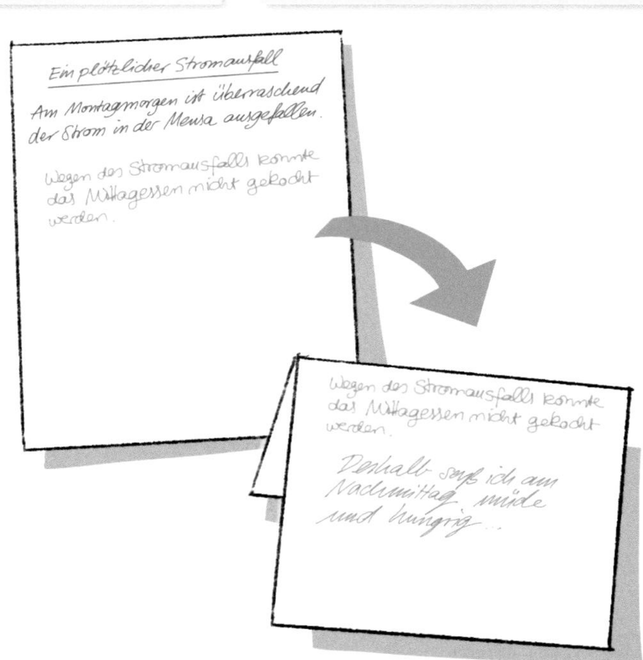

Auf einen Blick

über Freizeitaktivitäten und Entspannungsmethoden sprechen
Ich kann am besten beim … abschalten. Dabei vergesse ich sofort meine Probleme.
Wenn ich …, wird mein Kopf wieder frei / komme ich zur Ruhe / fällt der Stress von mir ab.
Ich habe … für mich entdeckt. / Seitdem ich … mache, bin ich viel entspannter/ausgeglichener.
Das/Dieses Hobby / Diese Methode ist nichts für mich. Ich mache lieber …

eine Präsentation halten

Einleitung	In meiner Präsentation / meinem Vortrag geht es um … Der Vortrag besteht aus … Teilen: Im ersten Teil … Anschließend werde ich genauer auf … eingehen. Zum Schluss …
Hauptteil	Ein wesentlicher/wichtiger Aspekt ist, dass … Ich möchte auch betonen / darauf hinweisen, dass … Besonders hervorheben möchte ich … / Das ist besonders wichtig, weil … Dazu nenne ich Ihnen folgende Beispiele: … / Beispielsweise gibt es … … ist dafür ein gutes Beispiel. / Ein typisches Beispiel ist: …
Schluss	Abschließend/Zusammenfassend kann man sagen, … Ich danke Ihnen / bedanke mich für Ihre Aufmerksamkeit. Haben Sie (noch) Fragen?

Feedback geben
Die Präsentation hat mir gut gefallen, weil … / Den Aspekt … haben Sie / hast du gut erklärt.
Ich denke, der Aspekt/Punkt … hat noch gefehlt / war noch nicht so klar.
Was mir noch nicht so gut gefallen hat, ist, dass … / Vielleicht könnte man …

einen Leserbrief schreiben

zum Text Bezug nehmen	Mit großem Interesse habe ich den Artikel „…“ gelesen. Der Artikel spricht ein wichtiges/interessantes Thema an. / In Ihrem Artikel berichten Sie über … Das Thema … ist aktuell/wichtig / für mich persönlich interessant, weil …
die eigene Meinung äußern	Ich bin der Meinung, dass … / Meiner Meinung nach müsste man … Man sollte bedenken, dass … Das Argument, dass …, finde ich sehr/wenig überzeugend. Ich stimme der Autorin / dem Autor (darin) zu, dass …
eigene Erfahrungen nennen	Meine eigenen Erfahrungen haben mir gezeigt, dass … / Aus meiner (persönlichen/eigenen) Erfahrung kann ich (nicht) bestätigen, … In meiner Heimat …
Schlussfolgerung	Deshalb wäre es gut, wenn … / Es wäre wünschenswert, dass …

Nachfragen stellen
Ich hätte eine Frage zu dem Punkt …, nämlich: … / Verstehe ich Sie/dich richtig, dass …?
Einen Punkt habe ich nicht ganz verstanden. Warum/Wie …?
Was meinen Sie / meinst du mit …? / Könnten Sie / Könntest du das genauer erklären?
Mich würde interessieren, … / Ich würde gern wissen, … / Ich wüsste gern, …

6 In Erinnerungen schwelgen

Webcode: hazodu

Lebensstationen

1 Erinnerungen

a An welche Personen oder Ereignisse in Ihrem Leben können Sie sich gut erinnern? Sprechen Sie in Gruppen. Die Redemittel auf Seite 85 helfen.

Ich kann mich noch sehr gut an meinen ersten Schultag erinnern. Ich war sehr aufgeregt. Und ich werde nie vergessen, wie …

2.19 b Wer spricht worüber? Hören Sie den Anfang des Gesprächs und tauschen Sie sich aus.

2.20 c Bilder aus Hannis Leben. Was war zuerst? Was war später? Hören Sie weiter und ordnen Sie die Fotos.

2.20 d Was erzählt Siegfried über Hannis Leben? Hören Sie noch einmal und machen Sie Notizen.

Kindheit – Schulzeit – Jugend – Studium – Hochzeit – Restaurant – eigene Kinder

Kindheit: – *musste am Anfang Kleidung vom Bruder tragen*
– *spielte mit Siegfried zusammen „Verstecken"*

e Berichten Sie mithilfe Ihrer Notizen aus d über Hannis Leben.

> **über das Leben einer Person berichten**
> Als Kind/Jugendliche war sie … / Als sie … Jahre alt war, ist/hat sie …
> Im Alter von … Jahren / Mit 14 Jahren … / Mit Anfang/Mitte/Ende 30 …
> Damals/Früher war/hat sie …
> ▶ Redemittel S. 85

f Was finden Sie interessant oder außergewöhnlich am Leben der Großeltern? Gibt es etwas, was Sie an das Leben Ihrer Familie erinnert hat? Tauschen Sie sich aus.

2 Wir haben einen Kredit aufnehmen müssen.

2.21 a Was sagt der Großvater? Hören Sie und ergänzen Sie die Sätze.

> **Perfekt: Modalverben** *haben* + Infinitiv + Infinitiv Modalverb
>
> **Hauptsatz:** Wir ______ die Idee nicht ______ ______.
> (Wir wollten die Idee nicht aufgeben.)
>
> **Nebensatz:** Sie war die erste, die an der Uni hat ______ ______.
> (Sie war die erste, die an der Uni studieren konnte.)
>
> ▶ Grammatik A 1.1.2

b Fragen und antworten Sie zu zweit wie im Beispiel.

im Haushalt helfen müssen – viel Eis essen dürfen – lange aufbleiben dürfen – das Auto benutzen dürfen – immer aufessen müssen – alleine in den Urlaub fahren wollen – das Zimmer aufräumen sollen – Fahrrad fahren können – ein Haustier haben wollen – die eigene Kleidung aussuchen können

Musstest du mit 13 Jahren im Haushalt helfen?

Ja, mit 13 Jahren habe ich viel im Haushalt helfen müssen. Und du, durftest du als Kind ...

3 Was wäre anders gewesen, wenn ...?

a Lesen Sie Hannis Tagebucheintrag und unterstreichen Sie die Konjunktiv-II-Formen. Was drückt der Konjunktiv II hier aus? Sprechen Sie im Kurs.

Heute war mein Geburtstag. Das schönste Geschenk kam von Marc: ein Fotoalbum. Das hat viele Erinnerungen in mir geweckt und ich habe über wichtige Ereignisse in meinem Leben nachgedacht. Ich hatte immer viel Glück in meinem Leben, denn manches hätte sicher auch anders laufen können. Zum Beispiel, als ich 13 war: Damals hätten sich meine Eltern fast getrennt. Das wäre schrecklich für mich gewesen. Zum Glück ist es nicht passiert. Und später das Studium in Wien, das war eine tolle Zeit. Ich hätte eigentlich gern länger in Wien gelebt. Doch wenn ich damals in Wien geblieben wäre, hätte ich Siegfried nie geheiratet. Und glücklicherweise haben wir später den Kredit bekommen. Sonst hätten wir das Restaurant wohl nicht eröffnen können ...

b Suchen Sie die Sätze in a und ergänzen Sie den Grammatikkasten. Wie würde man das in Ihrer Muttersprache sagen? Vergleichen Sie im Kurs.

Konjunktiv II der Vergangenheit

Damals ____________ sich meine Eltern fast ____________. Das ____________ schrecklich ____________.

Der Konjunktiv II der Vergangenheit drückt eine Möglichkeit in der Vergangenheit aus, die sich aber nicht erfüllt hat. Er wird gebildet mit hätte/wäre *und* Partizip II.

Sonst ____________ wir das Restaurant wohl nicht ____________ ____________.

Konjunktiv II der Vergangenheit mit Modalverb: hätte + *Modalverb im Perfekt (Infinitiv + Infinitiv Modalverb).*

Irreale Bedingungssätze mit Konjunktiv II der Vergangenheit

Nebensatz	**Hauptsatz**
Wenn ich in Wien ____________ ____________,	____________ ich Siegfried nie ____________.

▶ Grammatik A 1.4.2

c Was wäre in Hannis Leben anders gewesen, wenn ...? Schreiben Sie irreale Bedingungssätze.

1 ihre Tante nicht besuchen – Siegfried nie kennenlernen
2 nicht nach Wien gehen – sich früher verloben
3 keine Enkelkinder bekommen – das Restaurant nicht verkaufen
4 weniger arbeiten müssen – öfter in Urlaub fahren

1 Wenn sie ihre Tante nicht besucht hätte, hätte sie ...

d Und Ihr Leben? Schreiben Sie über ein wichtiges Ereignis in Ihrem Leben. Die Fragen helfen.

- Wie alt waren Sie damals? Was ist passiert?
- Was hätte stattdessen auch passieren können?
- Was wäre heute anders, wenn es nicht passiert wäre?

- einen Artikel über die Funktionsweise des Gedächtnisses verstehen; über Lernstrategien und Mnemotechniken sprechen; etwas bewerten
- Passiv mit *von* und *durch*

Das Gedächtnis – Ort unserer Erinnerungen

1 Ein Gedächtnis-Experiment

2.22  **a** Arbeiten Sie in drei Gruppen. Jede Gruppe wählt eine Aufgabe (A, B, C). Hören Sie sieben Namen und versuchen Sie, sich möglichst viele Namen zu merken. Vergleichen Sie Ihre Ergebnisse.

A: Notieren Sie die Namen beim Hören nicht. Schreiben Sie nach dem Hören alle Namen, an die Sie sich erinnern.

B: Notieren Sie die Namen beim Hören. Decken Sie Ihre Notizen dann ab und schreiben Sie alle Namen, an die Sie sich erinnern.

C: Assoziieren Sie beim Hören die Namen mit einem Bild. Schreiben Sie nach dem Hören alle Namen, an die Sie sich erinnern.

2.23  **b** Wählen Sie eine andere Aufgabe (A, B, C) als in a. Hören Sie wieder sieben Namen. Vergleichen Sie Ihre Ergebnisse in a und b.

c Welche Merkstrategie hat Ihnen am meisten geholfen? Tauschen Sie sich im Kurs aus.

2 Wie das Gedächtnis funktioniert

a Was wissen Sie über das Gedächtnis? Wie funktioniert es? Was hilft dabei, sich etwas zu merken? Sammeln Sie Ideen.

b Was ist richtig? Lesen Sie den Artikel und kreuzen Sie an. Korrigieren Sie dann die falschen Sätze in Ihrem Heft.

Das Gedächtnis – Ort unserer Erinnerungen

„Das Gedächtnis ist das Tagebuch, das wir immer mit uns herumtragen“ schrieb der Schriftsteller Oscar Wilde im 19. Jahrhundert. Aber was ist das Gedächtnis genau und wie arbeitet es? Zunächst einmal: Der Begriff Gedächtnis bezeichnet die Fähigkeit, Informationen aufzunehmen, zu verarbeiten und sich an sie zu erinnern. Dabei werden Informationen an unterschiedlichen Orten im Gehirn gespeichert.

Über die Sinnesorgane – Ohren, Augen, Nase, Mund und die Haut – nehmen wir in jeder Sekunde viel Neues wahr: Alles, was wir hören, sehen, riechen, schmecken oder fühlen, wird zuerst vom sensorischen Gedächtnis aufgenommen und für 1–2 Sekunden gespeichert. Das sensorische Gedächtnis arbeitet sozusagen wie die Sekretärin am Empfang eines Büros. Neue Informationen werden von ihr sorgfältig geprüft, ob sie überhaupt interessant und wichtig genug sind, um sie der Chefin zu bringen. Die wenigen Informationen, die diese Prüfung bestehen, kommen ins Kurzzeitgedächtnis bzw. Arbeitsgedächtnis (also ins Büro der Chefin). Dort werden sie für 10 bis 12 Sekunden gespeichert. Sind die Informationen nicht wichtig, landen sie gleich im Papierkorb (werden also vergessen), um Platz für Neues zu machen.

Die wichtigen Informationen werden für das Langzeitgedächtnis – in unserem Beispiel wäre das die Geschäftsführung – vorbereitet. Damit Informationen dauerhaft im Langzeitgedächtnis gespeichert werden können, müssen zwei Voraussetzungen erfüllt sein: Erstens müssen die neuen Informationen mit schon bekannten Informationen verbunden werden. Die Chefin muss sozusagen einen passenden Ordner finden, in den sie die Informationen einsortieren kann. Zweitens müssen die neuen Informationen regelmäßig benutzt, also geübt und wiederholt werden. Um sich etwas dauerhaft zu merken, braucht man bis zu 80 Wiederholungen.

Neben Üben und Wiederholen ist zum Lernen eine entspannte und ruhige Atmosphäre so wichtig. Denn bei Stress werden Informationen nicht weitergeleitet. Auch, wenn man wenig geschlafen hat und unkonzentriert ist, arbeitet das Gedächtnis schlecht. Die Forschung hat außerdem gezeigt, dass es einen Zusammenhang zwischen Lernen und Gefühlen gibt. Was uns interessiert oder überrascht, können wir uns besser merken. Deshalb sollte Lernen immer Spaß machen! Auch Bewegung hilft beim Erinnern. Durch die körperliche Tätigkeit wird das Gehirn besser mit Sauerstoff versorgt und die Nervenzellen werden miteinander verbunden. So können Informationen besser weitergeleitet werden.

1 ◯ Das Gedächtnis ist ein fester Teil des Gehirns, wo Informationen gespeichert werden.
2 ◯ Alle Sinneswahrnehmungen werden zuerst vom Kurzzeitgedächtnis verarbeitet.
3 ◯ Informationen, die nicht sinnvoll im Gehirn abgelegt werden können, werden vergessen.
4 ◯ Uninteressante Informationen werden nicht ans Arbeitsgedächtnis weitergegeben.
5 ◯ Je öfter eine Information benutzt wird, desto stärker bleibt sie im Gedächtnis.
6 ◯ Wenn Lernen Spaß macht, wird das Gehirn besser mit Sauerstoff versorgt.

c Welche Informationen aus dem Artikel in b waren neu für Sie? Was können Sie durch eigene Erfahrungen bestätigen? Tauschen Sie sich aus.

d *Von* oder *durch*? Lesen Sie die Sätze und ergänzen Sie die Regel.

Passivsätze mit *von* oder *durch*
Neue Informationen werden vom sensorischen Gedächtnis gespeichert.
Neue Informationen werden von der Sekretärin sorgfältig geprüft.
Durch körperliche Tätigkeit wird das Gehirn besser mit Sauerstoff versorgt.

_______ *beschreibt, wer etwas macht. (Person oder Institution)*

_______ *beschreibt, wie etwas passiert. (Ursache oder Vorgang)*

▶ Grammatik A 1.3

e Schreiben Sie Passivsätze mit *von* oder *durch*.

1 Stress stört die Konzentration.
2 Die Sinnesorgane nehmen Gerüche und Geräusche wahr.
3 Die Chefin sortiert die Informationen in passende Ordner ein.
4 Bewegung fördert das Lernen und Erinnern.
5 Eine entspannte Atmosphäre erleichtert das Lernen.

1 Durch Stress wird ...

3 Das Lernen lernen

a Bilden Sie Gruppen zu viert. Wählen Sie zu zweit jeweils eine Aufgabe (A oder B) und arbeiten Sie mit der App. Vergleichen Sie Ihre Notizen zu zweit.

A
Welche Tipps zum Sprachenlernen haben die Personen? Hören Sie verschiedene Beiträge aus einer Umfrage und notieren Sie die Tipps.

B
Was sind Mnemotechniken? Welche Mnemotechniken gibt es und wie funktionieren Sie? Lesen Sie einen Online-Artikel und notieren Sie.

b Stellen Sie Ihre Ergebnisse aus a in Ihrer Gruppe vor. Welche der Strategien kannten Sie schon? Kennen Sie noch andere Lernstrategien? Welche finden Sie besonders nützlich? Tauschen Sie sich in der Gruppe aus.

über Lernstrategien sprechen
Ich finde, … bringt sehr viel / nicht so viel, denn …
Das halte ich für eine sehr gute Strategie, weil …
Davon/Von dieser Technik bin ich ehrlich gesagt noch nicht überzeugt.

c Welche Lernstrategien finden Sie am besten? Wählen Sie drei Strategien und gestalten Sie ein Plakat in der Gruppe.

d Stellen Sie Ihr Plakat im Kurs vor und begründen Sie Ihre Auswahl.

- ein Erklärvideo zur deutschen Geschichte verstehen; Biografien verstehen und wiedergeben; Informationen recherchieren und strukturieren; einen Kurzvortrag über ein historisches Ereignis halten
- Passiv mit Konjunktiv II der Vergangenheit; Phonetik: der wandernde Satzakzent

Erinnerungen aus der Geschichte

1 Deutsche Geschichte

a Was wissen Sie über die deutsche Geschichte im 20. Jahrhundert? Sammeln Sie Informationen im Kurs. Die Wörter helfen.

Ostberlin – Westberlin – die DDR – die BRD – teilen / die Teilung – bauen / der Bau – fallen / der Fall – der Nationalsozialismus – der 2. Weltkrieg – wiedervereinigen / die Wiedervereinigung – der Kapitalismus – der Sozialismus – der Staat – die Demokratie – regieren / die Regierung – die Berliner Mauer

2.25 **b** Wer spricht hier? Worum geht es? Hören Sie und sprechen Sie im Kurs.

c Wann war das? Sehen Sie das Video und ergänzen Sie die Jahreszahlen.

1 das Ende des 2. Weltkriegs: ________
2 die Gründung der BRD: ________
3 die Gründung der DDR: ________
4 der Mauerbau: ________
5 der Mauerfall: ________
6 die deutsche Wiedervereinigung: ________

d Richtig oder falsch? Sehen Sie das Video noch einmal und kreuzen Sie an. Korrigieren Sie dann die falschen Sätze.

		richtig	falsch
1	Nach dem zweiten Weltkrieg wurde Deutschland in zwei Besatzungszonen geteilt.	○	○
2	Berlin lag geografisch in Westdeutschland.	○	○
3	Die DDR hatte ein sozialistisches Wirtschaftssystem.	○	○
4	Die Mauer verlief entlang der kompletten deutsch-deutschen Grenze.	○	○
5	Seit dem Mauerbau durften die DDR-Bürger nicht mehr ohne Erlaubnis in die BRD reisen.	○	○
6	Die Mauer ist gefallen, weil ein Regierungssprecher der DDR schlecht informiert war.	○	○
7	In der Nacht des Mauerfalls fuhren viele Westdeutsche nach Ostberlin.	○	○
8	Das Datum des Mauerfalls ist heute der deutsche Nationalfeiertag.	○	○

2.26 **e** Phonetik: der wandernde Satzakzent. Welches Wort ist betont? Hören Sie den Satz viermal und markieren Sie den Satzakzent wie im Beispiel.

1
Deutschland wurde nach dem zweiten Weltkrieg in vier Besatzungszonen geteilt.

f Wie verändert sich die Bedeutung des Satzes in e durch die unterschiedliche Betonung? Diskutieren Sie.

Im ersten Satz ist „Deutschland" betont. Also Deutschland wurde geteilt, nicht Berlin.

g Lesen Sie die Sätze aus d abwechselnd zu zweit mit unterschiedlichen Betonungen, um die Bedeutung zu variieren.

2 Berühmte Personen in der Geschichte

2.27 **a** Welche Information passt zu welcher Person? Hören Sie weiter und verbinden Sie.

Günter Schabowski

Bertha von Suttner

Sophie Scholl

Albert Hofmann

G. Schabowski	1906–2008	Österreich	Student/in + Widerstandskämpfer/in
B. v. Suttner	1921–1943	Schweiz	Politiker/in + Regierungssprecher/in
S. Scholl	1929–2015	DDR	Chemiker/in + Erfinder/in des LSD
A. Hofmann	1843–1914	Deutschland	Friedensforscher/in + Schriftsteller/in

b Hören Sie und ergänzen Sie die Verben im Grammatikkasten.

Passiv mit Konjunktiv II der Vergangenheit

Die Grenzen sind 1989 geöffnet worden.

Die Grenzen ________ nicht ________ ________, wenn Schabowski sich nicht geirrt hätte.

Passiv mit Konjunktiv II der Vergangenheit: wäre + *Partizip II* + worden

▶ Grammatik A 1.4.2

c Was wäre nicht passiert? Ergänzen Sie die Sätze im Passiv mit Konjunktiv II der Vergangenheit.

1 Der Friedensnobelpreis ist verliehen worden.

Ohne Bertha von Suttner ________ der Friedensnobelpreis nicht ________ ________.

2 Sophie Scholl ist ermordet worden.

Sie ________ nicht ________ ________, wenn sie nicht gegen die Nazis gekämpft hätte.

3 Die Droge LSD ist erfunden worden.

Die Droge LSD ________ nicht ________ ________, wenn Albert Hofmann nicht an einem Medikament geforscht hätte.

d Wählen Sie eine Person und lesen Sie ihre Biografie in der App. Machen Sie Notizen zu den Fragen.

A

Bertha von Suttner

B

Sophie Scholl

C

Albert Hofmann

- Wo und wie ist die Person aufgewachsen? Was war sie von Beruf?
- Was waren wichtige Ereignisse im Leben der Person?
- Warum ist die Person für die Geschichte wichtig?

e Stellen Sie Ihre Person in der Gruppe vor. Benutzen Sie die Redemittel auf Seite 85.

3 Strategietraining: Informationen recherchieren und strukturieren

a Stellen Sie sich vor, Sie möchten eine Präsentation über ein geschichtliches Ereignis halten. Wie und wo recherchieren Sie Informationen? Worauf achten Sie bei der Recherche? Tauschen Sie sich aus.

b Sehen Sie das Strategievideo und vergleichen Sie mit Ihren Ideen.

c Wählen Sie zu dritt ein beliebiges historisches Ereignis, über das Sie sich informieren möchten. Recherchieren Sie dann einzeln im Internet und machen Sie Notizen zu den Fragen.

- Wo und wann ist das passiert? Welche Personen waren daran beteiligt?
- Wie kam es dazu? Was waren die Gründe und Ursachen, die dazu führten?
- Warum ist das Ereignis für die Geschichte wichtig?

d Vergleichen und strukturieren Sie Ihre Informationen in der Gruppe.

e Präsentieren Sie Ihr Ereignis mithilfe der Redemittel auf Seite 85 im Kurs (maximal 5 Minuten).

Lieblingsbücher

1 Wolkenspringer – ein Bestseller

a Was für ein Buch könnte das sein? Worum könnte es gehen? Sehen Sie das Cover an und sammeln Sie Ideen im Kurs. Begründen Sie Ihre Ideen.

ein Sachbuch – ein Liebes-/Familienroman – eine (Auto)Biografie – ein Krimi – ein Science-Fiction-Roman – ein historischer Roman – ein Gedichtband – ein Ratgeber – ein Nachschlagewerk

Der Titel „Wolkenspringer" klingt nach einem Roman. Vielleicht geht es um …

b Worum geht es wirklich in dem Buch? Lesen Sie den Klappentext zum Buch und kreuzen Sie an. Vergleichen Sie mit Ihren Vermutungen in a.

1 ◯ Spannendes über die Zahl Pi
2 ◯ ein besonderes Talent
3 ◯ Ideen für den Matheunterricht
4 ◯ Daniel Tammet – sein Leben

Da, wo andere nur graue Wörter oder spröde Zahlen sehen, sieht Daniel Tammet Farben und Formen: Er erlernt eine neue Sprache innerhalb einer Woche und kennt 22.514 Stellen der Kreiszahl Pi auswendig. Tammet ist Autist und ist *[sic]* eine sogenannte Inselbegabung, fremde Wörter und Zahlen fliegen ihm zu. Mit seinem Bestseller „Elf ist freundlich und Fünf ist laut" begeisterte der geniale Autist das Publikum weltweit. Jetzt erklärt er, wie er denkt und was wir von ihm lernen können. Denn für ihn steht fest: Wir alle sind hochbegabt!

Wolkenspringer
Genre: Sachbuch
Autor: Daniel Tammet
Verlag: Patmos
erschienen: 2009
Seitenzahl: 288 Seiten

2 Strategietraining: eine Rezension verstehen

a Welche Fragen werden in der Rezension beantwortet? Lesen Sie und ordnen Sie die Fragen den Absätzen zu.

1 Wie bewertet die Rezensentin das Buch zusammenfassend?
2 Wie schreibt der Autor? Wie findet die Rezensentin seinen Stil?
3 Wer ist der Autor? Was ist das Thema des Buches?
4 An wen richtet sich das Buch? Für wen ist es geeignet?

Daniel Tammet: Wolkenspringer – von einem genialen Autisten lernen

Rezension von Herta Liebig, Salzburg

◯ Es gibt nicht viele Menschen, die so außerordentliche Fähigkeiten besitzen, wie Daniel Tammet. Er kann in kürzester Zeit komplexe mathematische Probleme lösen und hat innerhalb einer Woche eine neue Sprache – Isländisch – gelernt. In seinem Buch „Wolkenspringer" erklärt er, wie das Gehirn arbeitet, was eigentlich Intelligenz ist und wie das Denken eines Autisten funktioniert.

☐ Besonders interessant ist, dass er seine persönlichen Erlebnisse und Erfahrungen mit den Lesern teilt. Durch seinen humorvollen und gut lesbaren Schreibstil macht das Lesen Spaß. Man fühlt sich gut unterhalten, während man viel Neues lernt.

☐ Das populärwissenschaftliche Sachbuch richtet sich an alle, die sich für Neurowissenschaften, die Funktionsweise des Gehirns und Lernprozesse interessieren. Da Tammet es schafft, auch Lesern ohne Hintergrundwissen die komplexen Themen verständlich näherzubringen, kann jeder mit diesem Buch etwas anfangen.

☐ Alles in allem bietet es eine unterhaltsame, spannende und informative Lektüre. Trotz des – auf den ersten Blick – trockenen Themas ist es ein fesselndes Buch und nicht ohne Grund ein Bestseller. Ich finde es rundum empfehlenswert!

b Wo steht das im Text? Lesen Sie noch einmal, markieren Sie die Textstellen und ergänzen Sie die Zeilen.

1 Der Autor berichtet von seinen eigenen Erfahrungen. Zeile ______
2 Er schreibt gut. Deshalb ist das Buch unterhaltsam. Zeile ______
3 Der Autor kann komplexe Themen einfach erklären. Zeile ______
4 Das Buch ist nicht langweilig, obwohl es ein Sachbuch ist. Zeile ______

c Was bedeuten die Begriffe? Lesen Sie noch einmal und verbinden Sie.

1 sich gut unterhalten fühlen
2 sich an jemanden richten
3 ein Thema nahebringen
4 etwas damit anfangen können
5 ein trockenes Thema
6 fesselnd

a etwas interessant finden und verstehen
b besonders interessant
c ein langweiliges oder kompliziertes Thema
d Spaß bei etwas haben
e jemanden ansprechen
f ein Thema verständlich erklären

d Lesen Sie die Rezension noch einmal und beantworten Sie die Fragen in a in jeweils ein bis zwei Sätzen in Ihrem Heft.

e Finden Sie das Buch *Wolkenspringer* interessant? Würden Sie es gern lesen? Warum (nicht)? Tauschen Sie sich aus.

3 Und Ihr Lieblingsbuch?

a Welches Buch können Sie weiterempfehlen? Warum? Sprechen Sie im Kurs.

Ich habe gerade einen spannenden Roman gelesen. Da geht es um einen Mann, der …

b Schreiben Sie eine Kurzrezension zu einem Buch, das Sie gelesen haben. Geben Sie Informationen zu allen Punkten. Brauchen Sie Hilfe oder sind Sie schon fertig? Dann arbeiten Sie mit der App.

Titel · Jahr · Thema/Inhalt · Zielgruppe · Autorin/Autor · Genre · Was war gut/schlecht? · Fazit

c Arbeiten Sie in Gruppen. Tauschen Sie Ihre Rezensionen und sprechen Sie darüber.

Das klingt spannend, das muss ich unbedingt auch lesen. In welcher Sprache hast du es gelesen? Auf Deutsch?!

Nein, in der englischen Übersetzung.

- ein Lied verstehen; über historische Ereignisse und berühmte Personen sprechen; darüber sprechen, in welcher Epoche man gern gelebt hätte; eine Liedstrophe schreiben

Zeitreisen – das hätte ich gern erlebt!

1 In welcher Epoche hätten Sie gern gelebt oder würden Sie gern leben? Warum? Tauschen Sie sich aus.

in der Antike – im Mittelalter – im 19./20./... Jahrhundert – in den 20er-/30er-/...er-Jahren – in der Zukunft im Jahr 2030

Ich hätte gerne in der Antike gelebt. Dann hätte ich mich mit den griechischen Philosophen unterhalten können.

2 Was kann ich dafür, dass ich aus den 80ern bin?

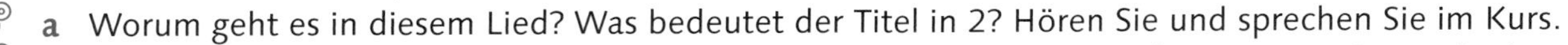

2.29 a Worum geht es in diesem Lied? Was bedeutet der Titel in 2? Hören Sie und sprechen Sie im Kurs.

2.29 b In welcher Reihenfolge kommen diese Personen und Ereignisse im Lied vor? Hören Sie noch einmal und ordnen Sie die Fotos.

a das Wembley Tor (WM-Finale 1966 zwischen England und Deutschland)

b Elvis Presley (1935–1977)

c 1 der Mount Everest (erste Besteigung 1953)

d das Woodstock Festival (USA 1969)

e die Titanic (Untergang 1912)

f Mahatma Ghandi (1869–1948)

g Mondlandung „Apollo 11“ (1969)

h Yoko Ono und John Lennon (1971)

i Jungpioniere in der DDR (1963)

c Was wissen Sie über die Ereignisse und Personen auf den Fotos? Wählen Sie eine Person oder ein Ereignis und recherchieren Sie kurz. Berichten Sie dann in Gruppen.

Auf Foto i sieht man Jungpioniere aus der DDR. Die „Pioniere“ waren eine politische Organisation für Kinder und Jugendliche.

d Hören Sie das Lied noch einmal und lesen oder singen Sie mit. Klopfen Sie im Rhythmus mit.

Emma6:

**Was kann ich dafür,
dass ich aus den 80ern bin?**

Wär' ich nicht erst zwei Jahrzehnte frisch,
dann hätt' ich mein Jahrhundert aufgemischt[1].
Ich hätte den Everest zuerst bestiegen
und auf dem Gipfel „Let it be" geschrieben.
Hätte die Titanic umgelenkt
und dafür Celine Dion versenkt.
Ich hätte Woodstock headgelined[2]
und nie im Leben Roy Black gesigned[3].
Apollo 11 ist zum Mond gestartet –
keine Sau[4] hat auf mich gewartet.

*Was kann ich dafür,
dass ich aus den 80ern bin?
Viele machten vieles klar[5]
und ich war noch nicht da.
Was kann ich dafür,
dass ich aus den 80ern bin?
Ich hab's satt[6], nur davon zu lesen,
ich wär' gern dabei gewesen.*

Ach wie gerne wäre
ich im Club der Pioniere.
Hätte kurz mal die Welt vermessen
und dann mit Ghandi 'n Eis gegessen.
Wir hätten Elvis' Fans als Support gerockt
und Marylin unter'n Rock geguckt.
Ich hätt' mit John Lennon einen draufgemacht[7]
und wär' neben Yoko Ono aufgewacht.
Ich hätt' niemals ein Atom gespalten
und das Wembley-Tor gehalten.

Was kann ich dafür, ... [Refrain]

Ich weiß, ich weiß,
so manche Heldentat, (ich weiß),
hat die Geschichte aufgespart, (ich weiß).
Doch viele gibt sie nicht mehr her,
das find ich nicht fair. – Das find ich nicht fair.

Was kann ich dafür, ... [Refrain]

Was kann ich dafür [11 Mal],
dass ich nicht aus den 70ern, 60ern,
50ern, 40ern, 30ern, 20ern, 10, Null...

e Kurskette. Was hätte der Sänger der Band machen können, wenn er nicht in den 80er-Jahren geboren worden wäre? Sprechen Sie wie im Beispiel.

den Mount Everest besteigen – die Titanic umlenken – bei Woodstock auftreten – auf den Mond fliegen – in der DDR bei den Jungpionieren mitmachen – mit Ghandi ein Eis essen – die Vorband von Elvis Presley sein – mit John Lennon feiern gehen – das Wembley-Tor halten

Wenn er nicht in den 80ern geboren worden wäre, hätte er den Mount Everest besteigen können.

Wenn er nicht in den 80ern geboren worden wäre, hätte er ...

3 Und Sie? Was hätten Sie gern erlebt?

a Was hätten Sie gern in der Geschichte miterlebt, wenn Sie zu einem anderen Zeitpunkt geboren worden wären? Welche berühmte Person hätten Sie gern getroffen? Schreiben Sie eine Liedstrophe.

b Kursspaziergang. Hängen Sie die Strophen auf und raten Sie, wer was geschrieben hat.

Die Person hätte gerne Steve Jobs getroffen. Das muss Farhad sein. Er interessiert sich doch so für Computer und Technik.

Wär' ich nicht erst zwei Jahrzehnte frisch,
dann hätt' ich mein Jahrhundert aufgemischt.
Ich hätte/wäre ...
und ...
Hätte/Wäre ...
und dafür ...
Ich hätte/wäre ...
und nie im Leben ...
...
...

c Singen Sie die besten Strophen gemeinsam im Kurs zur Melodie des Liedes.

[1] etw. aufmischen (ugs.) = etw. durcheinanderbringen; [2] headlinen (engl.) (ugs.) = als wichtigster Künstler auf einem Konzert auftreten; [3] jdn. signen (engl.) = hier: jdm. einen Musikvertrag geben; [4] keine Sau (ugs.) = niemand; [5] etwas klarmachen (ugs.) = etw. erreichen; [6] etwas satthaben = genug von etwas haben [7] einen draufmachen (ugs.) = wilde Partys feiern

Erinnern Sie sich noch an Einheit ...?

1 Erinnerungsstationen

a Was haben Sie in dieser Einheit gelernt? Sehen Sie sich die Illustration an und tauschen Sie sich aus.

b Arbeiten Sie in fünf Gruppen. Jede Gruppe wählt eine Einheit aus B2.1 (Einheit 1–5). Gestalten Sie in der Gruppe eine Erinnerungsstation wie in a. Die Fragen helfen.

- Welche Themen, Texte (Hör- und Lesetexte), Bilder und Videos gab es in der Einheit? Was fanden Sie besonders spannend/interessant/aktuell?
- An welche Wörter und Redemittel aus der Einheit können Sie sich noch erinnern? Welche finden Sie besonders schön oder nützlich?
- Welche neuen Grammatikstrukturen haben Sie gelernt? War das leicht oder schwer?
- Welche Themen und Aufgaben würden Sie gern wiederholen, weil sie besonders interessant oder auch besonders schwierig waren?

2 Schnelle Erinnerungen

a Gehen Sie zu zweit oder in Kleingruppen herum. Sehen Sie sich nacheinander alle Erinnerungsstationen an und bearbeiten Sie die Aufgaben. Wechseln Sie so oft, bis Sie an allen Tischen waren.

- Sehen Sie sich die Erinnerungsstation zuerst allein an (ca. 2 Minuten).
- Sprechen Sie dann 3–5 Minuten mit den anderen über die Einheit.
  Woran erinnern Sie sich? *Was hat Ihnen gefallen?*
  Was haben Sie gelernt? *Was möchten Sie gern wiederholen?*
- Wenn Sie noch etwas zu der Einheit ergänzen möchten, schreiben Sie es auf ein Kärtchen und kleben das Kärtchen zu der Erinnerungsstation.
- Wechseln Sie nach 5–7 Minuten zum nächsten Tisch.

b Welche Einheit hat Ihnen am besten gefallen? Warum? Welche Themen fanden Sie schwierig und möchten Sie gern noch mehr üben oder wiederholen? Tauschen Sie sich im Kurs aus.

etwas evaluieren
Das Thema ... fand ich besonders interessant / wenig ansprechend / sehr aktuell, weil ...
Die Grammatik/Aussprache/... fiel mir sehr leicht/schwer.
Es fällt mir schwer, komplexe Texte zu lesen/hören. Deshalb würde ich gern noch mehr ...
Ich fände es gut, wenn wir noch öfter/mehr ...

► Redemittel S. 85

Auf einen Blick

über Erinnerungen sprechen
An … kann ich mich (sehr) gut erinnern. / Ich erinnere mich noch genau daran, wie/als/dass …
Ich erinnere mich, als wäre es gestern gewesen. / Ich werde nie den Tag vergessen, als …
Mein 18. Geburtstag? Den werde ich nie vergessen. / Daran werde ich mich immer erinnern.
Ich habe kaum Erinnerungen daran / an diese Zeit.

über das (eigene) Leben berichten
Als Kind/Jugendliche war ich … / Als ich … Jahre alt war, bin/habe ich …
Im Alter von … Jahren / Mit 14 Jahren … / Mit Anfang/Mitte/Ende 30 …
Damals/Früher war/habe ich … / Das ist schon mehr als … Jahre her.

über Lernstrategien sprechen
Ich finde, … bringt sehr viel / nicht so viel, denn …
Ich finde, diese Technik klappt/funktioniert super.
Das halte ich für eine sehr gute Idee/Technik/Strategie, weil …
Ich bin ehrlich gesagt skeptisch, ob das funktioniert.
Davon/Von dieser Technik bin ich noch nicht überzeugt. / Das überzeugt mich sehr/nicht.
Auf diese Idee wäre ich nie gekommen. Das muss ich auch ausprobieren.

über eine Biografie sprechen
Sie/Er lebte von … bis …
Sie/Er wurde in … als Tochter/Sohn eines/einer … (Beruf) geboren.
Sie/Er wuchs als ältestes von … Geschwistern auf.
Sie/Er wuchs in einer einfachen/christlichen/reichen/… Familie … auf.
Sie/Er arbeitete … Jahre als … / Sie/Er begann im Jahr … ihr/sein Studium an der Universität in …
Sie/Er war eine berühmte Person aus dem Bereich der Wissenschaft/Politik/…
Die wichtigsten Ereignisse in ihrem/seinem Leben waren: …
Im Jahr … starb sie/er an einer schweren Krankheit. / Sie/Er starb im Alter von … Jahren.
Das Außergewöhnliche an ihr/ihm … war, dass … / Für die Geschichte ist sie/er so wichtig, weil …
Sie/Er wurde für ihre/seine Arbeit ausgezeichnet. / Ihr/Sein Leben wurde im Jahr … verfilmt.

über ein historisches Ereignis sprechen
Es begann damit, dass … / Damals passierte es, dass …
Damals / Im Jahr … / Vor … Jahren begann/endete die Monarchie / der Krieg / die Demokratie in …
An diesem Ereignis / Daran waren viele Menschen beteiligt.
Das Ereignis führte dazu, dass … / Durch dieses Ereignis kam es dazu, dass …
Mit diesem Ereignis wird … verbunden. / Das Ereignis gilt heute als Symbol für …
Seitdem wird an diesem Datum der Nationalfeiertag gefeiert.

etwas evaluieren
Das Thema … fand ich besonders interessant / wenig ansprechend / sehr aktuell, weil …
Die Grammatik/Aussprache/… fiel mir sehr leicht/schwer.
Es fällt mir schwer, komplexe Texte zu lesen/hören. Deshalb würde ich gern noch mehr …
Ich fände es gut, wenn wir noch öfter/mehr …

Inhalt Übungsbuch

Übungsbuch

1 Den Horizont erweitern

Webcode: geqexu

Erwartungen und Erfahrungen

1 Den Horizont erweitern

erleben – erweitern – lassen – sammeln – ~~springen~~ – wechseln

1.1 Welches Verb passt? Ergänzen Sie.

1 ins kalte Wasser *springen* ______

2 Abenteuer ______

3 die Perspektive ______

4 Erfahrungen ______

5 seinen Horizont ______

6 sich überraschen ______

1.2 Was passt? Ergänzen Sie die Begriffe aus 1.1.

1 Man hat den Mut, etwas Neues und Unbekanntes auszuprobieren: *ins kalte Wasser springen* ______.

2 Man sieht etwas aus der Sicht eines anderen: ______.

3 Man bereitet sich mit Absicht nicht auf Neues vor: ______.

4 Man lernt oder erlebt etwas und kann dieses Wissen später nutzen: ______.

5 Man macht etwas Spannendes: ______.

6 Man interessiert sich für Neues und möchte dazulernen: ______.

1.3 Und Sie? Schreiben Sie sechs Sätze mit den Begriffen aus 1.1.

2 Neue Erfahrungen in einer anderen Kultur

2.1 Worüber schreibt Lena in ihrem Blog? Ordnen Sie die Überschriften zu.

a Spanisch ist nicht gleich Spanisch – **b** Meine Erfahrungen – **c** Weniger Stress als erwartet – **d** Wie ich gesund kochen lernte – **e** Warum eigentlich Chile?

Von München nach Valparaíso – mein Auslandssemester in Chile

Es geht los!

Valpo – eine schöne Stadt

Empanadas, super lecker!

Meine Uni am Meer

☐ Ich wollte unbedingt für mein Auslandssemester nach Lateinamerika gehen. Ich finde es wichtig, neue Erfahrungen zu sammeln und meinen Horizont zu erweitern. Eigentlich wollte ich ja gern in Argentinien studieren. Aber weil die Uni München ein Austauschprogramm mit der Universidad tecníca in Valparaíso hat, war es einfacher, nach Chile zu gehen als nach Argentinien. Und Valparaíso hat mir sofort gut gefallen: Die Stadt ist wunderschön und auch die Uni ist sehr gut.

☐ Ich habe vor meiner Reise natürlich damit gerechnet, dass ich einige Monate für die Organisation meines Auslandsaufenthaltes einplanen muss. Die Vorbereitungen waren dann aber eigentlich gar nicht so stressig, wie ich gedacht hatte. Der Visumsantrag war unkompliziert, eine Auslandskrankenversicherung hatte ich schon, und ich habe sogar sehr schnell über eine Freundin ein günstiges WG-Zimmer in Valpo gefunden. Das hatte ich mir schwieriger vorgestellt.

☐ Ich hatte schon in der Schule Spanischunterricht, also dachte ich, dass ich gut vorbereitet wäre. Als ich ankam, hatte ich aber doch zuerst Probleme mit der Sprache. Ich hätte nicht erwartet, dass das Spanisch in Lateinamerika ganz anders ist, als das, was man in Deutschland in der Schule lernt. Außerdem gibt es auch in Chile je nach Region verschiedene Dialekte.

◯	Das Leben in Chile ist übrigens viel teurer, als ich dachte – vor allem die Lebensmittel im Supermarkt. Auf den Märkten bekommt man aber frisches Obst und Gemüse zu günstigen Preisen. Eigentlich koche ich gar nicht so gern, aber in Valpo habe ich angefangen, öfter zu kochen. Das schmeckt einfach besser, als wenn man in der Mensa isst. Meine Mitbewohnerin kocht auch manchmal typisch chilenisch für uns. Die chilenische Küche mag ich sehr. Das einzige, was mir ein bisschen fehlt, ist dunkles Vollkornbrot. Das bekommt man hier selten. Meine Mitbewohnerin hat mich neulich gefragt: „Warum vermisst du das deutsche Brot eigentlich so sehr?". Ich weiß es gar nicht so genau. Vielleicht, weil ich es hier nicht kaufen kann?
◯	Viele von euch haben mich gefragt, ob sich meine Erwartungen an mein Auslandssemester eigentlich erfüllt haben. Insgesamt ein klares „Ja"! Ich habe die Erfahrung gemacht, dass die Menschen hier sehr offen und gastfreundlich sind. Das ist toll. Und natürlich hatte ich die Hoffnung, dass sich mein Spanisch verbessern würde. Inzwischen kann ich mich gut auf Spanisch unterhalten und verstehe auch einige typisch chilenische Wörter. Das ist eine großartige Erfahrung.

2.2 Richtig oder falsch? Lesen Sie den Blog in 2.1 noch einmal und kreuzen Sie an.

		richtig	falsch
1	Lena konnte sich am Anfang nicht zwischen Argentinien und Chile entscheiden.	◯	◯
2	Sie hatte keine Probleme, ihren Auslandsaufenthalt vorzubereiten.	◯	◯
3	Weil sie schon Spanisch konnte, hatte sie in Chile keine Probleme mit der Sprache.	◯	◯
4	Lena schmeckt das chilenische Essen nicht.	◯	◯
5	Lena konnte in Chile ihre Sprachkenntnisse verbessern.	◯	◯

3 Eigentlich wollte ich nach Argentinien gehen.

3.1 Was kann das Wort *eigentlich* ausdrücken? Wo kann es im Satz stehen? Wird es betont? Unterstreichen Sie die Sätze mit *eigentlich* in 2.1. Ergänzen Sie dann den Grammatikkasten.

~~Aussagesätze~~ – betont – ~~Einschränkung~~ – Fragesätze – immer im Mittelfeld – im Mittelfeld oder am Satzanfang – Neugierde/Interesse – unbetont

Das Wort *eigentlich*

als Adverb: *steht in Aussagesätzen; drückt eine Einschränkung aus;* ______

______

als Modalpartikel: ______

______

3.2 Schreiben Sie Fragen und Aussagen mit *eigentlich*. Ergänzen Sie bei den Aussagesätzen eine Information mit *aber* wie im Beispiel.

1 in München – eigentlich – studieren wollen – ich
2 du – eigentlich – nach Wien kommen – warum
3 dein Visum – schon – beantragt haben – du – eigentlich – für die Schweiz
4 kein Geld haben – eigentlich – ich – für ein Auslandspraktikum
5 schon immer mal – ich – eigentlich – arbeiten wollen – im Ausland
6 für einen Sprachkurs – du – sich anmelden – eigentlich

1 Eigentlich wollte ich in München studieren, aber ich habe keinen Studienplatz bekommen.
Ich wollte eigentlich in München studieren, aber ich habe keinen Studienplatz bekommen.

3.3 Phonetik: das Wort *eigentlich*. Lesen Sie die Fragen und Sätze aus 3.2 laut und achten Sie auf die Betonung von *eigentlich*. Überprüfen Sie dann mit dem Hörtext.

4 Am Ende ist sowieso alles anders, als man es geplant hat.

4.1 Was sagt Lena? Ergänzen Sie die Adjektive im Komparativ oder im Positiv. Der Grammatikanhang (A 2.2.1) hilft.

gut – lecker – hoch – schön – teuer – viel

1 Das Leben in Chile ist sehr teuer. Vor allem die Lebensmittel sind ______, als ich dachte.
2 Die Stadt ist wunderschön – genauso ______, wie sie auf den Fotos aussieht.
3 Ich mag die chilenische Küche. Aber das Essen in der Mensa schmeckt nicht so ______, wie ich gehofft hatte.
4 Ich hatte großes Glück mit der Wohnungssuche. Eigentlich sind die Mieten in Valparaíso sogar noch ______, als ich es aus München kenne.
5 Die Uni ist sehr international. Es gibt ______ Austauschstudierende, als ich gedacht hätte.
6 Mein Spanisch ist jetzt viel ______, als es vor meinem Auslandsaufenthalt war.

4.2 Was passt? Lesen Sie die Sätze in 4.1 noch einmal und ergänzen Sie den Grammatikkasten.

als – Positiv (2x) – Komparativ – *wie* (2x)

Vergleichssätze mit einem Nebensatz mit *als* oder *wie*

Unterschiede drückt man aus
– mit Adjektiv im ______ oder *anders* + Nebensatz mit ______
– mit *nicht so* + Adjektiv im ______ + Nebensatz mit ______

Gleiches drückt man aus
– mit *genauso* + Adjektiv im ______ + Nebensatz mit ______

4.3 *Als* oder *genauso wie*? Schreiben Sie Vergleichssätze mit einem Nebensatz wie im Beispiel.

1 Die Kommunikation auf Deutsch ist schwierig. Das habe ich mir einfacher vorgestellt.
2 Das Wetter ist gut. Ich dachte, dass das Wetter schlechter ist.
3 Die Leute sind sehr freundlich. Das habe ich auch erwartet.
4 Der Dialekt ist ganz anders. Das habe ich nicht gedacht.
5 Die Stadt ist sehr groß. Ich habe gedacht, dass sie kleiner ist.
6 Die Landschaft ist sehr schön. So habe ich sie mir auch vorgestellt.

1 Die Kommunikation auf Deutsch ist schwieriger, als ich es mir vorgestellt habe.

4.4 Wie sind Ihre Erfahrungen? Schreiben Sie acht Vergleichssätze mit einem Nebensatz mit *als* oder *wie* wie im Beispiel. Benutzen Sie die Nomen und Adjektive aus den Schüttelkästen.

der Deutschkurs – der Dialekt – das Gehalt – meine Kollegen – die Landschaft – die Lebensmittel – mein Praktikum – meine neue Stelle – die Universität – mein Vorstellungsgespräch – die Wohnungssuche

alt – angenehm – anstrengend – einfach – freundlich – gut – groß – hoch – interessant – kompliziert – modern – langweilig – niedrig – schlecht – schön – schwierig – teuer

Die Lebensmittel sind nicht so teuer, wie ich dachte.

4.5 Wiederholung: temporale Nebensätze. Schreiben Sie Sätze mit *nachdem, bevor, während, sobald* oder *als*. Manchmal gibt es mehrere Möglichkeiten. Der Grammatikanhang (B 2.2.1) hilft.

1 Lena hat von dem Austauschprogramm erfahren. Sie hat sich sofort beworben.
2 Sie hat die Zusage bekommen. Schon vorher hat sie sich einen Reiseführer über Chile besorgt.
3 Sie hat ein Visum beantragt. Vorher musste sie ihren Pass verlängern lassen.
4 Sie hat auf ihr Visum gewartet. In der Zeit hat sie den Flug gebucht und ein WG-Zimmer gesucht.
5 Sie hat ihre Koffer gepackt und gleichzeitig die ersten Fotos für ihren Blog gemacht.
6 Sie ist in Chile angekommen. Sie hat sofort am Flughafen Geld getauscht.

1 Nachdem sie von dem Austauschprogramm erfahren hatte, hat sie sich sofort beworben.
Als/Sobald sie von dem Austauschprogramm erfahren hat, hat sie sich (sofort) beworben.

4.6 Und Sie? Berichten Sie von einer Reise oder einem Auslandsaufenthalt. Schreiben Sie einen kurzen Text zu den Fragen.

- In welchem Land waren Sie?
- Wie haben Sie sich auf die Reise vorbereitet?
- Welche Erwartungen hatten Sie vorher?
- Welche Erfahrungen haben Sie gemacht?

Das Leben in einer anderen Kultur

1 Einwandern auf Zeit

1.1 Was passt? Lesen und ergänzen Sie.

Bedienung – Expat – Krankenversicherung – Lebensqualität – Pharmaunternehmen – Steuererklärung

1 Die ______________ ist hier sehr hoch. Die Gehälter sind gut, die Kosten für Mieten und Essen sind ziemlich niedrig und es gibt viele kulturelle Angebote.
2 Damit die Kosten für einen Arztbesuch und die Medikamente übernommen werden, braucht sie eine ______________.
3 Einmal im Jahr muss man die ______________ machen. In diesem Dokument zeigt man, wie viel man verdient hat und wie viele Steuern man bezahlt hat.
4 Das Restaurant ist gut. Das Essen ist lecker und die ______________ ist freundlich.
5 Er arbeitet als Chemiker in einem ______________ und entwickelt neue Medikamente.
6 Ihre Firma hat sie für einige Jahre nach Peru geschickt. Jetzt lebt und arbeitet sie als ______________ in Lima.

1.2 Welche Person passt: Kim, Masoud oder Wendy? Lesen Sie den Zeitungsartikel im Kursbuch auf Seite 16 noch einmal und ergänzen Sie die Namen.

1 ________ hat am Anfang viel Unterstützung durch andere Expats bekommen.
2 ________ findet es schwer, im Alltag Englisch zu vermeiden, weil so viele Schweizer Englisch können.
3 ________ freut sich über das große Angebot an kulturellen Veranstaltungen.
4 ________ würde gern mehr Zeit mit Schweizern verbringen.
5 ________ ist in einen Basler Verein eingetreten, um sich besser zu integrieren.
6 ________ hatte Schwierigkeiten bei der Wohnungssuche.

1.03 1.3 Auswandern auf Zeit. Aus welchem Land kommen die Personen? In welches Land wollen sie auswandern? Was sind sie von Beruf? Hören und notieren Sie die Antworten in Ihrem Heft.

1

Beat Jeger

2

Thomas und Jana Pichler

3

Familie Rohde

	Beat Jeger
Herkunftsland	
Zielland	
Beruf	Ingenieur

1.03 1.4 Was ist falsch? Hören Sie noch einmal und kreuzen Sie die falsche Antwort an.

1 In den letzten Jahren …
- a ☐ ist die Zahl der Auswanderer aus Deutschland, Österreich und der Schweiz gestiegen.
- b ☐ machten die Deutschen, Österreicher und Schweizer am liebsten in ihrem Heimatland Urlaub.
- c ☐ wanderten Deutsche, Österreicher und Schweizer meistens innerhalb Europas aus.

2 Herr Jeger ist in die USA ausgewandert, …
- a ☐ weil die Arbeitsbedingungen für Wissenschaftler dort besonders gut sind.
- b ☐ um seine Sprachkenntnisse zu verbessern.
- c ☐ weil er ein Stipendium bekommen hat.

3 Herr Jeger fühlt sich in Boston sehr wohl, weil …
- a ☐ er dort früher schon ein Semester studiert hat.
- b ☐ dort die Lebensqualität sehr hoch ist.
- c ☐ er keine Schwierigkeiten mit der Sprache hat.

4 Herr und Frau Pichler sind ausgewandert, …
- a ☐ weil sie am Meer leben wollten.
- b ☐ damit die Kinder in Spanien studieren können.
- c ☐ weil sie ein Jobangebot bekommen haben.

5 Sie fanden es zuerst schwierig, mit den Nachbarn in Kontakt zu kommen, weil …
- a ☐ sie noch kein Spanisch sprechen konnten.
- b ☐ auf Mallorca so viele Deutsche und Österreicher leben.
- c ☐ die Leute nicht so offen sind, wie sie dachten.

6 Familie Rohde ist nach Australien ausgewandert, …
- a ☐ weil Frau Rohde von ihrem Unternehmen dort eine Stelle bekommen hat.
- b ☐ obwohl Herr Rohde die Idee zuerst nicht so gut fand.
- c ☐ weil die Kinder dort Freunde hatten.

7 Für Herrn Rohde ist es manchmal schwierig, weil …
- a ☐ alles sehr bürokratisch ist.
- b ☐ er noch keine Arbeit gefunden hat.
- c ☐ seine Englischkenntnisse noch nicht so gut sind.

2 Ich habe mir das Leben im Ausland anders vorgestellt.

2.1 Markieren Sie die Dativ- und Akkusativobjekte in unterschiedlichen Farben. Beantworten Sie dann die Fragen im Grammatikkasten.

1 Die Universität hat mir ein Stipendium gegeben.
2 Ich habe mir den Alltag hier weniger bürokratisch vorgestellt.
3 Die Kinder können schon sehr gut Englisch. Sie übersetzen meinem Mann manchmal Wörter.
4 Eine Freundin hatte eine Stelle als Bäcker frei. Sie hat sie mir angeboten.

Dativ- und Akkusativobjekte im Mittelfeld des Satzes

Wie ist die Reihenfolge der Objekte normalerweise? ____________

Wie ist die Reihenfolge, wenn das Akkusativobjekt ein Pronomen ist? ____________

2.2 Schreiben Sie Sätze im Imperativ wie im Beispiel.

1 (du) erklären – ich – nochmal – bitte – die Grammatik
2 (Sie) die Kundin – ein Stück Zwiebelkuchen – bitte – bringen
3 (du) doch bitte – geben – der Schlüssel – die Nachbarn
4 (Sie) schicken – der Kollege – die E-Mail – bitte
5 (du) bezahlen – doch – deine Tochter – die Reise

1 Erklär mir bitte nochmal die Grammatik.

2.3 Sprechen Sie zu zweit. Lesen Sie Ihre Sätze aus 2.2. Ihre Partnerin / Ihr Partner antwortet wie im Beispiel.

Erklär mir bitte nochmal die Grammatik.

Ich habe sie dir doch schon erklärt. Bringen Sie …

2.4 Schreiben Sie Sätze mit den Wörtern. Benutzen Sie sowohl Nomen als auch Pronomen für die Dativ- und Akkusativobjekte.

empfehlen – erklären – geben – kaufen – schenken – schicken – zeigen – …	ich – der Kollege – die Eltern – die Lehrerin – die Kinder – du – Sie – …	das Buch – das Restaurant – die Wohnung – die Postkarte – die Grammatik – das Paket – eine Reise – ein Flugticket – …

Mein Kollege hat mir das griechische Restaurant empfohlen.

3 Strategietraining: eine Zusammenfassung schreiben und überarbeiten

3.1 Was macht man beim Schreiben einer Zusammenfassung? Sehen Sie das Strategievideo noch einmal und machen Sie Notizen.

eine Zusammenfassung schreiben

vor dem Schreiben: ____________

beim Schreiben: ____________

nach dem Schreiben: ____________

3.2 Hören Sie die Radiosendung aus 1.3 noch einmal und schreiben Sie eine kurze Zusammenfassung.

3.3 Vergleichen Sie Ihre Zusammenfassungen zu zweit und überarbeiten Sie sie bei Bedarf.

3.4 Sprachmittlung: Eine Freundin / Ein Freund von Ihnen überlegt, für ein paar Monate beruflich in die Schweiz zu gehen und bittet Sie um Informationen. Womit sollte sie/er rechnen? Welche Schwierigkeiten könnte sie/er haben? Fassen Sie die wichtigsten Informationen aus dem Zeitungsartikel im Kursbuch auf Seite 16 in Ihrer Muttersprache zusammen.

Vorurteile überwinden

1 Aussehen und Charaktereigenschaften

1.1 Wie ist ein Mensch, der ...? Welches Adjektiv passt? Verbinden Sie.

Ein Mensch, der ...		ist ...
1 auf seine Kleidung und seine Frisur achtet,	a	muskulös.
2 gern Witze mag und viel lacht,	b	ehrgeizig.
3 oft in den Spiegel schaut und mag, wie er aussieht,	c	gepflegt.
4 oft und über alles Mögliche nachdenkt,	d	spießig.
5 viele Muskeln hat,	e	humorvoll.
6 viel erreichen möchte und sich dafür anstrengt,	f	eitel.
7 ein bisschen langweilig und altmodisch ist,	g	arrogant.
8 glaubt, dass er besser als andere ist,	h	nachdenklich.

1.2 Phonetik: Wortakzent. Lesen Sie den Dialog und markieren Sie den Wortakzent in den unterstrichenen Adjektiven.

- Sag mal, Tim, wie findest du Paul? Ich habe gehört, dass er sehr langweilig sein soll.
- Paul? Nein, auf keinen Fall. Er ist weder langweilig noch spießig. Auf mich wirkt er eher temperamentvoll und selbstbewusst. Außerdem treibt er viel Sport und hat Humor!
- Echt? Dass er sportlich ist, das wusste ich. Aber humorvoll?
- Tja, vielleicht kennst du ihn so nicht. Er ist meistens sehr nachdenklich und ruhig.
- Ja, das stimmt. Ich habe immer gedacht, er wäre schüchtern oder unsicher oder vielleicht sogar ein wenig arrogant, weil er nie mit mir redet.
- Ach komm, Anna! Sei nicht so naiv und urteile nicht so schnell über andere. Bleib offen und neugierig!

1.04 **1.3** Hören Sie den Dialog und überprüfen Sie Ihre Markierungen in 1.2. Auf welcher Silbe liegt der Wortakzent meistens?

1.4 Lesen Sie den Dialog laut zu zweit. Achten Sie auf den Wortakzent.

2 Der erste Eindruck

2.1 Wiederholung: Verben mit Infinitiv ohne *zu*. Schreiben Sie Sätze.

1 gehen – normalerweise – ich – sehr spät – schlafen
2 lassen – morgen – verlängern – ich – meinen Pass
3 meinen Mann – hören – jeden Morgen – im Badezimmer – singen – ich
4 die Kinder – ich – sehen – spielen – auf der Straße
5 bei Rot – stehen – an der Kreuzung – ich – bleiben

1 Ich gehe normalerweise sehr spät schlafen.

2.2 Wiederholung: das Verb *lassen*. Welche Bedeutung hat *lassen* in den Sätzen? Ordnen Sie zu. Der Grammatikanhang (A 1.6) hilft.

a etwas (nicht) erlauben oder zulassen
b etwas vergessen oder nicht mitnehmen
c etwas nicht selbst machen / jemanden beauftragen
d etwas in der Gruppe vorschlagen

1 Bei unserer Meinung über andere lassen wir uns leider oft vom Aussehen beeinflussen. c

2 Sie will sich ein neues Piercing machen lassen. ______

3 Oh nein, es regnet! Und ich habe den Regenschirm zu Hause gelassen. ______

4 Lasst uns doch am Wochenende eine Party machen. ______

5 Wir lassen unsere Kinder kein Smartphone haben. Sie sind noch zu klein. ______

6 Lassen Sie bitte den Zimmerschlüssel an der Hotelrezeption. ______

2.3 Was passt? Schreiben Sie Sätze mit dem Verb *lassen* und den Informationen aus dem Schüttelkasten.

die Haare schneiden – ~~das Fahrrad reparieren~~ – zu Hause lassen – ins Kino gehen – an einem Schwimmkurs teilnehmen

1 Mein Fahrrad ist kaputt. *Ich muss es reparieren lassen* ________.

2 Ich habe einen Vorschlag. Heute läuft ein toller Film. ________ uns ________.

3 Maja hat ihren Hausschlüssel vergessen. *Sie hat* ________.

4 Meine Tochter will schwimmen lernen. *Ich* ________.

5 Meine Haare sind viel zu lang. *Ich will mir* ________.

2.4 Was passt zusammen? Verbinden Sie.

1 Ist Frau Müller heute im Büro?
2 Stell dir vor, Herr Breit will auswandern.
3 Ist dein Visum noch gültig?
4 Hast du meine Nachricht gelesen?
5 Weißt du, ob das Taxi noch da ist?
6 Kommst du heute mit ins Kino?

a Ja, ich habe es gestern verlängern lassen.
b Nein, ich habe mein Handy im Büro gelassen.
c Ja, davon habe ich schon gehört. In die USA, oder?
d Ja, ich habe sie vorhin schon telefonieren hören.
e Nein, den Film habe ich schon gesehen.
f Oh, ich glaube, ich habe es gerade wegfahren sehen.

2.5 In welchen Sätzen in 2.4 werden *lassen*, *sehen*, *hören* als Hilfsverben verwendet? Markieren Sie die Verben in den Sätzen. Ergänzen Sie dann den Grammatikkasten.

Hauptsatz – Hilfsverb – Infinitiv (2x) – konjugiert – Nebensatz

Perfekt von *lassen*, *sehen*, *hören*

Wenn die Verben *lassen*, *sehen* und *hören* als ________ mit einem zweiten Verb benutzt werden, bildet man das Perfekt mit *haben* (________) + ________ + ________ von *lassen/sehen/hören*.

Im ________ steht *haben* auf Position 2, der Infinitiv und *lassen/sehen/hören* am Satzende.

Im ________ stehen drei Verben am Satzende: *haben* + Infinitiv + *lassen/sehen/hören*.

2.6 *Lassen*, *sehen* oder *hören*? Welches Hilfsverb passt? Ergänzen Sie die Verben im Perfekt.

Meine Nachbarn *haben* mich gestern überhaupt nicht *schlafen* *lassen* *(schlafen)*[1]. In der WG über mir gab es eine Party und ich ________ meine Nachbarn die ganze Nacht laut ________ ________ *(feiern)*[2]. Vom Fenster aus ________ ich immer wieder Leute in unser Haus ________ ________ *(gehen)*[3]. Ich habe versucht, meine Nachbarn anzurufen, um mich zu beschweren. Aber wahrscheinlich ________ sie das Telefon wegen des Lärms nicht ________ ________ *(klingeln)*[4]. Erst um drei Uhr morgens sind die Gäste gegangen. Ich ________ sie noch im Hausflur laut ________ ________ *(reden)*[5]. Danach konnte ich endlich schlafen. Heute Morgen war ich dann aber so müde, dass ich den Wecker nicht ________ ________ ________ *(klingeln)*[6].

2.7 Und Sie? Was haben Sie in der letzten Woche gesehen, gehört oder machen lassen? Schreiben Sie fünf Sätze im Perfekt.

Heute Morgen habe ich die Vögel vor meinem Haus singen hören.

3 Stereotype und Vorurteile

3.1 Welche Überschrift passt? Lesen Sie den Artikel und ordnen Sie die Überschriften zu.

Kontakt und Offenheit hilft – Vorurteile zu überwinden, ist schwer – Viele Vorurteile entstehen in der Kindheit

Körper & Geist 3/2019

Eine Welt ohne Vorurteile?

Alle Menschen auf der Welt haben Stereotype und Vorurteile. Denn durch Vorurteile und Stereotype sortiert das Gehirn Informationen schneller in Schubladen und kann so Energie für andere Denkprozesse sparen.

Welche Vorurteile jeder von uns hat und wie stark sie sind, hängt davon ab, in was für einer Umgebung wir aufwachsen. Ab dem Alter von drei Jahren kann das Gehirn eines Kindes Informationen in Kategorien einordnen. Dann lernen wir als Kinder von den Erwachsenen – von unseren Eltern, Verwandten, Nachbarn, im Kindergarten und in der Schule –, welche Merkmale anderer Menschen in welche Schublade gesteckt werden. Wenn zum Beispiel ein Lehrer Vorurteile gegenüber Ausländern zeigt und ihnen Stereotype zuordnet, dann übernehmen die Schulkinder seine Meinung. Besonders schlimm ist, dass sogar die ausländischen Kinder, die durch diese Vorurteile und Stereotype diskriminiert werden, selbst an sie glauben. Das haben Studien gezeigt.

Vorurteile sind sehr stabil. Denn wir merken uns vor allem Situationen, die unsere Vorurteile bestätigen. Einzelne Erfahrungen, die unseren Stereotypen und Vorurteilen widersprechen, reichen leider nicht aus, um unsere Meinung zu ändern. Denn das Gehirn sortiert sie als Ausnahme ein.

Deshalb ist es wichtig, zu wissen, dass wir Vorurteile haben, und offen für neue Erfahrungen zu bleiben.
Jedes Mal, wenn wir einen Menschen treffen und eine Meinung über ihn haben, sollten wir daran denken, dass diese Meinung vielleicht auf einem Vorurteil basiert. Es ist schwer, Vorurteile loszuwerden, aber nicht unmöglich. Studien konnten zeigen, dass vor allem intensive Kontakte dabei helfen. Denn erst, wenn wir oft genug positive Erfahrungen mit anderen Personen machen, lernen wir, dass sie vielleicht ganz anders sind, als wir am Anfang dachten.

~ Louise Mahner ~

3.2 Wo steht diese Information? Lesen Sie noch einmal und notieren Sie die Zeilen.

1 Vorurteile entstehen, weil das Gehirn Informationen schnell einsortiert. *Zeile 2 – 4*

2 Vorurteile kann man überwinden, auch wenn es schwer ist. ______

3 Kinder, die durch Vorurteile diskriminiert werden, glauben auch an diese Vorurteile. ______

4 Es ist wichtig, Menschen besser kennenzulernen. Dann kann man verstehen, wie sie wirklich sind. ______

5 Kinder unter drei Jahren sortieren Informationen noch nicht in Schubladen. ______

6 Informationen, die dem Vorurteil widersprechen, merkt man sich schlechter. ______

3.3 Wählen Sie A oder B und schreiben Sie einen kurzen Text.

A Schreiben Sie eine kurze Zusammenfassung des Artikels in 3.1.

B Schreiben Sie über Ihre eigenen Erfahrungen mit Stereotypen und Vorurteilen.

Frauen sind eitel. Männer? Nie!

1 Eitelkeit

1.1 Wie ist die Reihenfolge? Lesen Sie die Kurzgeschichte im Kursbuch auf Seite 20 noch einmal und bringen Sie die Bilder in die richtige Reihenfolge.

1.2 Was bedeuten die Wörter? Verbinden Sie.

1	stundenlang	a	ein Lob, um jemandem eine Freude zu machen
2	dreiteilig	b	den Mut haben, etwas zu tun
3	egoistisch	c	etwas besteht aus drei Teilen
4	die Gardine	d	abwaschen, mit Wasser sauber machen
5	starren	e	Stoff, den man vor das Fenster hängt
6	zurücktreten	f	mehrere Stunden
7	das Kompliment	g	springen
8	etwas wagen	h	nur an sich selbst denken
9	hüpfen	i	einen Schritt nach hinten machen
10	abspülen	j	jemanden sehr direkt und lange ansehen

1.3 Wiederholung: Zeitangaben und temporale Nebensätze. Was passt? Lesen Sie die Kurzbiografie von Kurt Tucholsky und ergänzen Sie. Der Grammatikanhang (B 2.2.1) hilft.

als – bevor – danach (~~2x~~) – nach – nachdem – vorher – während

Kurt Tucholsky wurde am 9. Januar 1890 in Berlin geboren. Er wuchs zusammen mit zwei Geschwistern in Berlin und Stettin auf und besuchte von 1899 bis 1906 das Gymnasium. *Danach* [1] hatte er ein Jahr Privatunterricht. __________ [2] er sein Abitur gemacht hatte, begann er im Oktober 1909 ein Jurastudium. Schon als Schüler interessierte sich Tucholsky sehr für Literatur und schrieb seine ersten journalistischen Artikel. __________ [3] seines Studiums schrieb er unter anderem für die sozialdemokratische Parteizeitschrift „Vorwärts". __________ [4] seinem Studienabschluss musste er 1915 als Soldat im Ersten Weltkrieg kämpfen. __________ [5] er 1918 aus dem Krieg zurückkam, war er ein überzeugter Kriegsgegner und Pazifist. __________ [6] arbeitete er als Journalist und Schriftsteller in Deutschland, __________ [7] er 1924 nach Frankreich auswanderte. Er schrieb und veröffentlichte Satiren, Texte, Liedtexte, Erzählungen, Romane und Gedichte. In seinen Texten kritisierte er die politischen Verhältnisse in Deutschland und setzte sich für Demokratie und Menschenrechte ein. 1929 wanderte er nach Schweden aus. __________ [8] hatte er in seinen Texten vor Hitler und einem neuen Weltkrieg gewarnt. 1933 wurden seine Bücher von den Nationalsozialisten verbrannt und er verlor die deutsche Staatsangehörigkeit. Am 21. Dezember 1935 starb er in Göteborg in Schweden im Alter von nur 45 Jahren.

1.4 Richtig oder falsch? Lesen Sie die Kurzbiografie in 1.3 noch einmal und kreuzen Sie an.

		richtig	falsch
1	Kurt Tucholsky wurde Ende des 19. Jahrhunderts geboren.	◯	◯
2	Er studierte Literatur, weil er Schriftsteller werden wollte.	◯	◯
3	Nach dem Ersten Weltkrieg setzte er sich für den Frieden ein.	◯	◯
4	Mit 34 Jahren wanderte er nach Schweden aus.	◯	◯
5	Er schrieb kritisch über die politische Situation in Deutschland.	◯	◯

2 Strategietraining: sich unbekannte Wörter erschließen

2.1 Welche Strategien helfen, um unbekannte Wörter zu verstehen? Notieren Sie im Strategiekasten.

sich unbekannte Wörter erschließen

Diese Informationen helfen: *der Kontext, in dem das Wort steht;* ______

2.2 Was bedeuten die gelb markierten Wörter in der Biografie in 1.3? Ordnen Sie die Wörter zu.

1 ein Text, in dem man durch Übertreibung oder Ironie Kritik äußert: *Satire*

2 eine Person, die Kriege ablehnt und sich für den Frieden einsetzt: ______

3 Texte, die in einer Zeitung oder Zeitschrift veröffentlicht werden: ______

4 eine Person, die in einem Krieg kämpft: ______

5 ein Krieg, an dem viele Länder beteiligt sind: ______

6 wenn man zu Hause Unterricht von einem Lehrer bekommt: ______

7 die Nationalität, die im Pass steht: ______

8 eine Zeitschrift, die von einer politischen Partei gemacht wird: ______

2.3 Welche Strategien haben Ihnen dabei geholfen, die Wörter zu verstehen? Vergleichen Sie Ihre Lösungen in 2.2 zu zweit und tauschen Sie sich aus.

3 Ein überraschendes Ende. Wo steht das im Text? Lesen Sie im Kursbuch auf Seite 21 noch einmal und notieren Sie die Zeilen.

1 Der Mann lächelt der Frau zu. ______

2 Im Zimmer gegenüber steht eine Zimmerpflanze und eine Garderobe. ______

3 Der Mann kämmt sich die Haare. ______

Wenn sich Kulturen begegnen

1 Kulturelle Stereotype

1.1 Wortfamilien. Wie heißen die passenden Adjektive zu den Nomen? Ergänzen Sie.

1 die Freundlichkeit ______

2 der Stolz ______

3 die Kreativität ______

4 der Fleiß ______

5 das Temperament ______

6 die Offenheit ______

7 die Arroganz ______

8 der Optimismus ______

9 die Ehrlichkeit ______

10 der Humor ______

11 die Korrektheit ______

12 die Kritik ______

13 die Zuverlässigkeit ______

14 das Selbstbewusstsein ______

15 die Hilfsbereitschaft ______

16 die Gastfreundschaft ______

1.2 Was passt? Ergänzen Sie.

bescheiden – bürokratisch – diszipliniert – geizig – großzügig – hilfsbereit

1 In Deutschland muss man für alles Formulare ausfüllen. Das finde ich ziemlich ______.

2 Meine Freundin ist so ______. Sie geht jeden Morgen joggen, um fit zu bleiben.

3 Mein Bruder hat den Urlaub für die ganze Familie bezahlt. Er ist so ______.

– Echt? Mein Bruder ist leider das Gegenteil. Er will immer sparen und ist sehr ______.

4 Mein Nachbar ist sehr ______. Immer wenn ich im Urlaub bin, gießt er meine Blumen.

5 Die neue Kollegin ist super. Ich verstehe gar nicht, warum sie nicht Teamleiterin geworden ist.

– Sie ist einfach zu ______. Sie sollte öfter sagen, was sie will.

2 Transkulturelle Kommunikationsschwierigkeiten. Arbeiten Sie in Gruppen. Beantworten Sie die Fragen und berichten Sie in der Gruppe.

- Welche transkulturellen Schwierigkeiten oder Missverständnisse könnten Menschen aus anderen Ländern in Ihrer Heimat erleben?
- Welche Tipps würden Sie ihnen geben, um diese Schwierigkeiten zu vermeiden?

An seine Grenzen gehen

1 Extreme Hobbys. Welches Verb passt? Ergänzen Sie.

eingehen – ~~gehen~~ – haben – hochklettern – kommen – überwinden

1 an seine Grenzen *gehen*

2 an einem Seil ______

3 im Team Spaß ______

4 ein Hindernis ______

5 ans Ziel ______

6 ein Risiko ______

2 Extreme Erfahrungen

2.1 Worüber sprechen Georg und Klara? Hören Sie und kreuzen Sie an.

1 ☐ Gefahren des Extremsports

2 ☐ Erfahrungen auf einer Fahrradreise

3 ☐ Überlebenstraining in der Natur

4 ☐ eine Foto-Ausstellung über Fahrräder

2.2 Was ist richtig? Hören Sie noch einmal und kreuzen Sie an.

1 Klara war allein mit dem Fahrrad unterwegs, …
a ☐ um möglichst schnell ans Ziel zu kommen.
b ☐ weil sie flexibel entscheiden wollte, wohin und wieviel sie fährt.

2 Draußen in der Natur hat sie manchmal, …
a ☐ ohne Streichhölzer Feuer gemacht.
b ☐ Insekten gegessen.

3 Sie hat ihre Familie manchmal vermisst, weil sie …
a ☐ ihr Smartphone kaum benutzt hat.
b ☐ kein Smartphone dabei hatte.

4 Während ihrer Reise …
a ☐ hat sie einige schwierige Situationen erlebt.
b ☐ hatte sie kaum Kontakt zu anderen Menschen.

5 Klara hat …
a ☐ ihre Reise sehr genau geplant.
b ☐ viele Entscheidungen spontan getroffen.

6 Die Fotos von ihrer Reise …
a ☐ möchte Klara in einer Ausstellung zeigen.
b ☐ hat Klara in einer Zeitschrift veröffentlicht.

2.3 Und Sie? Wie reisen Sie gern? Schreiben Sie einen kurzen Text. Die Fragen helfen.

- Was denken Sie über Klaras Reise? Hätten Sie selbst Lust darauf? Oder wäre Ihnen das zu extrem?
- Wie verbringen Sie gern Ihren Urlaub? Wollen Sie Abenteuer erleben oder mögen Sie es entspannt?
- Was würden Sie gern im Urlaub machen, wenn Sie mehrere Wochen oder Monate Zeit hätten?

Prüfungstraining

telc **1 Mündlicher Ausdruck Teil 1: Über Erfahrungen sprechen**

Berichten Sie Ihrer Partnerin / Ihrem Partner über Ihre Erfahrungen zu einem der folgenden Themen. Beantworten Sie im Anschluss die Fragen Ihrer Partnerin / Ihres Partners. Tauschen Sie danach die Rollen.

Themen zur Auswahl:
- Ihr Lieblingsbuch (Titel, Autor, Geschichte usw.)
- Ihre Lieblingsserie (Handlung, Schauspieler usw.)
- ein Familienmitglied, das Sie bewundern (wer, warum usw.)
- eine wichtige Erfahrung in einer anderen Kultur (was, wann, wo, warum wichtig usw.)
- etwas Neues, das Sie ausprobiert haben (Art der neuen Erfahrung, Ort, Dauer, Ergebnis usw.)
- ein spannendes Erlebnis, das Sie in Ihrem Leben hatten (was, wann, wo, mit wem, warum spannend usw.)

Tipp: In dieser Aufgabe sprechen Sie über Ihre eigenen Erfahrungen. In der Prüfung stehen immer verschiedene Themen zur Auswahl. Wählen Sie ein Thema, für das Sie sich interessieren und zu dem Sie einen persönlichen Bezug haben. Sie haben für die Aufgabe 1 ½ Minuten Zeit. Notieren Sie in der Vorbereitungszeit Stichpunkte und probieren Sie zu Hause aus, wie viel Sie in 1 ½ Minuten erzählen können.

ÖSD **2 Lesen Aufgabe 4**

Welches Wort passt? Lesen Sie den Brief und ergänzen Sie. Achten Sie auf die grammatische Form.

Sehr *geehrte* [0] **Damen und Herren,**

haben Sie Lust auf eine wirklich spannende Reise? Ist es ________ [1] Traum, einmal nicht nur Touristin oder Tourist zu sein, ________ [2] auch richtig in die Kultur und das Lebensgefühl eines anderen Landes einzutauchen? Dann probieren ________ [3] doch mal etwas Neues und erleben Sie Ihre Abenteuerreise!
„Reisen und arbeiten" bietet Ihnen vielfältige Möglichkeiten, ________ [4] Traum vom Auslandsaufenthalt zu verwirklichen. Ganz egal, ________ [5] welches Land Sie fahren, wie lange Sie Zeit haben und ob Sie studieren oder im Beruf tätig sind. „Reisen und arbeiten" findet genau das Richtige ________ [6] Sie!
Stellen Sie ________ [7] vor: Freiwilligenarbeit in den verschiedensten Ländern! Wäre das nicht großartig?
Für Tier- und Naturbegeisterte gibt ________ [8] zum Beispiel Angebote in Lateinamerika, Afrika, Asien und Ozeanien. Wir zeigen Ihnen, wie Sie ein Jahr im Ausland verbringen können. Sie entscheiden, ________ [9] flexibel Sie auf Ihrer Reise sein wollen!
Unser gesamtes Angebot finden Sie im Internet ________ [10] www.reisenundarbeiten.beispiel.org.
Die beste Zeit Ihres Lebens liegt vor Ihnen – nutzen Sie sie!

Corinna Bernauer
Geschäftsführerin *Reisen und arbeiten*

Tipp: Lesen Sie den Text und versuchen Sie aus dem Kontext zu erschließen, welches Wort inhaltlich passen könnte. Achten Sie hierbei immer auf die Grammatik. Wo steht das Verb im Satz? Ist es ein Hauptsatz oder ein Nebensatz? Fehlt ein Konnektor, der die beiden Sätze miteinander verbindet? Stellen Sie sich Fragen wie: Gibt es Verben mit Präpositionen? Handelt es sich um einen indirekten Fragesatz? Welche Anredeform könnte passen (du/Sie)? Achten Sie immer darauf, dass die Lösungen sowohl inhaltlich als auch sprachlich Sinn ergeben.

ÖSD

3 Hören Aufgabe 2

Sehen Sie sich zuerst die Kursangebote an. Hören Sie dann ein Gespräch zwischen zwei Personen. Ergänzen Sie die fehlenden Informationen und kreuzen Sie an. Sie hören das Gespräch einmal.

Sprachkursangebot	Abendkurs I	Abendkurs II	Kompaktkurs
Zielgruppe	◯ Berufstätige ◯ Studienbewerber	◯ Berufstätige ◯ Studienbewerber	◯ Berufstätige ◯ Studienbewerber
Sprachniveau	◯ B2 ◯ C1	◯ B2 ◯ C1	◯ B2 ◯ C1
Kursmodule	◯ Lernen mit dem Kursbuch ◯ Konversation ◯ Schreiben	◯ Lernen mit dem Kursbuch ◯ Konversation ◯ Schreiben	◯ Lernen mit dem Kursbuch ◯ Konversation ◯ Schreiben
Kosten für vier Unterrichtseinheiten	______ Franken	______ Franken	______ Franken
Ermäßigung für Studierende	______ %	______ %	______ %
Gruppengröße	mindestens: ______ maximal: ______	mindestens: ______ maximal: ______	mindestens: ______ maximal: ______
festgelegte inhaltliche Schwerpunkte	◯ Ja ◯ Nein	◯ Ja ◯ Nein	◯ Ja ◯ Nein
besonderes Angebot	◯ Film ◯ Lesung ◯ Besuch im Museum ◯ Führungen	◯ Film ◯ Lesung ◯ Besuch im Museum ◯ Führungen	◯ Film ◯ Lesung ◯ Besuch im Museum ◯ Führungen
Abschlussprüfung möglich	◯ Ja ◯ Nein	◯ Ja ◯ Nein	◯ Ja ◯ Nein
Kursbeginn und Uhrzeit	Datum: ______ Uhrzeit: ______	Datum: ______ Uhrzeit: ______	Datum: ______ Uhrzeit: ______

Tipp: Schauen Sie sich die Angebote vor dem Hören genau an. Sie haben beim Hören wenig Zeit und müssen auf mehrere Informationen gleichzeitig achten. Da die Informationen chronologisch abgefragt werden, können Sie Schritt für Schritt vorgehen. Achten Sie beim Hören auf die Schlüsselwörter und/oder Synonyme, die signalisieren, welches Thema angesprochen wird.

2 Miteinander leben

Webcode: tepopi

Wie würden Sie gern leben?

1 Zu Hause

1.1 Wie heißen die Wörter? Lösen Sie das Rätsel und schreiben Sie das Lösungswort in Ihr Heft.

1 ein Ort, an dem Bauwagen stehen können: _ A _ _ N _ _ _ _ _
2 ein Haus, in dem Studierende wohnen können: _ _ _ _ _ N _ _ _ _ O _ _ _ _ _ _ _
3 eine Wohnform, bei der man auf dem Wasser wohnt: _ _ _ S _ _ O _
4 eine Wohnung auf vier Rädern: _ _ U _ A _ _ _
5 eine Wohnung, die man nicht besitzt, sondern mietet: _ _ E _ _ _ H _ _ _ _
6 eine Gruppe von unabhängigen Personen, die sich gemeinsam eine Wohnung teilen: _ _ _ N _ _ M _ _ _ _ _ _ _ _ _ _ _
7 Personen, mit denen man sich eine Wohnung oder ein Haus teilt: _ _ T _ _ _ _ _ N _ _

1.2 Was ist richtig? Lesen Sie den Text und kreuzen Sie an.

Musik total 8/19

Kurz vor der Veröffentlichung ihres Albums „Sturm & Dreck" im Jahr 2018 zeigte die Band **Feine Sahne Fischfilet** ein erstes Musikvideo zu ihrem Song „Zuhause". Das Video nimmt uns mit in die Lebenswelten verschiedener Menschen und zeigt uns, dass uns alle ein gemeinsamer Wunsch verbindet: Wir möchten ein Zuhause in Freiheit und Frieden – frei von Krieg, Unsicherheit oder finanziellen Sorgen. Wir wünschen uns ein paar Quadratmeter, über die wir frei entscheiden können, und wir wollen Nachbarn, die uns freundschaftlich zur Seite stehen. Das Video erzählt von Menschen, die geflohen sind und davon, dass das *Zuhause* nicht nur Ruhe und Geborgenheit, sondern auch Sicherheit und Schutz bedeutet. Die Botschaft: Jeder Mensch hat das Recht auf ein sicheres Zuhause. Es wird Zeit, Grenzen zu überwinden, und zwar nicht nur die Grenzen zwischen den Ländern, sondern auch die Grenzen in unseren Köpfen.

Im Video geht es darum, dass …
1 ▢ die meisten Menschen ein sorgenfreies Leben führen.
2 ▢ alle Menschen ein sicheres Zuhause wollen.
3 ▢ niemand sich unfreundliche Nachbarn wünscht.
4 ▢ Grenzen Sicherheit bieten.

2 Alternative Wohn- und Lebensmodelle

2.1 Welches Wort passt? Ergänzen Sie.

Kommune – Bedürfnis – Mietvertrag – Nachbarschaft – Unabhängigkeit

Vor einem halben Jahr hatte ich das ________ [1] nach Veränderung. Da habe ich mir eine ________ [2] auf dem Land angesehen. Es hat mir gleich gefallen. Vor allem, weil ich das Gefühl hatte, dass dort alle Bewohnerinnen und Bewohner ihre ________ [3] behalten können. Alle können machen, was sie wollen. Deshalb habe ich sofort zugesagt und meinen neuen ________ [4] schon ein paar Tage später unterschrieben. Und ich muss sagen, dass ich die Stadt kaum vermisse. Das Leben hier ist einfach nicht so anonym. In der neuen ________ [5] kenne ich fast alle Menschen!

2.2 Uta und John wollen anders wohnen. Wer hat welche Wünsche? Hören und ergänzen Sie die Namen.

1 ________ würde gerne einen alten Bauernhof kaufen.
2 ________ ist es wichtig, finanziell unabhängig zu bleiben.
3 ________ würde es Spaß machen, auf einem Hausboot zu wohnen.
4 ________ wünscht sich einen Wohnort, der auch für Kinder praktisch ist.
5 ________ hat Bedenken, in einer Kommune zu wohnen.
6 ________ hat keine Lust, einen komplizierten Alltag zu haben.

2.3 Welche Vor- und Nachteile nennen Uta und John? Hören Sie noch einmal und notieren Sie.

	Vorteil	*Nachteil*
Bauernhof auf dem Land:	*+ Freiheit, zu tun, was man will* *+ Ruhe und frische Luft*	*– finanzielle Abhängigkeit* *–*
Hausboot:		
Groß-WG:		
Wohnmobil:		

3 Ich habe keine Lust, in einem spießigen Reihenhaus zu leben.

3.1 Schreiben Sie Sätze mit Infinitiv mit *zu*.

1 Ich lebe in einem Reihenhaus am Stadtrand. *(Es gefällt mir nicht so gut, ...)*
2 Ich kann in der Nachbarschaft nur zwischen wenigen kulturellen Angeboten auswählen. *(Ich finde es schade, ...)*
3 Jeden Tag fahre ich mit den öffentlichen Verkehrsmitteln zur Arbeit. *(Es stresst mich, ...)*
4 Ich möchte wie die meisten meiner Freunde im Stadtzentrum wohnen. *(Es wäre schön, ...)*
5 Ich suche mir eine kleine Wohnung im Stadtzentrum. *(Ich habe vor, ...)*
6 Dann verbringe ich mehr Zeit mit meinen Freunden. *(Ich habe die Hoffnung, ...)*

1 Es gefällt mir nicht so gut, in einem Reihenhaus am Stadtrand zu leben.

3.2 Wann benutzt man den Infinitiv mit *zu*? Lesen Sie die Sätze in 3.1 noch einmal und ergänzen Sie die Regeln und jeweils ein weiteres Beispiel.

Verben – Objekt – Adjektiv – ~~Nomen~~

Infinitiv mit *zu*

Der Infinitiv mit *zu* folgt oft nach:

– abstrakten *Nomen* + *haben* (oder + anderes Verb): *die Absicht haben, es macht Spaß,* ________

– *es* + Verb + ________ : *es freut mich, es gefällt mir,* ________

– *es ist / ich finde es* + ________ : *es ist praktisch, ich finde es schade,* ________

– ________ : *empfehlen, anfangen,* ________

3.3 Was drückt das Verb vor dem Infinitiv mit *zu* aus? Ordnen Sie die Verben den Kategorien zu und schreiben Sie pro Kategorie einen Satz. Der Grammatikanhang (B 2.2.1) hilft.

~~sich vorstellen~~ – ~~empfehlen~~ – vorschlagen – sich freuen – raten – anfangen – vorhaben – erlauben – hoffen – beginnen – verbieten – ~~vergessen~~ – aufhören – ~~versuchen~~ – ~~versprechen~~ – sich ärgern

Vorschläge	*Gedanken und Gefühle*	*Wünsche und Pläne*	*Anfang und Ende*	*Erlaubnis und Verbot*	*Sonstiges*
– *empfehlen*	– *sich vorstellen*	– *versuchen*	–	–	– *vergessen*
–	–	–	–	–	– *versprechen*
–	–	–	–		

3.4 Welche Sätze kann man auch mit Infinitiv mit *zu* schreiben? Kreuzen Sie an und schreiben Sie die Sätze.

1 ☒ Ich fand es blöd, dass ich wegen der hohen Miete umziehen musste.
2 ☐ Es ist nicht normal, dass man so viel Miete zahlt.
3 ☐ Ein Freund hat mir vorgeschlagen, dass ich eine 3-Zimmer-Wohnung am Stadtrand miete.
4 ☐ Zuerst hatte ich Angst, dass auch diese Wohnung für mich zu teuer wäre.
5 ☐ Meine gute Freundin Ana sagte aber, dass sie Interesse an einem der beiden Zimmer hätte.
6 ☐ Wir haben uns dann entschieden, dass wir demnächst zusammenziehen.

1 *Ich fand es blöd, wegen der hohen Miete umziehen zu müssen.*

3.5 Lesen Sie die Sätze in 3.4 noch einmal und ergänzen Sie den Grammatikkasten.

verschieden – Hauptsatz – identisch – ~~man~~ – Subjekte

Infinitiv mit *zu* und Nebensätze mit *dass*

Ein Infinitivsatz mit *zu* ist möglich, wenn ...

– die ____________ im Hauptsatz und *dass*-Satz identisch sind.

– das Objekt im Hauptsatz ____________ mit dem Subjekt im *dass*-Satz ist.

– das Subjekt im Hauptsatz *es* und das Subjekt im *dass*-Satz *man* ist.

Ein Infinitivsatz ist nicht möglich, wenn ...

– die Subjekte im Hauptsatz und Nebensatz ____________ sind.

– im ____________ ein Modalverb oder ein bestimmtes Verb wie z. B. *wissen, sagen* oder *antworten* steht.

3.6 Infinitivsatz mit *zu* oder Nebensatz mit *dass*? Verbinden Sie die Sätze. Benutzen Sie, wenn möglich, den Infinitiv mit *zu*.

1 Ich wohne jetzt in einer WG am Stadtrand. Das gefällt mir.
2 Zum Einkaufen muss ich in die Innenstadt fahren. Ich finde das etwas unpraktisch.
3 Ich lebe mit einer sehr guten Freundin zusammen. Ich habe wirklich Glück.
4 Meine Mitbewohnerin arbeitet jeden Tag sehr lange. Das ist schade.
5 Wir kochen und essen so oft wie möglich zusammen. Wir versuchen das.
6 Ich werde noch lange dort wohnen, wenn alles so bleibt und die Miete nicht steigt. Das weiß ich.

1 *Es gefällt mir, jetzt in einer WG am Stadtrand zu wohnen.*

4 Und wie leben Sie?

4.1 Und Sie? Machen Sie sich Notizen zu den folgenden Fragen.

- Was ist Ihnen beim Wohnen wichtig?
- Was gefällt Ihnen an Ihrer jetzigen Wohnsituation?
- Was stört Sie an Ihrer jetzigen Wohnsituation?
- Haben Sie vor, umzuziehen?
- Wo oder wie könnten Sie sich vorstellen, zu wohnen?

Das ist mir wichtig: Lage, Familie in der Nähe, Garten ...

4.2 Fragen und antworten Sie wie im Beispiel.

Ist es dir wichtig, dass deine Familie in der Nähe wohnt?

Nein, es ist mir vor allem wichtig, einen kurzen Arbeitsweg zu haben.

Beziehungen im digitalen Zeitalter

1 Digitale Kommunikation

1.1 Was passt? Lesen und ergänzen Sie.

Bekanntschaften – skeptisch – heutzutage – hilfreich – oberflächlich

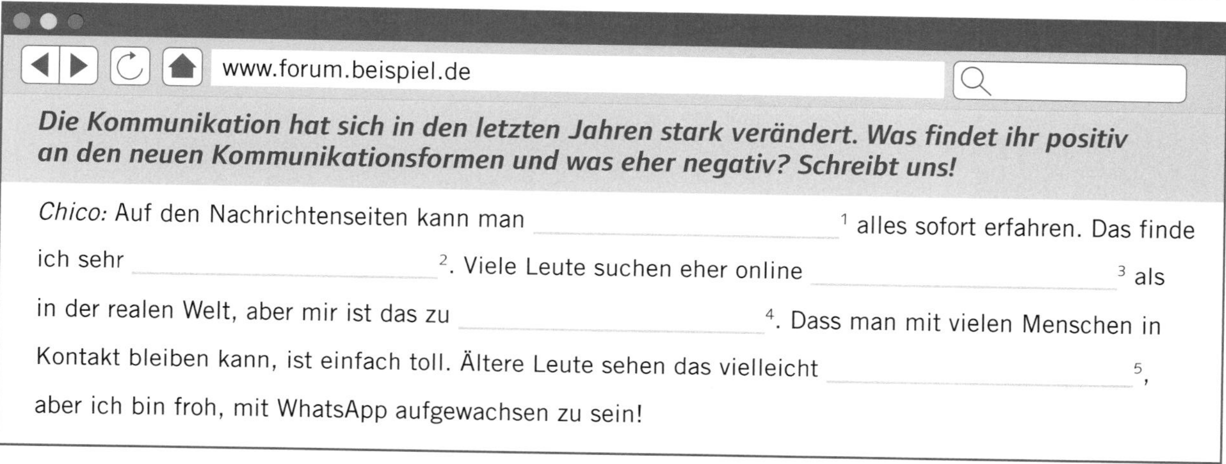

www.forum.beispiel.de

Die Kommunikation hat sich in den letzten Jahren stark verändert. Was findet ihr positiv an den neuen Kommunikationsformen und was eher negativ? Schreibt uns!

Chico: Auf den Nachrichtenseiten kann man ____________[1] alles sofort erfahren. Das finde ich sehr ____________[2]. Viele Leute suchen eher online ____________[3] als in der realen Welt, aber mir ist das zu ____________[4]. Dass man mit vielen Menschen in Kontakt bleiben kann, ist einfach toll. Ältere Leute sehen das vielleicht ____________[5], aber ich bin froh, mit WhatsApp aufgewachsen zu sein!

1.2 Und wie sehen Sie das? Schreiben Sie einen kurzen Kommentar.

1.3 Was bedeuten die Sätze? Verbinden Sie.

1 Ich bin froh, mit WhatsApp aufzuwachsen.
2 Ich war froh, mit WhatsApp aufzuwachsen.
3 Ich bin froh, mit WhatsApp aufgewachsen zu sein.

a Ich war froh, dass ich mit WhatsApp aufgewachsen bin.
b Ich bin froh, dass ich mit WhatsApp aufgewachsen bin.
c Ich bin froh, dass ich mit WhatsApp aufwachse.

1.4 Was ist falsch? Lesen Sie die Regeln und streichen Sie die falschen Informationen durch.

Infinitivsätze mit *zu* in der Gegenwart und Vergangenheit

Infinitivsatz in der Gegenwart
Die Handlungen im Hauptsatz und Infinitivsatz passieren *gleichzeitig / nicht gleichzeitig*.

Infinitivsatz in der Vergangenheit
Die Handlung im Infinitivsatz passiert *vor/nach* der Handlung im Hauptsatz.
Zu steht *zwischen/vor* dem Partizip II und *haben* oder *sein*.

1.5 **Infinitivsätze in der Gegenwart oder Vergangenheit? Lesen und ergänzen Sie. Der Grammatikanhang (B 2.1.2) hilft.**

zu schicken – verbracht zu haben – zu kommen – zu haben – zu suchen – zu sitzen – verloren zu haben – gesehen zu haben

Ich finde es so schade, den Kontakt zu meinem besten Schulfreund Manuel ________[1]. Ich habe das Gefühl, ihn erst gestern noch ________[2]. Es war immer sehr lustig, in der Klasse neben ihm ________[3]! Ich bin froh, so viele schöne Jahre mit ihm zusammen ________[4]. Ich habe meinem Mitbewohner von Manuel erzählt und er hat mir geraten, ihn über die sozialen Medien ________[5]. Es ist doch toll, heutzutage diese Möglichkeit ________[6]. Ich habe jetzt vor, ihm eine Nachricht ________[7] und hoffe, so mit ihm in Kontakt ________[8].

1.6 **Ergänzen Sie den Infinitiv in der Vergangenheit.**

1 Ich erinnere mich gar nicht daran, meine letzten Urlaubsfotos *geteilt zu haben* (*teilen*).
2 Ich bin mir sicher, diese E-Mail schon ________ (*abschicken*).
3 Ich bin sehr froh, auf der Dating-Seite ________ (*sein*).
4 Es war gut, mich damals bei der App ________ (*anmelden*).
5 Es tut mir leid, diesen eher unhöflichen Text ________ (*twittern*).
6 Ich finde es großartig, meine Freunde in Kontakt ________ (*bringen*).

1.7 **Umgang mit dem Smartphone. Formulieren Sie die *dass*-Sätze, wenn möglich, in Infinitivsätze in der Gegenwart oder Vergangenheit um.**

Mir ist es wichtig, dass ich heutzutage überall und jederzeit ins Internet gehen kann. Früher fand ich es stressig, dass ich immer erreichbar war. Aber mittlerweile habe ich gelernt, dass meine Zeit mir gehört. Ich freue mich darüber, dass ich mich mithilfe der digitalen Medien so gut vernetzt habe. Aber ich bin natürlich auch froh, dass ich bisher immer noch genug Zeit zum Entspannen gefunden habe.

Mir ist es wichtig, heutzutage überall und jederzeit ins Internet gehen zu können.

2 Strategietraining: eine Diskussion führen

1.08 **2.1** **Ein Smartphone für Leo. Was ist richtig? Hören Sie die Diskussion und kreuzen Sie an.**

1 ▢ Philipp ist für ein Smartphone, Vera dagegen. Sie finden keine Lösung.
2 ▢ Vera ist für ein Smartphone, Philipp dagegen. Sie finden eine Lösung.
3 ▢ Philipp ist für ein Smartphone, Vera dagegen. Sie finden eine Lösung.

1.08 **2.2** **Richtig oder falsch? Hören Sie die Diskussion noch einmal und kreuzen Sie an.**

		richtig	falsch
1	Vera befürchtet, dass Leo das Smartphone verlieren könnte.	▢	▢
2	Philipp glaubt, dass Leo mit einem Handy lernen kann, verantwortungsbewusster zu sein.	▢	▢
3	Philipp findet, dass das Smartphone Leo bei den Hausaufgaben unterstützen kann.	▢	▢
4	Vera befürchtet, dass Leo durch ein Smartphone unsozialer wird.	▢	▢
5	Vera hält nichts davon, dass Kinder so viel Zeit mit ihrem Handy verbringen.	▢	▢
6	Philipp schlägt vor, ihm ein altes Smartphone zu schenken.	▢	▢

2.3 Eine Diskussion führen. Welche Redemittel drücken etwas Ähnliches aus? Verbinden Sie.

1 Ich finde es problematisch, wenn …
2 Meiner Meinung nach …
3 Zum einen … , zum anderen …
4 Ein weiteres Argument dafür/dagegen ist …
5 Teilweise hast du / haben Sie recht, aber …
6 Da muss ich widersprechen.

a Ich bin der Ansicht, dass …
b Dafür/Dagegen spricht, dass ...
c Ich verstehe deine/Ihre Position, aber …
d Das sehe ich ganz anders.
e Ich halte nichts davon, … zu …
f Einerseits … , andererseits …

2.4 Was finden Sie beim Diskutieren wichtig? Sehen Sie das Strategievideo noch einmal und ergänzen Sie.

Formulierungen – begründen – sortieren – Gegenargumente – Rückfragen – notieren

eine Diskussion führen

- Für eine gute Argumentation ist es wichtig, die eigene Meinung zu ______________.
- Man sollte die Argumente vorher nicht nur sammeln, sondern auch ______________.
- Es ist auch wichtig, sich die ______________ der Gesprächspartner zu überlegen.
- Alle Argumente und Gegenargumente sollte man vorher ______________.
- Hilfreich beim Diskutieren sind feste ______________.
- Falls man etwas nicht versteht, kann man immer ______________ stellen.

2.5 Und wie ist Ihre Meinung? Wem stimmen Sie zu: Vera oder Philipp? Würden Sie Leo ein Smartphone kaufen? Schreiben Sie einen kurzen Text. Verwenden Sie dabei die Redemittel aus 2.3.

Miteinander arbeiten

1 Probleme am Arbeitsplatz und an der Universität

1.1 Wie heißen die Nomen? Suchen Sie in der Wortschlange und markieren Sie sie.

HAIBETRIEBSRATOMSEMINARZARKOMMILITONEIKALUELTERNZEITPISOGEHALTSUNTERSCHIEDOLIVORLESUNGNIE

1.2 Welche Definition passt? Ergänzen Sie die Definitionen mit den Nomen aus 1.1.

1 Der ______________ ist eine gewählte Gruppe von Angestellten eines Unternehmens, die sich für die Rechte aller Angestellten einsetzt.

2 Die ______________ ist eine Auszeit vom Berufsleben für Eltern, die ihre Kinder selbst betreuen und erziehen.

3 Der ______________ bezeichnet die Situation, in der sich der Lohn von zwei oder mehr Personen unterscheidet.

4 Der ______________ ist ein Studienkollege, der dasselbe studiert.

5 Die ______________ ist eine Unterrichtsform an der Universität, bei der eine Dozentin oder ein Dozent Vorträge hält.

6 Das ______________ ist eine Veranstaltung, bei der Studierende wissenschaftliche Methoden nicht nur theoretisch lernen, sondern auch praktisch anwenden.

1.3 Welche Überschrift passt? Lesen Sie den Artikel und ordnen Sie die Überschriften zu.

Keine echte Elternzeit – Familienfreundliche Betriebe suchen – Alte Rollenbilder

Leben mit kleinen Kindern 04/19

Elternzeit für den Vater

„Ich wollte wirklich gern in Elternzeit gehen, als Mara vor zwei Jahren geboren wurde", erzählt Amadou Keller, 38 Jahre alt und IT-Manager eines internationalen Unternehmens. 50 bis 70 Arbeitsstunden pro Woche waren normal für ihn und auch am Wochenende hat er gearbeitet.
Als er seinen Chef über die zukünftige Geburt informierte, war dieser nicht gerade begeistert von seinem Wunsch nach Elternzeit. „Er gab mir sein Okay, aber gleichzeitig gab er mir eine lange Liste mit Projekten, für die ich die Verantwortung übernehmen sollte. Er wollte, dass ich für Notfälle immer erreichbar bin." Amadou Keller entschied sich also gegen die Elternzeit. „Ich hätte genauso viel gearbeitet, aber auf einen Großteil meines Gehalts verzichtet."

Es gibt weitere Gründe, warum Männer ihr Recht auf Elternzeit nicht wahrnehmen. In manchen Fällen erklären die Arbeitgeber, dass der Zeitpunkt nicht geeignet ist. Und bitten die Angestellten darum, die Elternzeit etwas später zu nehmen. Ein geeigneter Zeitpunkt findet sich dann aber nie. Außerdem gilt in vielen Betrieben noch ein traditionelles Männerbild. Dort werden Männer, die Elternzeit nehmen wollen, als schwach und nicht männlich angesehen. Was dem Arbeitgeber oft nicht klar ist: Männer, die in Elternzeit waren, kommen meist gestärkt und mit mehr sozialer Kompetenz zurück. Davon können die Firmen profitieren.

Amadou Keller hat etwas daraus gelernt: Vor einem Jahr hat er eine neue Arbeitsstelle gefunden. Er ist zufrieden mit seiner Entscheidung. Er verdient jetzt zwar weniger als vorher, aber für ihn war es wichtiger, rechtzeitig Feierabend zu machen und am Wochenende Zeit für Familie und Freunde zu haben. „Schon gleich beim Vorstellungsgespräch habe ich mich danach erkundigt, wie es in dieser Firma mit der Elternzeit aussieht. Ich wollte sicher sein, dass sie offen für das Thema sind", berichtet er. Es hat funktioniert: Er wird sechs Monate frei nehmen, wenn sein zweites Kind Nele acht Monate alt ist. Und darauf freut er sich. Einen Tipp hat er noch: „Falls der Arbeitgeber Probleme bei der Elternzeit macht, sollte man unbedingt mit dem Betriebsrat der Firma sprechen. Nach dem Gesetz haben alle Angestellten ein Recht auf Elternzeit."

1.4 Was ist richtig? Lesen Sie noch einmal und kreuzen Sie an.

1 ◯ Herr Keller ist nicht in Elternzeit gegangen, weil er für die Arbeit erreichbar sein wollte.
2 ◯ Die Elternzeit wird manchmal so oft verschoben, dass sie nicht mehr realisiert wird.
3 ◯ Arbeitgeber akzeptieren die Elternzeit oft nur, wenn sie Vorteile für ihre Firma bringt.
4 ◯ Herr Keller gibt Männern den Ratschlag, sich Hilfe in der eigenen Firma zu suchen.

1.5 Sprachmittlung: Gibt es Elternzeit in Ihrem Heimatland? Wie heißt der Begriff „Elternzeit" in Ihrer Muttersprache? Übersetzen Sie ins Deutsche und vergleichen Sie.

1.6 Markieren Sie im Text aus 1.3 alle Verben, Adjektive und Nomen mit einer Präposition. Machen Sie eine Liste in Ihrem Heft und ergänzen Sie im Grammatikkasten weitere Beispiele.

- *informieren über*
- *begeistert von*

Nomen und Adjektive mit Präpositionen

mit Akkusativ: *offen für,* ____________________

mit Dativ: *begeistert von,* ____________________

1.7 Welche Präposition passt? Wie ist der Kasus? Ergänzen Sie.

Unzufrieden mit der beruflichen Situation?

Sind Sie enttäuscht *von* d*en* [1] Gehaltsunterschieden in Ihrer Abteilung? Sind Sie nicht zufrieden ______ d______ [2] Teamarbeit? Haben Kollegen und Kolleginnen wenig Interesse ______ Ihr______ [3] Arbeit? Oder haben Sie sogar den Wunsch ______ beruflich______ [4] Neuorientierung? Jeder Mensch kann Schwierigkeiten am Arbeitsplatz haben. Dafür müssen Sie nur die Angst ______ [5] Konflikten oder Veränderungen verlieren. Wenn Sie offen ______ [6] Neues sind und Verantwortung ______ ein glücklich______ [7] Berufsleben übernehmen wollen, möchte ich Sie zur Teilnahme ______ mein______ individuell______ [8] Coachings einladen. Mein Wunsch ist es, dass Sie wieder Lust ______ Ihr______ beruflich______ [9] Zukunft bekommen.

Kontakt: Hedwig Schönhausen glücklicharbeiten@beispiel.net

2 Ich habe Angst davor, dass man mir kündigt.

2.1 Wiederholung: Fragewörter und Präpositionaladverbien. Lesen Sie die Dialoge und ergänzen Sie.

1 Bist du zufrieden mit den Aufgaben bei deiner neuen Arbeitsstelle?
Ja, *damit* bin ich zufrieden. Aber es gibt ein paar Leute, über die ich mich manchmal ziemlich ärgere.
Echt? *Über wen* ärgerst du dich denn?
Zum Beispiel über meine Chefin.

2 Nimmst du morgen auch an der Teambesprechung teil?
Oh, sorry, ich habe gerade nicht zugehört, ______ soll ich teilnehmen?
An der Teambesprechung. Das Thema ist – glaube ich – Mobiles Arbeiten.
Ah, ja stimmt! Klar, ______ würde ich sehr gern teilnehmen.

3 Ich möchte mich über die Elternzeit informieren. Weißt du, ______ ich darüber sprechen kann?
Ja, du kannst mit Herrn Kiparski vom Betriebsrat sprechen.
Ah, okay. Hast du schon einmal mit ihm ______ gesprochen?
Ja, keine Angst. Ich habe auch ______ über meine Elternzeit gesprochen. Er ist sehr freundlich und kann dir sicher helfen.

2.2 Was passt zusammen? Verbinden Sie.

1 Ich freue mich darauf,
2 Ich freue mich
3 Ich danke dir dafür,
4 Ich danke dir

a für deine große Hilfe bei der Bewerbung.
b dass du mir so gut bei der Bewerbung geholfen hast.
c mein neues Projekt nächste Woche anzufangen.
d auf mein neues Projekt nächste Woche.

2.3 Lesen Sie die Sätze in 2.2 noch einmal und streichen Sie die falschen Informationen durch.

Nebensätze und Infinitivsätze nach Präpositionaladverbien
Das Präpositionaladverb (*dafür, darauf*) leitet einen Nebensatz oder *Hauptsatz/Infinitivsatz* ein.
Es steht normalerweise am *Satzende/Satzanfang* bzw. vor *dem Verb / der Präposition* am Satzende.

2.4 Präposition oder Präpositionaladverb? Was passt? Ergänzen Sie. Der Grammatikanhang (A 4.2) hilft.

1 Viele Artikel berichten *darüber*, dass Männer und Frauen immer noch unterschiedlich verdienen.

2 Alle Angestellten können sich beim Betriebsrat ______ die Elternzeit informieren.

3 Beide Elternteile haben ein Recht ______, Elternzeit für die Kinder zu nehmen.

4 Der Studentenrat kümmert sich ______, dass die Rechte der Studierenden beachtet werden.

5 Viele Studierende übernehmen die Verantwortung ______ die Finanzierung ihres Studiums.

6 Die Teilnahme ______ den Seminaren ist für viele Studierende verpflichtend.

2.5 Und Sie? Beantworten Sie die Fragen in Ihrem Heft.

1 Wofür sind Sie bei der Arbeit / in Ihrem Studium verantwortlich?
2 Worüber ärgern Sie sich bei Ihren Kolleginnen und Kollegen / Mitstudierenden?
3 Wovon sind Sie begeistert in Ihrem Beruf / Studium?
4 Womit sind Sie in Ihrer aktuellen Situation unzufrieden?
5 Worauf hätten Sie beruflich noch Lust?

1 Bei meiner Arbeit bin ich für die Organisation der Veranstaltungen verantwortlich. / Ich bin verantwortlich dafür, die Veranstaltungen zu organisieren.

3 An deiner Stelle würde ich ...

3.1 Was raten Sie? Lesen Sie und schreiben Sie Ratschläge in Ihr Heft. Benutzen Sie die Satzanfänge.

1 Ich weiß nicht, wo ich ein Stipendium bekommen kann. – An deiner Stelle ...
2 Ich bin mir unsicher, ob ich Elternzeit beantragen kann. – Wenn ich du wäre, ...
3 Ich möchte mich beruflich neu orientieren. – Wie wäre es, wenn ...
4 Ich muss jeden Tag Überstunden machen. – Ich kann dir nur raten, ...
5 Meine Kollegen verdienen mehr als ich. – Ich würde dir vorschlagen, ...

1.09 **3.2** Phonetik: Ratschläge flüssig sprechen. Hören Sie und antworten Sie flüssig mit Ihren Ratschlägen aus 3.1.

4 Ihre Freunde brauchen Ihren Rat.

4.1 Welche Tipps können Sie geben? Lesen Sie die WhatsApp-Nachrichten und beantworten Sie jede Nachricht mit einem Ratschlag.

1 Hallo du, der Geburtstermin rückt immer näher und ich habe von meinem Chef immer noch keine Antwort bekommen, was die Elternzeit betrifft. Dabei habe ich schon zweimal mit ihm darüber gesprochen. Hast du einen Tipp für mich? LG Erik.

2 ... ich bin so wütend. Gerade hat mein neuer Arbeitskollege mir erzählt, was er verdient: brutto fast ein Fünftel mehr!! Seit fast drei Jahren bin ich schon hier und habe niemals eine Gehaltserhöhung bekommen! ☹ Was soll ich denn machen? Deine Hanna.

3 Hey, wie geht es dir? Ich habe heute meinen neuen Arbeitsvertrag bekommen. Aber er ist schon wieder für ein Jahr befristet! Das ist nun schon der dritte Vertrag! Das geht doch nicht. Ich habe nicht das Gefühl, dass meine Chefin meine Arbeit gut findet. Was soll ich denn jetzt machen? Verzweifelte Grüße von Joe.

1 Hallo Erik, wenn ich du wäre, würde ich unbedingt ...

Mehrere Generationen unter einem Dach

1 Das Zusammenleben mit älteren Menschen

1.1 Welches Foto passt? Lesen Sie und kreuzen Sie an.

Willkommen bei „Wohntraum“!

Unser Co-Housing-Projekt „Wohntraum“ wurde 2011 auf einem Landgut in Herbstdorf gegründet. Es ist ein besonderes Projekt, da wir – anders als in einer WG oder einer Kommune – zwar als Gemeinschaft zusammenleben, aber immer noch unsere eigenen Privatwohnungen haben. Wir leben in einer Gemeinschaft von aktuell 54 Menschen zwischen 0 und 76 Jahren: Wir sind 10 Kinder, 11 Jugendliche und 33 Erwachsene. Unser Wunsch ist es, so wenig wie möglich zu konsumieren, um so der Umwelt weniger zu schaden. In den Gemeinschaftsräumen stehen die Haushaltsgeräte wie Waschmaschine oder Kühlschrank, die wir gemeinsam nutzen. Und in unserem Gemeinschaftsgarten bauen wir Gemüse an. Zusammenarbeit und gegenseitige Unterstützung bei Alltäglichem ist uns sehr wichtig. Aber auch der generationenübergreifende Aspekt spielt eine große Rolle. Jung und Alt wollen in diesem Projekt voneinander lernen und eine neue Form des Zusammenlebens entwickeln. Da wir uns alle bereits in der Planungsphase kennenlernten, konnten wir unsere eigenen Vorschläge und Wünsche einbringen und unseren „Wohntraum“ so gestalten, wie wir wollten. Sind Sie neugierig darauf, wer wir sind? Kommen Sie einfach vorbei!
Wir freuen uns auf Sie!

1.2 Was ist falsch? Lesen Sie noch einmal und kreuzen Sie an.

Alle Bewohnerinnen und Bewohner …

1 ☐ nutzen die Gemeinschaftsräume.
2 ☐ leben umweltbewusst.
3 ☐ teilen ihre Wohnräume.
4 ☐ konnten das Projekt mitgestalten.

2 Das Leben in einem Co-Housing-Projekt

2.1 Welche Vor- und Nachteile nennen die Bewohnerinnen und Bewohner von „Wohntraum“? Lesen Sie die Aussagen und machen Sie Notizen.

Pablo: „Ich mag das Gemeinschaftsgefühl. Zu fünft spontan kochen und dann noch spontaner mit 20 Leuten essen – bei uns ist das ein ganz normaler Abend."

Kurt: „Das Leben hier ermöglicht mir mehr Kontakt zu anderen Menschen. Ich mag es sehr, auf die Kinder aufzupassen."

Jakob: „Herbstdorf liegt sehr abgelegen: Mir gefällt die Ruhe sehr, aber leider braucht man mindestens eine Stunde bis zur nächsten Stadt."

Ezra: „Alle profitieren voneinander, egal ob von Wissen, Zeit oder Lebenserfahrung. Obwohl es manchmal schwierig ist, gemeinsam Entscheidungen zu treffen, versuchen wir immer, auf die Bedürfnisse aller einzugehen."

Meike: „Nicht mehr abhängig von der Kita zu sein und meine Kinder in besten Händen zu wissen – das ist für mich Luxus!"

Leni: „Einen gemeinsamen Wohnort zu haben, ist wunderschön, aber bedeutet auch sehr viel Arbeit. Zum Glück können wir unser Gelände so gestalten, dass es uns allen gefällt."

2.2 Können Sie sich vorstellen, in einem Co-Housing-Projekt zu wohnen? Warum (nicht)? Schreiben Sie einen kurzen Text. Ihre Notizen aus 2.1 helfen.

Mensch und Maschine

1 Digitale Technik. Was passt? Ergänzen Sie.

Tablet – Nachricht – Spracherkennung – Navigations-App – Online-Wörterbuch

Ich telefoniere selten. Wenn irgendetwas ist, schreibe ich meinen Freunden eine _______________ [1].

Ich benutze sehr häufig die _______________ [2]. *So kann ich schnell Textnachrichten verschicken, ohne etwas zu tippen!*

Ohne meine _______________ [3] *würde ich in der Großstadt den Weg nicht finden, vor allem beim Autofahren.*

Ich bin beruflich viel unterwegs und habe immer mein _______________ [4] *zum Arbeiten dabei.*

Wenn ich ein deutsches Wort nicht weiß, benutze ich immer ein _______________ [5].

2 Wie Digitalisierung die Gesellschaft verändert

1.10 **2.1** Wie findet Moritz Freudhagen die Digitalisierung? Hören Sie und kreuzen Sie an.

Für Moritz Freudhagen ist die Digitalisierung eher ◯ positiv ◯ negativ.

1.10 **2.2** Was ist richtig? Hören Sie noch einmal und kreuzen Sie an.

1 ◯ Moritz meint, dass die Digitalisierung es den Menschen ermöglicht, sich öfter zu verabreden.
2 ◯ Er denkt, dass es mehr persönlichen Austausch zwischen Menschen gibt als früher.
3 ◯ Moritz nutzt soziale Netzwerke. Er ist zum Beispiel bei Twitter angemeldet.
4 ◯ Moritz merkt, dass die zunehmende Digitalisierung zu Einsamkeit führt.
5 ◯ Die Digitalisierung hat Berufsleben und Alltag von Moritz leichter gemacht.
6 ◯ Er findet, dass man aufmerksam mit den digitalen Medien umgehen soll.
7 ◯ Moritz hat Angst, dass seine persönlichen Informationen nicht ausreichend geschützt werden.

1.10 **2.3** Welche Wörter haben Ihnen bei der Lösung geholfen? Hören Sie noch einmal und unterstreichen Sie die Schlüsselwörter in 2.2. Welche Wörter benutzt Moritz? Notieren Sie Synonyme zu den Schlüsselwörtern.

1 sich verabreden = treffen
2 ...

2.4 Strategietraining: Detailinformationen mithilfe von Schlüsselwörtern verstehen. Beantworten Sie die Fragen und ergänzen Sie den Strategiekasten.

- Was sind Schlüsselwörter?
- Wie helfen sie beim Hören?

Detailinformationen mithilfe von Schlüsselwörtern verstehen

____

____

3 Und was denken Sie? Lesen Sie die Aussagen und schreiben Sie Ihre Meinung dazu.

Persönliche Daten sollten im Internet besser geschützt werden.

Leute dürfen ruhig alles von mir wissen. Ich habe keine Geheimnisse.

Zukunftswünsche

1 Was ist wichtig im Leben? Was ist den Deutschen wichtig? Sehen Sie sich die Grafik an und formulieren Sie Sätze.

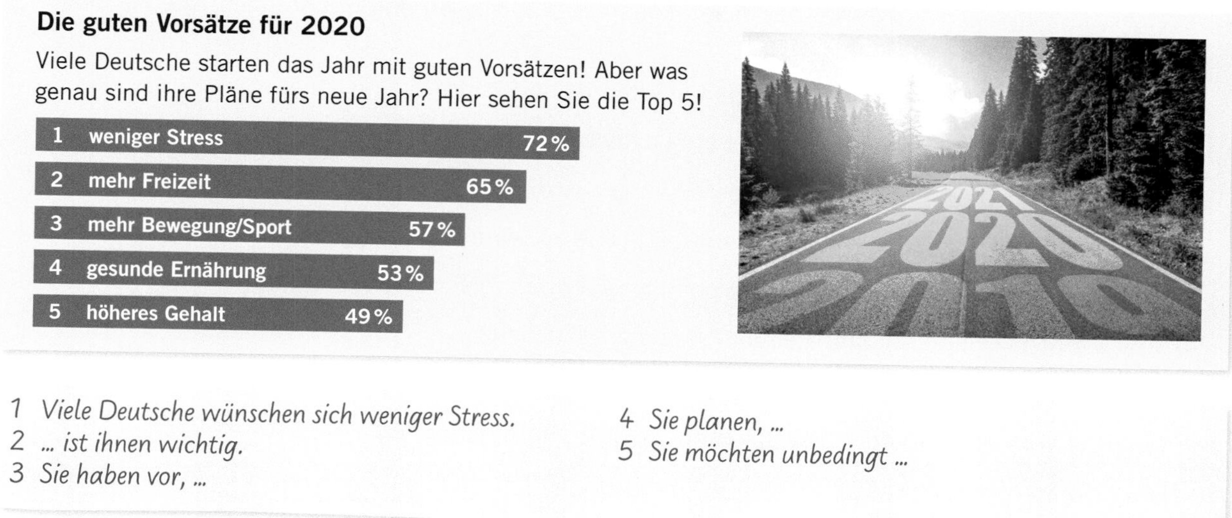

Die guten Vorsätze für 2020
Viele Deutsche starten das Jahr mit guten Vorsätzen! Aber was genau sind ihre Pläne fürs neue Jahr? Hier sehen Sie die Top 5!
1 weniger Stress 72 %
2 mehr Freizeit 65 %
3 mehr Bewegung/Sport 57 %
4 gesunde Ernährung 53 %
5 höheres Gehalt 49 %
2021
2020
2010

1 Viele Deutsche wünschen sich weniger Stress.
2 ... ist ihnen wichtig.
3 Sie haben vor, ...
4 Sie planen, ...
5 Sie möchten unbedingt ...

2 Und Sie? Was ist Ihnen wichtig im Leben? Haben Sie Vorsätze für das neue Jahr? Schreiben Sie einen kurzen Text und beantworten Sie folgende Fragen.

- Was wollen Sie im nächsten Jahr auf jeden Fall erreichen? Warum?
- Was müssen Sie tun, um Ihre Ziele zu erreichen?

Unter Freunden

1 Freundschaften

1.1 Was passt zusammen? Verbinden Sie.

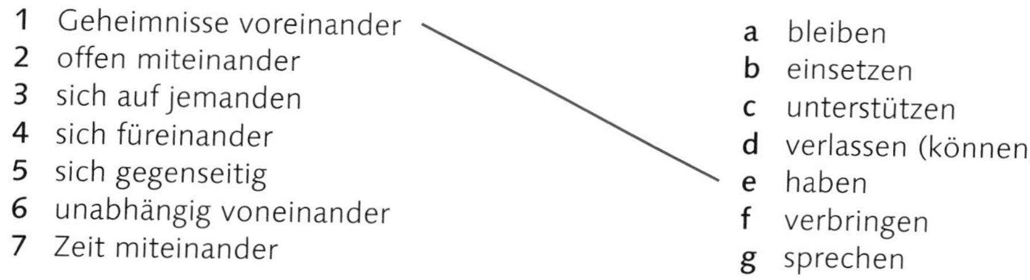

1 Geheimnisse voreinander
2 offen miteinander
3 sich auf jemanden
4 sich füreinander
5 sich gegenseitig
6 unabhängig voneinander
7 Zeit miteinander
a bleiben
b einsetzen
c unterstützen
d verlassen (können)
e haben
f verbringen
g sprechen

1.2 Was bedeutet eine gute Freundschaft für Sie? Schreiben Sie einen Text. Verwenden Sie die Begriffe aus 1.1.

2 Ratschläge in Sachen Freundschaft

2.1 Welches Problem hat Markus? Hören Sie die Sprachnachricht und machen Sie Notizen.

2.2 Welchen Ratschlag würden Sie Markus geben? Machen Sie Notizen und sprechen Sie Ihren Ratschlag als Sprachnachricht auf Ihr Handy.

2.3 Arbeiten Sie zu zweit. Hören Sie die Sprachnachricht von Ihrer Partnerin / Ihrem Partner und vergleichen Sie Ihre Ratschläge.

Prüfungstraining

GI **1 Lesen Teil 1**

Sie lesen in einem Forum, wie Menschen über ihre Wohnsituation und Wohnform denken.

Welche der Aussagen 1–10 trifft auf die Personen a–d zu? Lesen und notieren Sie. Die Personen können mehrmals gewählt werden.

1 [a] Wer findet, dass die Mieten in den Städten zu hoch sind?
2 [ ] Wer könnte beim Wohnen nicht auf Luxus verzichten?
3 [ ] Wer denkt, dass Wohnen oft überbewertet wird?
4 [ ] Wer kann sich nicht vorstellen, auf dem Land zu wohnen?
5 [ ] Wer hat zwar eine bezahlbare Wohnung, aber dennoch hohe Wohnkosten?
6 [ ] Wer hat keine Lust, lange einen Parkplatz zu suchen?
7 [ ] Wer interessiert sich für alternative Wohnformen?
8 [ ] Für wen sind sowohl Umweltschutz als auch bezahlbare Energiekosten wichtig?
9 [ ] Für wen ist eine ruhige Wohnumgebung wichtig?
10 [ ] Wer macht sich Sorgen um die Zukunft?

Wie wir wohnen …

a Holger

Eigentlich war ich immer ein Stadtmensch. Da die Mieten für Wohnraum in den Städten immer mehr steigen und gutes Wohnen bald unbezahlbar wird, haben meine Frau und ich uns entschieden, die Stadt zu verlassen. Seit einem halben Jahr leben wir auf dem Land, in einem kleinen Dorf. Und ich muss sagen, wir bereuen unsere Entscheidung nicht. Natürlich müssen wir öfter das Auto benutzen als früher, aber im Gegensatz zu unserer Wohnung in der Stadt gibt es jetzt keine Parkplatzprobleme mehr, wir sind nicht ständig auf Parkplatzsuche. Und das ist natürlich eine Erleichterung. Die Hektik in der Stadt stört mich zwar eigentlich nicht, aber trotzdem liebe ich die Ruhe auf dem Land. Es ist schon angenehm, in der Natur zu leben. Ich finde, Wohnen auf dem Land kann durchaus eine Alternative zu den hohen Mietkosten in den Städten sein.

b Julia

Ich brauche Leben, kulturelle Angebote, kurze Wege zur Arbeit. Auf dem Land zu leben, wäre nichts für mich. Für mich ist es wichtig, in der Stadt zu wohnen, im Zentrum. Was mir in unserem Haus vor allem gefällt, ist der gute Kontakt zu den Nachbarn. Bei uns gibt es einen großen Hof, im Sommer grillen wir oft oder sitzen zusammen und plaudern. Vor kurzem wurde unser Haus saniert, es wurde außen komplett isoliert und wir bekamen neue Fenster und Türen. All das hat zu einer höheren Miete geführt. Dagegen steht aber, dass die Kosten für Strom und Gas gesunken sind. Und Umbaumaßnahmen, die die Wohnung ökologischer machen und bei denen man auch noch Geld spart, finde ich sehr sinnvoll. Dafür zahle ich dann auch gern etwas mehr. Sparen kann man ja bei den Möbeln und der Einrichtung. Man muss nicht immer das Teuerste anschaffen.

c Katja

Ich habe eine relativ günstige Wohnung. Trotzdem gebe ich das meiste Geld für Wohnen aus. Und das finde ich in Ordnung. Wenn ich den ganzen Tag bei der Arbeit war, brauche ich in meiner freien Zeit eine schöne Umgebung, in der ich mich wohl fühle. Und dazu gehören schöne, bequeme Möbel und schöne Farben. Ich war sogar bei einer Einrichtungsberaterin, die mir Tipps gegeben hat, wie ich meine Zimmer schön gestalten kann. Super ist auch, dass die Wohnung am Stadtrand liegt, es gibt hier kaum Verkehr. Da ich eine sehr stressige Arbeit habe, sind in meiner Freizeit Erholung und Ruhe für mich sehr wichtig. Deswegen bin ich auch an den Stadtrand gezogen. Das Leben hier ist wirklich eine Alternative zum hektischen Stadtleben.

d Ricardo

Ich werde bald 65 und möchte mich über Wohnprojekte im Alter informieren oder über Mehrgenerationenhäuser. Denn am wichtigsten ist für mich der Kontakt zu den Mitmenschen im Haus. Und im Alter alleine zu sein, das macht mir Angst. Wohnen war für mich nie so wichtig, aber jetzt im Alter wird sich das für mich ändern. Nach wie vor bin ich aber der Meinung, dass in Deutschland Wohnen eine zu große Rolle spielt. Es gibt so viele Zeitschriften mit Einrichtungstipps, immer soll man neue teure Möbel kaufen, auf die neuesten Einrichtungstrends achten. Etwas Luxus brauche auch ich, aber man muss es ja nicht übertreiben. Vielleicht wird in Deutschland für Wohnen so viel Geld ausgegeben, weil aufgrund des schlechten Wetters die Leute hier sehr viel zu Hause sind. In meiner alten Heimat, Spanien, war Wohnen natürlich auch wichtig, aber man traf sich nicht so oft in der Wohnung, sondern draußen, auf der Straße, in Cafés.

Tipp: Lesen Sie die Fragen oder Aussagen und markieren Sie Schlüsselwörter, die den Kern der Aussage ausdrücken. Überfliegen Sie dann die Beiträge und suchen Sie in den Beiträgen nach ähnlichen Begriffen. Das können Synonyme oder auch Umformulierungen sein. Stellen Sie sich jetzt die Frage: Welche Aussage könnte zu welchem Beitrag passen? Prüfen Sie Ihre Vermutung, indem Sie jetzt detailliert lesen. Achten Sie darauf, dass mehrere Aussagen zu einer Person passen können.

GI **2 Sprechen Teil 2**

Smartphones im Unterricht – ja oder nein? Diskutieren Sie zu zweit. Nennen Sie Ihre Argumente, reagieren Sie auf die Argumente Ihrer Partnerin / Ihres Partners und fassen Sie am Ende zusammen: Sind Sie dafür oder dagegen? Die Stichpunkte helfen.

- Smartphones sind beim Lernen hilfreich / nicht hilfreich?
- Die Interaktion im Unterricht verbessert/verschlechtert sich?
- Lernende ohne Smartphone sind im Unterricht ausgeschlossen?

Tipp: Vor der Prüfung haben Sie circa 5–10 Minuten Zeit, sich Notizen zu machen, welche Meinung Sie vertreten und warum. Notieren Sie nur Stichpunkte, da Sie in der Prüfung frei sprechen sollen. Auch beim Diskutieren können Sie sich stichpunktartige Notizen machen. So vergessen Sie nicht, was Sie sagen bzw. wie Sie auf die Argumente Ihrer Partnerin / Ihres Partners reagieren wollen.

GI **3 Schreiben Teil 1**

Schreiben Sie einen Forumsbeitrag (mindestens 150 Wörter) zu unterschiedlichen Wohnformen.

- Beschreiben Sie eine bestimmte Wohnform.
- Äußern Sie Ihre Meinung zu dieser Wohnform und begründen Sie sie.
- Nennen Sie andere Möglichkeiten des Wohnens.
- Nennen Sie Vorteile dieser Wohnformen.

Tipp: Machen Sie sich zuerst Notizen zu jedem der vier Punkte und gehen Sie dann beim Schreiben der Reihe nach auf jeden Punkt ein. Verbinden Sie die Sätze logisch miteinander und verwenden Sie dafür Konnektoren. Da bei der Bewertung darauf geachtet wird, wie genau Sie die Inhaltspunkte bearbeitet haben, wie gut Sie die Sätze und Abschnitte miteinander verknüpft haben und ob Ihr Text Grammatikfehler enthält, ist es wichtig, dass Sie Ihren Text nach dem Schreiben überprüfen und, wenn nötig, korrigieren.

3 Suchen und finden

Webcode: hikesa

Auf der Suche nach Informationen

1 Wissen auf Abruf

1.1 Welche Definition passt? Verbinden Sie.

1 die Suchmaschine
2 der Podcast
3 der Nutzer
4 der Suchbegriff
5 der Treffer
6 das Lexikon
7 die Quelle
8 der Fakt

a das Wort, das man in eine Suchmaschine eingibt
b eine Information, die bewiesen wurde
c eine Sendung, die man online anhören oder herunterladen kann
d ein Text, aus dem man in einer wissenschaftlichen Arbeit zitiert
e ein Programm, mit dem man online suchen und recherchieren kann
f das Ergebnis einer Online-Suche
g eine Person, die ein Programm benutzt
h ein Buch oder eine Webseite, wo man Informationen zu verschiedenen Begriffen findet

1.2 Welches Verb passt? Ergänzen Sie.

eingeben – hinterlassen – nominieren – recherchieren – weiterbilden – ~~zitieren~~

1 eine Quelle *zitieren*
2 im Internet Informationen ______
3 einen Film für einen Oscar ______
4 sich mit Blogs oder YouTube-Videos ______
5 seinen digitalen Fußabdruck ______
6 einen Begriff in eine Suchmaschine ______

1.3 Wo steht das im Text? Lesen Sie den Artikel im Kursbuch auf Seite 38 noch einmal und notieren Sie die Zeilen.

1 Die Suchergebnisse sind normalerweise nicht neutral. *Zeile 27–28*
2 Die Ergebnisse können sich auf verschiedenen Geräten voneinander unterscheiden. ______
3 Es ist manchmal schwierig zu erkennen, welche Informationen wirklich stimmen. ______
4 Heutzutage braucht man weniger Faktenwissen, sondern eher das Wissen, wie und wo man Informationen findet. ______
5 Experten werden seltener gebraucht, weil man sich online selbstständig weiterbilden kann. ______
6 Im Internet findet man z. B. Rezepte, Bewerbungstipps oder Reparaturanleitungen. ______

1.12 **1.4** Nutzen die Studierenden das Internet für die Uni oder den Alltag? Hören Sie die Umfrage und notieren Sie.

1

Emma
______

2

Johan
______

3

Bojana
______

1.5 Wer sagt was? Emma (E), Johan (J) oder Bojana (B)? Hören Sie noch einmal und kreuzen Sie an. Manchal passen mehrere Personen.

		E	J	B
1	Sie/Er sucht Kochrezepte im Internet.	▢	▢	▢
2	Sie/Er informiert sich gern in Bibliotheken.	▢	▢	▢
3	Sie/Er hört online Radio.	▢	▢	▢
4	Sie/Er ist skeptisch, ob die Informationen im Internet immer richtig sind.	▢	▢	▢
5	Sie/Er kritisiert, dass Suchmaschinen Informationen über die Nutzer sammeln.	▢	▢	▢

2 Es ist sehr praktisch, sich im Internet zu informieren.

2.1 Wo braucht man ein *es*? Ergänzen Sie *es* oder *X*, wenn man kein *es* braucht.

1 Ich konnte heute Nacht nicht schlafen, weil ____ sehr laut war.

2 Kanntest du das Wort *Informationsgigant*? Ich habe ____ heute zum ersten Mal gehört.

3 Ich benutze täglich eine Wetter-App. Dann weiß ich immer, ob ____ warm oder kalt wird.

4 Ob man einer Internetseite vertrauen kann, ist ____ nicht immer klar.

5 Heutzutage ist ____ fast unmöglich, keinen digitalen Fußabdruck zu hinterlassen.

6 Dass man oft Werbung bei der Internetsuche sieht, nervt ____ mich.

7 Ich bin sicher, dass ____ Alternativen zu Google gibt.

8 Wenn ich ____ eilig habe, benutze ich gern die Spracherkennung.

2.2 Wann muss das Wort *es* stehen? Welche Regel passt zu den Sätzen in 2.1? Lesen Sie die Sätze noch einmal, ergänzen Sie den Grammatikkasten und ordnen Sie die Sätze aus 2.1 den Regeln zu.

es bezieht sich auf einen Nebensatz – ~~es als Pronomen~~ – *es* als grammatisches Subjekt – *es* als grammatisches Objekt – *es* bezieht sich auf einen Infinitivsatz

Das Wort *es*

***es* muss stehen**

es als Pronomen	Dein Handy? Ich habe es gesehen. Es liegt im Regal.	▢
____	Es ist kalt. Hat es geschneit? *(Wetter)*	▢
	Es riecht nach Kaffee. / Es hat geklingelt. *(Sinneseindrücke)*	1
	Es gibt … / Es geht um … *(feste Wendungen)*	▢
____	Sie hat es eilig. / Er meint es ernst.	▢

***es* entfällt bei Umstellung des Satzes**

____

Es ist nicht sicher, ob die Information stimmt. Ob … stimmt, ist nicht sicher. *(indirekte Frage)* ▢

Es ist wichtig, dass du kritisch recherchierst. Dass du … recherchierst, ist wichtig. *(dass-Satz)* ▢

____

Heute ist es üblich, immer erreichbar zu sein. Immer … zu sein, ist heute üblich. ▢

2.3 Wie kann man es anders sagen? Stellen Sie die Sätze um und entscheiden Sie, ob *es* entfallen kann.

1 Ich sehe es sehr kritisch, dass viele Suchmaschinen Nutzerdaten speichern.
2 Ich finde es sehr gut, dass es so unterschiedliche Suchmaschinen gibt.
3 Dass man heute so schnellen Zugang zu Wissen hat, ist eine große Hilfe.
4 Ob man den Informationen auf Wikipedia vertrauen kann, ist nicht immer sicher.
5 Für viele Menschen ist es wichtig, immer das neueste Smartphone zu haben.

1 Dass viele Suchmaschinen Nutzerdaten speichern, sehe ich sehr kritisch.

2.4 Und Sie? Beantworten Sie die Fragen in Ihrem Heft und verwenden Sie *es*.

1 Wofür haben Sie das Internet heute schon benutzt?
2 Worum ging es bei Ihrer letzten Internetsuche?
3 Was nervt Sie bei der Internetrecherche?
4 Was ist Ihrer Meinung nach wichtig beim Recherchieren?
5 In welchen Situationen finden Sie es praktisch, Apps zu benutzen?

2.5 Arbeiten Sie zu zweit. Stellen Sie sich gegenseitig die Fragen aus 2.4 und antworten Sie.

3 Wikipedia – Wissen ist Macht

3.1 Wie funktioniert Wikipedia? Was passt? Lesen und ergänzen Sie.

Artikel – Autorin oder Autor – Online-Lexikon – prüfen – Quellen – sammeln – unabhängig – weiterbilden – zuzugreifen – Informationsmenge

Wikipedia [vɪki'peːdia] ist ein ____________[1], das am 15. Januar 2001 gegründet wurde. Das Ziel ist, Wissen gemeinschaftlich zu ____________[2] und es allen Nutzer*innen zu ermöglichen, frei und kostenlos auf Informationen ____________[3]. Auf diese Weise können sich Menschen auf der ganzen Welt selbstständig ____________[4].
Wikipedia arbeitet ____________[5] von den großen Internetunternehmen, da es sich komplett selbstständig finanziert. Alle Nutzer*innen können auch als ____________[6] für Wikipedia schreiben oder Artikel ändern. Bis zum 18. Jubiläum am 15. Januar 2019 wurden fast 50 Millionen ____________[7] in circa 300 Sprachen geschrieben: eine unglaubliche ____________[8]. Die Wikipedia-Autor*innen suchen sich selbst ihre Themen aus. Wenn sie andere ____________[9] benutzen, müssen sie sie selbstverständlich zitieren. Weil so viele Menschen bei Wikipedia mitschreiben, können sie gegenseitig ____________[10], ob alle Informationen in einem Artikel korrekt sind.

3.2 Sprachmittlung: Lesen Sie den Wikipedia-Artikel über Wikipedia in Ihrer Muttersprache. Machen Sie Notizen zu den Fragen.

– Wie viele Artikel gibt es auf Wikipedia in Ihrer Sprache?
– Welche Möglichkeiten gibt es, um die Qualität der Artikel zu sichern?
– Welche Kritik gibt es an Wikipedia?

3.3 Berichten Sie Ihrer Partnerin / Ihrem Partner auf Deutsch über Ihre Ergebnisse aus 3.2 und vergleichen Sie die Informationen.

Den Traumjob finden

1 Berufliche Ziele

1.1 Wie heißen die Komposita? Ergänzen Sie die Wörter mit Artikel.

1 *der* Arbeits*vertrag* – ______ Arbeits______
2 ______ ______prüfung – ______ ______prüfung
3 ______ Stellen______ – ______ Stellen______
4 ______ Studien______ – ______ Studien______

Abschluss – Angebot – Aufnahme – Anzeige – Fach – Richtung – ~~Vertrag~~ – Zeit

1.2 Welches Verb passt? Verbinden Sie.

1 die Studienrichtung
2 Erfahrungen
3 eine Prüfung
4 Verantwortung
5 sich an einer Uni
6 freiberuflich

a einschreiben
b arbeiten
c sammeln
d wechseln
e ablegen
f übernehmen

1.3 Was fragt die Redaktion? Lesen Sie das Interview und ergänzen Sie.

Was genau sind deine Aufgaben? – Was hast du in dieser Zeit gemacht? – War das schon immer dein Traumberuf? – Was gefällt dir an deiner Stelle?

Hier stellen wir euch jede Woche interessante Mitarbeiter/innen und ihre Berufe vor. Diesmal haben wir mit Klara Maller aus der Marketingabteilung gesprochen.

Redaktion: Klara, du arbeitest seit einem halben Jahr als Marketingmanagerin in unserem Unternehmen. ______

Klara Maller: Nein, eigentlich nicht. Nach der Schule habe ich erst mal ein Jahr Pause gemacht, weil ich nicht wusste, welche Studienrichtung die richtige für mich ist. Viele meiner Freunde haben sofort eine Ausbildung oder ein Studium begonnen, aber ich brauchte erstmal etwas Zeit, um mich entscheiden zu können.

Redaktion: ______

Klara Maller: Ich hatte verschiedene Nebenjobs und Praktika, zum Beispiel in einer Werbeagentur, aber auch bei sozialen Projekten. Das war sehr spannend und ich konnte viele Erfahrungen sammeln. Dabei habe ich gemerkt, dass ich gern plane und organisiere und mir Teamarbeit viel Spaß macht. Deshalb habe ich mich für ein Marketingstudium entschieden. Nachdem ich mein Studium abgeschlossen hatte, habe ich mich auf verschiedene Stellenangebote beworben und bin so schließlich hier im Unternehmen gelandet.

Redaktion: ______

Klara Maller: Als Marketingmanagerin arbeite ich eng mit Kolleginnen und Kollegen aus anderen Abteilungen zusammen. Ich plane die Werbung für neue Produkte und organisiere Veranstaltungen und Messen.

Redaktion: ______

Klara Maller: Die Dienstreisen machen mir großen Spaß. Und ich finde es toll, in so vielen verschiedenen Projekten zu arbeiten. Ich schätze auch die berufsbegleitenden Fortbildungen sehr, so kann ich mich selbst weiterbilden. Und ich finde es gut, dass wir uns die Arbeitszeit flexibel einteilen können. So bleibt genug Zeit für Freunde und Hobbys.

1.4 Lesen Sie das Interview in 1.3 noch einmal und beantworten Sie die Fragen in Ihrem Heft.

1 Warum hat Klara nach der Schule nicht sofort studiert oder eine Ausbildung begonnen?
2 Was hat sie während dieser Pause über sich selbst erfahren?
3 Was sagt Klara über ihre Arbeitszeiten und Aufgaben?

1.5 Wiederholung: Ziele und Absichten ausdrücken mit *um ... zu* und *damit*. Schreiben Sie Sätze mit *um ... zu* oder *damit* wie im Beispiel. Nicht immer geht beides. Der Grammatikanhang (B 2.1.3) hilft.

1 Wozu schreibt Timon dauernd Bewerbungen? → nicht mehr freiberuflich arbeiten müssen
2 Wozu muss Laila eine Prüfung ablegen? → einen Studienplatz an der Fachhochschule bekommen
3 Wozu macht Sergio einen Deutschkurs? → ein Auslandssemester in Wien machen können
4 Wozu nimmt Katja an so vielen Fortbildungen teil? → ihr Lebenslauf besser aussehen
5 Wozu hat Deniz eine eigene Webseite? → zukünftige Arbeitgeber sie leichter finden können

1 Timon schreibt dauernd Bewerbungen, um nicht mehr freiberuflich arbeiten zu müssen.
Timon schreibt dauernd Bewerbungen, damit er nicht mehr freiberuflich arbeiten muss.

1.6 Und Sie? Was haben Sie beruflich schon erreicht? Welche weiteren Ziele haben Sie? Was tun Sie dafür? Schreiben Sie einen kurzen Text in Ihr Heft.

2 Sich beruflich neu orientieren

2.1 Was bieten Bewerberinnen und Bewerber? Was bieten Unternehmen? Machen Sie eine Liste.

~~gute Arbeitsbedingungen~~ – ~~mehrjährige Berufserfahrung~~ – eine sichere Festanstellung – hohes Engagement – viele Weiterbildungsangebote – zeitliche Flexibilität – spannende Aufgaben – ein abgeschlossenes Studium – interkulturelle Kompetenz – eine tolle Arbeitsatmosphäre – sehr gute Fremdsprachenkenntnisse – vielfältige Tätigkeiten – sicherer Umgang mit IT-Programmen – flexible Arbeitszeiten – verantwortungsbewusstes Arbeiten – attraktive Bezahlung – Kreativität

Bewerberinnen/Bewerber	*Unternehmen*
mehrjährige Berufserfahrung	*gute Arbeitsbedingungen*

1.13 **2.2** Worüber sprechen Paul und Moritz? Hören Sie und kreuzen Sie an.

1 ◯ Paul hat sich auf eine Stelle beworben und hofft auf die Einladung zum Vorstellungsgespräch.
2 ◯ Paul ist unsicher, ob er sich auf eine Stelle bewerben soll. Moritz gibt ihm Ratschläge.
3 ◯ Paul hat vor Kurzem eine neue Stelle angefangen und erzählt Moritz davon.

1.13 **2.3** Was bietet Paul und was bietet das Unternehmen? Hören Sie noch einmal und markieren Sie in 2.1.

2.4 **Strategietraining: ein Bewerbungsschreiben verfassen.** Welche Tipps für eine Bewerbung finden Sie am wichtigsten? Sehen Sie das Strategievideo noch einmal und notieren Sie. Ergänzen Sie bei Bedarf noch eigene Tipps. Vergleichen Sie danach Ihre Notizen zu zweit.

ein Bewerbungsschreiben verfassen

vor dem Schreiben: ______

beim Schreiben: ______

______

nach dem Schreiben: ______

3 Ein Bewerbungsschreiben verfassen

3.1 Was schreibt Paul in seiner Bewerbung? Lesen Sie die Stellenanzeige und ergänzen Sie.

Wir sind eine junge Berliner Medienagentur
und arbeiten für große internationale Unternehmen und bekannte Marken.

Zur Verstärkung unseres Teams suchen wir ab sofort einen/eine

Mediendesigner*in (m/w/d) in Vollzeit

Sie haben:
- kreative Ideen und Lust auf neue Herausforderungen
- einen Studienabschluss im Bereich Mediendesign
- idealerweise mindestens zwei Jahre Berufserfahrung in einer Medienagentur
- Erfahrung mit Fotografie und Videoproduktion
- sichere Kenntnisse in allen relevanten Grafikdesign-Programmen

Wir bieten:
- eine attraktive Vergütung, flexible Arbeitszeiten und einen unbefristeten Arbeitsvertrag
- viel Raum für eigene Ideen und kreative Umsetzung innovativer Lösungen
- eine angenehme Arbeitsatmosphäre in nettem, internationalem Team
- regelmäßige berufsbegleitende Fortbildungen

---

reizt mich besonders – bin ich sehr interessiert – überzeuge ich Sie – neuen beruflichen Herausforderungen – Erfahrungen in den Bereichen – Abschluss meines Studiums – freiberuflicher Mediendesigner – in neue Inhalte einarbeiten – für die Stelle sehr geeignet bin

---

1 An der ausgeschriebenen Stelle ______________________ die Möglichkeit, eigene Ideen einzubringen.

2 Nach erfolgreichem ______________________ im Bereich Mediendesign konnte ich während eines sechsmonatigen Praktikums bei einer Medienagentur bereits ______________________ Fotografie und Videoproduktion sammeln.

3 An der Stelle als Mediendesigner ______________________.

4 Sehr gern ______________________ von meinen Fähigkeiten in einem persönlichen Gespräch.

5 Zurzeit arbeite ich als ______________________. Um weitere Erfahrungen zu sammeln, bin ich nun auf der Suche nach ______________________.

6 Ich arbeite sehr zuverlässig und kann mich schnell ______________________. Daher glaube ich, dass ich trotz meiner fehlenden Berufserfahrung in einer Medienagentur ______________________.

3.2 Wie sieht Pauls Bewerbung aus? Schreiben Sie eine Kurzbewerbung für Paul. Bringen Sie dafür die Sätze aus 3.1 in die richtige Reihenfolge und beachten Sie auch den Aufbau einer Bewerbung mit Datum, Betreff, Anrede und Gruß.

Auf der Suche nach frischen Ideen

1 Unter Druck stehen

1.14 **1.1** Erfahrungen beim Assessment-Center. In welcher Reihenfolge kommen die Aufgaben im Assessment-Center vor? Hören Sie das Gespräch und ordnen Sie die Aufgaben.

a individuelle Aufgaben ____

b Vorstellung der eigenen Person ____

c Analyse des eigenen Verhaltens ____ und ____

d gemeinsame Aufgaben in der Gruppe ____

1.14 **1.2** Richtig oder falsch? Hören Sie das Gespräch noch einmal und kreuzen Sie an.

		richtig	falsch
1	Anton hat schon zweimal an einem Assessment-Center teilgenommen.	○	○
2	Bei der „Postkorb-Übung" geht es darum, Arbeitsaufgaben zu organisieren.	○	○
3	Liv fand es schwierig, ihre eigenen Entscheidungen zu begründen.	○	○
4	Anton hatte Probleme mit einem Mitbewerber.	○	○
5	Für Liv war die Gruppenaufgabe schwer, weil sie noch keine Erfahrung in der Projektplanung hatte.	○	○
6	Die Freunde empfehlen Carolina, sich genauer über die Aufgaben zu informieren, um beim Assessment-Center selbstbewusst zu sein.	○	○

1.3 Nomen-Verb-Verbindungen. Welches Nomen passt? Ergänzen Sie.

Lösung – Druck – Entscheidung – Fragen – Mühe – Kritik

1 Die Bewerber bei einem Assessment-Center geben sich immer viel ____________.

2 Während der Tests stehen sie stark unter ____________.

3 Sie müssen in kurzer Zeit die ____________ für ein Problem finden.

4 Es ist üblich, dass die Beobachter auch ____________ an den Bewerbern üben.

5 Im Feedbackgespräch stellen die Mitarbeiter der Personalabteilung viele ____________.

6 Am Ende treffen sie eine ____________ und wählen die besten Bewerber aus.

1.4 Was passt? Lesen Sie den Grammatikkasten und ergänzen Sie.

Bedeutung – bestimmten – Kombination – mehreren – Verb

Nomen-Verb-Verbindungen

Eine Nomen-Verb-Verbindung ist eine ____________ aus einem Nomen und einem ____________ Verb mit einer festen Bedeutung. Manchmal kann man statt einer Nomen-Verb-Verbindung ein einfaches ____________ benutzen, z. B. *eine Antwort geben = antworten*. Manche Nomen kann man mit ____________ Verben kombinieren, dann ändert sich die ____________, z. B. *die Verantwortung tragen (verantwortlich sein) – die Verantwortung übernehmen (verantwortlich werden).*

1.5 Wie kann man es anders sagen? Lesen Sie die Tipps für ein Assessment-Center und schreiben Sie die unterstrichenen Ausdrücke mit einem einfachen Verb.

Mit diesen Tipps sind Sie beim Assessment-Center erfolgreich!

1 Nehmen Sie erst Platz, wenn Sie dazu aufgefordert werden.
2 Es spielt eine große Rolle, dass Sie teamfähig sind. Geben Sie sich deshalb Mühe, gut im Team zu arbeiten.
3 Machen Sie eigene Vorschläge, wie man eine Lösung für ein Problem finden kann.
4 Akzeptieren Sie, dass die Beobachterinnen und Beobachter auch Kritik üben.
5 Stellen Sie Fragen, wenn Sie etwas nicht verstehen.

1 Setzen Sie sich erst, wenn Sie dazu aufgefordert werden.

2 Eine Lösung finden

2.1 Bei welchen Verben benutzt man den Konjunktiv II auch ohne *würde*? Kreuzen Sie an.

- ☐ sich bewerben
- ☐ brauchen
- ☐ dürfen
- ☐ finden
- ☒ es gibt
- ☐ gehen
- ☐ haben
- ☐ können
- ☐ kritisieren
- ☐ müssen
- ☐ planen
- ☐ sein
- ☐ sollen
- ☐ sprechen
- ☐ wissen

2.2 Was ist richtig? Lesen Sie und streichen Sie die falschen Informationen durch.

Konjunktiv II ohne *würde*
Bei Modalverben sowie besonders wichtigen Verben (z. B. *haben, sein, wissen, gehen, finden, brauchen*) benutzt man den Konjunktiv II oft oder immer *mit/ohne würde*.
Der Konjunktiv II ohne *würde* leitet sich von den Formen im *Präteritum/Präsens* ab. Bei *a, o, u* gibt es im Konjunktiv II *oft/selten* Umlaute.

2.3 Wie heißen die Verbformen? Ergänzen Sie die Tabelle.

wissen	*Präteritum*	*Konjunktiv II*
ich		wüsste
du	wusstest	
er/es/sie	wusste	
wir		wüssten
ihr		wüsstet
sie/Sie	wussten	

finden	*Präteritum*	*Konjunktiv II*
ich	fand	
du	fandest	
er/es/sie		fände
wir	fanden	
ihr	fandet	
sie/Sie		fänden

2.4 Gespräche bei einem Assessment-Center. Ergänzen Sie die Verben im Konjunktiv II ohne *würde*.

1 ______ *(dürfen)* ich Sie bitten, mir ein Feedback zu geben? – Natürlich. Ich denke, dass Sie etwas selbstbewusster sein ______ *(sollen)*.

2 Was ______ *(brauchen)* Sie, um besser zu präsentieren? – Ich ______ *(müssen)* vielleicht einen Rhetorik-Kurs machen. ______ *(geben)* es dazu vielleicht Fortbildungen?

3 ______ *(sein)* Sie bereit, auch manchmal am Wochenende zu arbeiten? – Also, da ich Familie habe, ______ *(finden)* ich das schwierig. Aber, wenn ich es rechtzeitig ______ *(wissen)*, ______ *(gehen)* das natürlich.

3 Eine Veranstaltung planen

1.15 **3.1** Phonetik: englische Wörter im Deutschen. Welches Wort passt? Hören Sie die Fragen und nummerieren Sie die Antworten.

a ◯ das Catering
b ◯ die Band
c ◯ der Service
d ◯ die Party
e ◯ der/das Event
f ◯ die Location

1.16 **3.2** Hören Sie noch einmal und antworten Sie. Achten Sie auf die Aussprache der englischen Wörter.

Wie nennt man die Bedienung und Betreuung von Gästen?

Das ist der Service.

3.3 Ausflug mit dem Deutschkurs. Welche Redemittel passen? Lesen Sie den Chat und ergänzen Sie.

Dann machen wir das so – Dann einigen wir uns also darauf, dass – ~~Wie wäre es~~ – Warum machen wir es nicht so – Es wäre vielleicht besser – Ich hätte noch eine ganz andere Idee – Dann könnten wir – Dann lasst uns lieber – Was haltet ihr davon – Keine schlechte Idee

Naima Hallo Leute, wir wollten doch mit dem Deutschkurs einen Ausflug machen. Gibt's schon Ideen?

Olivia *Wie wäre es,*[1] wenn wir eine Fahrradtour am Fluss entlang machen? ______________[2] auch grillen oder ein Picknick machen.

Naima ______________[3], aber vielleicht haben nicht alle ein Fahrrad?!

John ______________[4], wenn wir zu Fuß gehen würden. Vielleicht eine kleine Wanderung in den Bergen? ______________[5]?

Olivia ______________[6]: Die Leute, die kein Fahrrad haben, können sich einfach eins in der Stadt leihen. Das ist super günstig.

Xingwei Und was machen wir bei schlechtem Wetter? ______________[7]: Wir gehen ins Technikmuseum! Das soll super sein.

John Nee! Das Wetter soll am Wochenende super werden! ______________[8] Fahrräder leihen.

Naima Ja, die Idee finde ich auch gut.

Olivia Okay. ______________[9] wir am Wochenende eine Fahrradtour mit Picknick am Fluss machen. @Xingwei: Einverstanden?

Xingwei Gut. ______________[10]. Bis Samstag!

Naima Ja, die Idee finde ich auch gut. **John** Super! **Naima** ☺

Der berufliche Werdegang

1 Ein Lebenslauf

1.1 Lebenslauf. Welches Wort passt nicht? Streichen Sie durch.

1	persönliche Daten:	Familienstand – Anschrift – Sprachkenntnisse – Geburtsort
2	Berufserfahrung:	Teamleiterin – Redakteur – Projektleitung – Abitur
3	Aus- und Weiterbildung:	freiberuflicher Übersetzer – Bachelor – Lehre – Studium
4	Abschlüsse:	Bachelor – Sprachzeugnis – Master – Abitur
5	sonstige Qualifikationen:	Führerschein – Fremdsprachen – Reisen – IT-Kenntnisse

1.2 Was waren wichtige Stationen im Leben von Frau Birol? Lesen Sie das Interview, unterstreichen Sie und schreiben Sie ihren Lebenslauf in Ihr Heft.

Mitarbeitermagazin

Unsere Kolleginnen und Kollegen stellen sich vor

Wie jeden Monat haben wir mit einer Kollegin oder einem Kollegen unseres Unternehmens gesprochen. Lesen Sie diesmal das Interview mit Hatice Birol.

Seit Januar 2015 arbeiten Sie bei LEO-Systems als Wirtschaftsinformatikerin. Wie sind Sie zur Informatik gekommen?
In der 10. Klasse habe ich ein Praktikum bei einem kleinen IT-Unternehmen in Hannover gemacht. Da wusste ich: Das ist genau das Richtige! Nach dem Abitur 2009 habe ich Wirtschaftsinformatik in Leipzig studiert und mein Studium 2014 mit einem Master abgeschlossen.

Und wie ging es nach der Uni weiter?
Im März 2014 habe ich eine Stelle bei einem Start-up in Berlin gefunden und dort ein halbes Jahr als Trainee gearbeitet. Ich habe Mitarbeiter und Kunden beim Einsatz von Computersoftware beraten. Und danach habe ich mich dann bei LEO-Systems beworben.

Zu Ihren jetzigen Aufgaben gehört vor allem die Planung und Koordination neuer IT-Projekte des Unternehmens. Dabei arbeiten Sie auch eng mit den Partnerfirmen in Großbritannien und Italien zusammen. In welcher Sprache kommunizieren Sie mit den Kollegen dort?
In der IT spricht man hauptsächlich Englisch. Das habe ich schon in der Schule gelernt. Da ich während meines Studiums 2012 auch ein Auslandssemester in Italien verbracht habe, ist Italienisch aber auch kein Problem. Ich habe in beiden Sprachen inzwischen ein C1-Niveau.

Noch eine Frage: Was machen Sie gern in Ihrer Freizeit?
Ich reise sehr gerne, ich fotografiere und ich treibe viel Sport. Außerdem liebe ich Designprogramme wie Adobe Illustrator oder Photoshop und bearbeite damit meine Reisefotos oder gestalte Fotobücher.

Vielen Dank für das Interview!

Berufserfahrung:	*seit 01/2015:*	*Wirtschaftsinformatikerin bei LEO-Systems (Planung und ...)*
Aus- und Weiterbildung:		
Praktika:		
Sprachkenntnisse:		
Interessen:		

1.3 Wiederholung: temporale Konnektoren. Was passt? Ergänzen Sie. Der Grammatikanhang (B 2.2.1) hilft.

wenn – bevor – sobald – während – als

1 Ich war 18 Jahre alt, ________ ich die Schule abgeschlossen habe.
2 ________ ich mein Studium begonnen habe, habe ich mich über die Studiengänge informiert.
3 Immer ________ ich Semesterferien hatte, habe ich als Kellner im Biergarten gearbeitet.
4 ________ ich studiert habe, habe ich ein Auslandssemester in Kanada gemacht.
5 ________ ich meinen Master hatte, habe ich mich bei vielen Firmen beworben.

1.4 Wiederholung: Nebensätze mit *nachdem* und Plusquamperfekt. Schreiben Sie die Sätze mit *nachdem* in Ihr Heft. Der Grammatikanhang (A 1.1.5) hilft.

1 Ich habe die Schule abgeschlossen. Dann habe ich ein Studium in Politikwissenschaft begonnen.
2 Ich habe das Bachelorstudium abgeschlossen. Danach habe ich einen Master gemacht.
3 Ich habe mein Studium beendet. Anschließend habe ich verschiedene Praktika absolviert.
4 Ich habe lange als freiberuflicher Journalist gearbeitet. Dann habe ich bei einer Zeitung angefangen.

2 Und Ihr Lebenslauf?

2.1 Schreiben Sie jeweils zwei Fragen zu den Themen Schule, Studium/Ausbildung, Berufserfahrung und Auslandserfahrung.

2.2 Arbeiten Sie zu zweit. Stellen Sie sich gegenseitig die Fragen aus 2.1 und antworten Sie.

2.3 Beschreiben Sie Ihren Lebenslauf in einem kurzen Text. Benutzen Sie dabei auch die temporalen Konnektoren aus 1.3 und 1.4.

Ruhe finden

1 Strategietraining: mit einer Mindmap arbeiten

1.1 Was passt? Ergänzen Sie.

Begriffe – Farben – Frage – Informationen – Überblick – Vokabeln

mit einer Mindmap arbeiten

Eine Mindmap ist eine „Gedanken-Landkarte". Man beginnt in der Mitte mit dem Thema oder mit einer ______. Rund herum notiert man Unterthemen und dazu passende ______ und Ideen. Es hilft, wenn man dabei verschiedene ______ und Formen benutzt. Diese Technik ist gut geeignet, um sich einen ______ über komplexe Themen zu machen und ______ zu strukturieren. Beim Sprachenlernen kann man mit einer Mindmap auch ______ zu einem Thema sammeln.

1.2 Machen Sie eine Mindmap zum Thema Internetsuche, Bewerbung oder Assessment-Center.

2 Der kleine rote Rucksack. Was passt? Ergänzen Sie.

Abwechslung bieten – eine Auszeit nehmen – im Trend liegen – ~~im Widerspruch stehen~~ – ans Ziel kommen

1 Ich hätte gern mehr Freizeit. – Trotzdem arbeitest du so viel. Das *steht* doch *im Widerspruch* dazu.
2 Die neue Arbeit ist sehr interessant. Die verschiedenen Projekte ______ mir viel ______.
3 Ich muss noch so viel für meine Masterarbeit recherchieren. Wie soll ich das nur schaffen? – Mach dir doch einen Zeitplan. Dann ______ du schneller ______.
4 Oh je, ich habe gerade sehr viel Stress. – Ja, du solltest dir unbedingt mal wieder ______ ______.
5 Ich verstehe gar nicht, warum so viele Leute bloggen. – Bloggen ______ im Moment sehr ______.

Kreativ gelöst

1 Wer sucht, der findet ... Welche Dienstleistungen werden hier angeboten? Was kann man hier machen lassen? Schreiben Sie Sätze zu den Fotos.

1 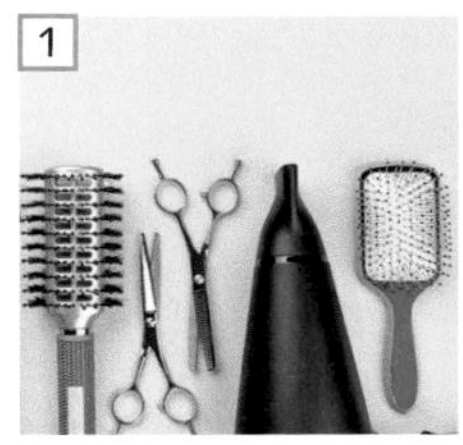
die Friseurin / der Friseur
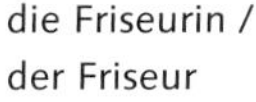

2 
der Lieferservice

3 
der Schlüsseldienst

4 
die Umzugsfirma

5 
die Handwerkerin / der Handwerker

Essen liefern – ~~die Haare waschen/schneiden~~ – Türen öffnen – Schlüssel machen – die Fenster reparieren – die Wohnung renovieren – Möbel transportieren/aufbauen

1 Von der Friseurin / dem Friseur kann man sich die Haare waschen und schneiden lassen.

2 Besondere Dienstleistungen

2.1 Was könnten das für Start-up-Ideen sein? Überlegen Sie zu zweit. Hören Sie dann und bringen Sie die Bilder in die richtige Reihenfolge. Vergleichen Sie mit Ihren Ideen.

a 

b 

c 

2.2 Was ist falsch? Hören Sie noch einmal und kreuzen Sie an.

1 Auf der Lernplattform ...
- a ☐ bekommen Studierende Hilfe bei der Prüfungsvorbereitung.
- b ☐ kann man andere Studierende kennenlernen, um gemeinsam zu lernen.
- c ☐ kann man Prüfungen online ablegen.

2 Der smarte Kühlschrank ...
- a ☐ reagiert auf individuelle Wünsche von Mitarbeiterinnen und Mitarbeitern.
- b ☐ akzeptiert Bargeld und Bezahlung über eine App.
- c ☐ bestellt selbstständig neue Snacks.

3 Im Co-Working-Space ...
- a ☐ kann man sich Arbeitsplätze pro Tag oder Woche mieten.
- b ☐ gibt es an jedem Platz ein Telefon.
- c ☐ bucht man die Räume über eine App.

Prüfungstraining

GI **1 Hören Teil 2**

1.18 Sie hören im Radio ein Interview mit einem Berater für Arbeitssuche.

Was ist richtig? Lesen Sie zuerst die Aufgaben 1–6. Hören Sie dann das Interview und kreuzen Sie an.

1 Was ist für eine erfolgreiche Jobsuche wichtig?
- a ◯ Man muss teamfähig sein und gut kommunizieren können.
- b ◯ Man sollte wissen, was man gut kann und was nicht.
- c ◯ Man sollte sich nur bewerben, wenn man alle Anforderungen erfüllt.

2 Die Jobbörse der Bundesagentur für Arbeit …
- a ◯ bietet europaweit pro Jahr zwei Millionen freie Stellen.
- b ◯ hat Filter, damit man genauere Suchergebnisse bekommt.
- c ◯ durchsucht andere Jobbörsen nach Stellenangeboten.

3 In der Zeitung findet man …
- a ◯ Stellenangebote aus jeder Branche.
- b ◯ manchmal aktuellere Angebote als im Netz.
- c ◯ Stellenangebote von Arbeitgebern in der Nähe des eigenen Wohnortes.

4 Um sich über das Unternehmen zu informieren, …
- a ◯ könnte man auf Karrieremessen mit ehemaligen Mitarbeitern sprechen.
- b ◯ kann man versuchen, mit Mitarbeitern des Unternehmens Kontakt aufzunehmen.
- c ◯ kann man auf der Unternehmenswebseite die Arbeitsbedingungen recherchieren.

5 Was sollte man beachten, wenn man mit dem Arbeitgeber telefoniert?
- a ◯ Es ist wichtig, konkrete Fragen vorzubereiten.
- b ◯ Ein Telefonat ist erst nach der schriftlichen Bewerbung sinnvoll.
- c ◯ Man muss vorher die richtige Ansprechperson kennen.

6 Welche generelle Empfehlung gibt der Berater?
- a ◯ Gehen Sie bei der Jobsuche keine Kompromisse ein.
- b ◯ Suchen Sie, bis Sie die perfekte Stelle gefunden haben.
- c ◯ Nutzen Sie Online-Möglichkeiten, damit ein Unternehmen Sie finden kann.

Tipp: Unterstreichen Sie zuerst die Schlüsselwörter in den Aufgaben und Antwortoptionen. Achten Sie beim Hören auf die Schlüsselwörter bzw. auf Synonyme. In der Prüfung hören Sie das Interview zweimal. Markieren Sie beim ersten Hören die Lösungen, bei denen Sie sicher sind. Konzentrieren Sie sich beim zweiten Hören auf die Stellen, bei denen Sie unsicher waren und überprüfen Sie die Lösungen, die Sie bereits angekreuzt haben.

telc **2 Mündlicher Ausdruck Teil 3: Gemeinsam etwas planen**

Eine Marketing-Agentur möchte mit ihren 15 Mitarbeiterinnen und Mitarbeitern einen eintägigen Betriebsausflug machen. Sie sollen bei der Programmplanung helfen.

Überlegen Sie, welche Möglichkeiten es gibt und machen Sie Ihrer Partnerin / Ihrem Partner Vorschläge. Entwickeln Sie dann gemeinsam ein Programm für den Betriebsausflug.

Tipp: In dieser Aufgabe geht es darum, dass Sie verschiedene Vorschläge machen, diese begründen können und am Ende zu einer gemeinsamen Lösung kommen. Auch wenn Sie sich von Anfang an einig sind, sollten Sie verschiedene Alternativen besprechen, da dieser Prüfungsteil circa fünf Minuten dauert. Seien Sie ruhig kreativ. Vor der Prüfung haben Sie circa zehn Minuten Zeit, um sich vorzubereiten und Notizen zu machen. Lernen Sie wichtige Redemittel auswendig.

telc **3 Sprachbausteine Teil 1**

Welches Wort passt? Lesen Sie den Text und kreuzen Sie an.

Der Raum für Ihren Event!

Ob Weihnachtsfeier, Betriebsversammlung oder Firmenjubiläum – wir bieten Ihnen einen Raum für Ihre _(1)_ Veranstaltungen. Es gibt Platz für bis zu 350 Personen. _(2)_ der Raum mit Beamern, Lautsprechern und Flipcharts ausgestattet ist, _(3)_ er sich besonders für Tagungen und Konferenzen. Auch um Service und Catering brauchen Sie sich nicht zu _(4)_, wir sorgen für einen reibungslosen Ablauf. Dabei sind eine hohe Qualität und ein breites Angebot an regionalen Produkten bei den Speisen und Getränken _(5)_ für uns. Alkoholfreie sowie alkoholische Getränke sind im Angebot _(6)_. Bei Firmenfeiern _(7)_ natürlich auch das Unterhaltungsprogramm eine wichtige Rolle. Gern konzipieren wir nach Ihren _(8)_ ein passendes Programm. Ob DJ, Cover-Band oder Moderation eines Quiz-Abends – Sie haben die Wahl. Lassen Sie _(9)_ einfach ein individuelles Kostenangebot schicken.

Sie können sicher sein, dass wir Ihren _(10)_ zu einem unvergesslichen Erlebnis machen!

1 a ▢ alltäglichen
  b ▢ besonderen
  c ▢ privaten

2 a ▢ da
  b ▢ obwohl
  c ▢ wenn

3 a ▢ eignet
  b ▢ passt
  c ▢ trifft

4 a ▢ organisieren
  b ▢ planen
  c ▢ kümmern

5 a ▢ hervorragend
  b ▢ komplett
  c ▢ selbstverständlich

6 a ▢ enthalten
  b ▢ erreichbar
  c ▢ zubereitet

7 a ▢ hat
  b ▢ spielt
  c ▢ trägt

8 a ▢ Bedürfnissen
  b ▢ Herausforderungen
  c ▢ Träumen

9 a ▢ euch
  b ▢ sich
  c ▢ sie

10 a ▢ Event
  b ▢ Feier
  c ▢ Veranstaltung

Tipp: Diese Aufgabe fragt Ihr Textverständnis, Ihren Wortschatz und Ihre Grammatikkenntnisse ab. Manche Antwortoptionen unterscheiden sich inhaltlich, andere wegen der Grammatik. Achten Sie bei Nomen auf den Genus oder Kasus. Fragen Sie sich bei Verben, ob eine (bzw. welche) Präposition benutzt wird und ob das Verb ein Akkusativ- oder Dativobjekt verlangt.

4 Auf Augenhöhe kommunizieren

Webcode: dutawe

Botschaften senden

1 Kommunikation. Was sieht man auf dem Bild? Ordnen Sie die Wörter zu.

1 die Körpersprache	4 die Musik	7 digital
2 die Gebärdensprache	5 das Zeichen	8 schriftlich
3 das Schild	6 telefonisch	9 der Gesichtsausdruck

2 Wo ist Julie? – Sie könnte krank sein.

2.1 Wiederholung: Modalverben. Welches Modalverb passt zu den unterstrichenen Informationen? Schreiben Sie Sätze mit Modalverben wie im Beispiel. Manche Verben brauchen Sie mehrmals. Der Grammatikanhang (A 1.5.1) hilft.

(nicht) dürfen – können – müssen – sollen – wollen

1 Für Recherchen ist es den Studierenden erlaubt, verschiedene Medien zu benutzen.
2 Anna hat die Absicht, nächstes Semester einen Gebärdensprachkurs zu besuchen.
3 Paul hat den Auftrag bekommen, für das Seminar über Körpersprache zu recherchieren.
4 Manche Studierende haben die Fähigkeit, trotz des Lärms in der Mensa zu lernen.
5 Die Studierenden haben die Pflicht, regelmäßig die Vorlesungen und Seminare zu besuchen.
6 In Prüfungen ist es verboten, ein Handy zu benutzen.
7 Ist es möglich, dass ich mich online zu den Kursen anmelde?

1 Die Studierenden dürfen für Recherchen verschiedene Medien benutzen.

2.2 Welche Sätze drücken eine Vermutung aus? Kreuzen Sie an.

1 ☐ Julie hat morgen eine Prüfung. Sie müsste noch in der Bibliothek sein.
2 ☐ Alexeij kann sehr gute Vorträge halten – immer interessant und sehr unterhaltsam.
3 ☐ Frau Sambanis ist seit einer Woche nicht an der Uni. Sie könnte krank sein.
4 ☐ Die Bibliothek schließt gleich. Wir müssen gehen.

2.3 Wie sicher sind die Vermutungen? Notieren Sie die Modalverben in der richtigen Reihenfolge im Grammatikkasten.

dürfte – kann – ~~könnte~~ – muss – müsste

Vermutungen über die Gegenwart und Zukunft mit Modalverben ausdrücken

sehr sicher (100 %) ↑	______	Die Modalverben *können*, *müssen* (im Präsens oder Konjunktiv II) und *dürfen* (im Konjunktiv II) zeigen an, wie sicher man sich bei einer Vermutung ist.
	______	
	______	
nicht so sicher	*könnte*	

2.4 Wie kann man es anders sagen? Schreiben Sie Vermutungen mit Modalverben wie im Beispiel.

1 Mary schreibt sehr wahrscheinlich jetzt gerade ihre Prüfung.
2 Ich bin mir absolut sicher, dass Anton noch in der Uni ist.
3 Eventuell fällt die Vorlesung bei Professor Schlosser morgen aus.
4 Höchstwahrscheinlich bekommen wir morgen die Noten für das Seminar.
5 Ich nehme an, dass ich wahrscheinlich nächste Woche meine Hausarbeit beenden werde.
6 Ich bin davon überzeugt, dass Katja noch an ihrer Präsentation arbeitet.

1 Mary müsste jetzt gerade ihre Prüfung schreiben.

3 Ohne Worte

3.1 Was passt? Ergänzen Sie.

Beleidigung – Ekel – Gesprächspartner – Gestik – interpretieren – Mimik – Persönlichkeit – Scham – Sozialisation – unbewusst

Ein Teil der Kommunikation läuft ______ [1] ab, also ohne dass man es merkt. Dabei spielt die Körpersprache eine wichtige Rolle. Der Gesichtsausdruck – der Blick und die Lippenbewegungen – wird als ______ [2] bezeichnet und zeigt die Gefühle eines Menschen. Doch nur wenige Gefühle, zum Beispiel Trauer, Freude, ______ [3] oder ______ [4] werden weltweit gleich ausgedrückt. Auch die ______ [5], also wie man die Hände bewegt, verrät viel über die Gefühle. Wie viel man gestikuliert, hängt von der kulturellen ______ [6], aber auch von der ______ [7] eines Menschen ab. Zum Beispiel können manche Gesten, die in der eigenen Kultur als normal gelten, von anderen Menschen als ______ [8] verstanden werden. Deshalb ist es nicht so leicht, die Körpersprache von unserem ______ [9] immer richtig zu ______ [10].

3.2 Wortfamilien „Gefühlwörter". Was fehlt? Ergänzen Sie.

	Nomen	**Verb**	**Adjektiv**
1	die Dankbarkeit / der Dank	(jemandem) ______	dankbar
2	______	(sich) ärgern	ärgerlich/______
3	die Nervosität	–	______
4	______	(jemanden) überraschen	überrascht
5	die Traurigkeit / die Trauer	–	______
6	die Angst	–	______
7	die Wut	–	______
8	______	(jemanden) ______	enttäuscht
9	______	(sich) freuen	froh/fröhlich
10	die Begeisterung	–	______

3.3 Welches Verb passt? Sehen Sie sich die Bilder an und ergänzen Sie.

hängen lassen – kneten – ~~nicken~~ – runzeln – schütteln – senken – strecken – verschränken

1 mit dem Kopf *nicken*

2 die Arme ______

3 den Kopf ______

4 den Daumen nach oben ______

5 die Stirn ______

6 die Hände ______

7 die Schultern ______

8 den Kopf ______

3.4 Was könnten die Gesten und Gesichtsausdrücke in 3.3 in Deutschland, Österreich oder in der Schweiz bedeuten? Ergänzen Sie die Sätze mit den passenden Formulierungen aus 3.3.

1 Wenn man *den Kopf senkt* ______, schämt man sich vielleicht.
2 Wenn man zustimmt, ______.
3 Manche Leute ______, wenn sie nervös sind.
4 Wenn jemand ______, bedeutet das vielleicht, dass er sich Sorgen macht oder etwas nicht gut findet.
5 Wenn man nicht einverstanden ist, ______.
6 Manche Leute ______, wenn sie sich ärgern oder wütend sind.
7 Viele Menschen ______, wenn sie traurig sind.
8 Wenn man etwas gut findet, kann man ______.

3.5 Und Sie? Wie fühlen Sie sich in diesen Situationen? Wie zeigen Sie Ihre Gefühle? Wählen Sie fünf Stichwörter und schreiben Sie Sätze. Benutzen Sie die Wörter aus 3.2 und 3.3.

ein Referat an der Uni – Abschlussprüfung – Geburtstag – Streit – Arbeit – Urlaub – Missverständnis – Hochzeit – ein neuer Job – Deutschkurs – die erste Reise nach …

Wenn ich im Seminar an der Uni ein Referat halten muss, bin ich immer sehr nervös. Ich gehe dann meistens beim Sprechen hin und her und knete meine Hände.

2.02 **3.6** Worum geht es in der Radiosendung? Hören Sie und kreuzen Sie an.

Es geht darum, …
1 ◯ wie Paare ihre Kommunikation verbessern können.
2 ◯ wie und warum beim Kommunizieren Missverständnisse entstehen.

3.7 Was sagt die Kommunikationsexpertin? Hören Sie noch einmal und kreuzen Sie an.

1 Beim Kommunizieren spielt …
a ◯ das, was man sagt, keine große Rolle.
b ◯ neben dem Inhalt auch die Beziehung zwischen den Gesprächspartnern eine Rolle.

2 Hierarchien zwischen den Gesprächspartnern …
a ◯ zeigen sich meistens in der Körpersprache.
b ◯ können das Gesprächsverhalten beeinflussen.

3 Missverständnisse entstehen, …
a ◯ weil die Zuhörerin / der Zuhörer etwas falsch interpretiert.
b ◯ weil einer der Gesprächspartner nicht richtig zuhört.

4 In dem Beispiel beim Abendessen …
a ◯ stellt der Mann eine Frage, um eine Information zu erhalten.
b ◯ kritisiert der Mann das Essen der Frau.

5 Bei einem Missverständnis sollte man …
a ◯ sich fragen, warum man falsch verstanden wurde.
b ◯ aufhören, das Gesagte zu interpretieren.

6 Um spätere Missverständnisse zu vermeiden, ist es wichtig, …
a ◯ sich immer zu entschuldigen.
b ◯ miteinander darüber zu sprechen.

3.8 Welche Sätze bedeuten das Gleiche? Markieren Sie die Subjekte und kreuzen Sie an.

1 ◯ Ohne dass man es merkt, / Ohne es zu merken, interpretiert man das Gesagte.
2 ◯ Ich habe sie kritisiert, ohne dass sie es wollte. / ohne es zu wollen.
3 ◯ Man versteht den anderen falsch, ohne dass der andere es so gemeint hat. / ohne es so zu meinen.

3.9 Wie ist die Regel? Lesen Sie die Sätze in 3.8 noch einmal und ergänzen Sie den Grammatikkasten.

Modale Infinitiv- und Nebensätze mit *ohne … zu* und *ohne dass …*

Nach *ohne dass* folgt ein ____________. Nach *ohne … zu* folgt das Verb im ____________.

Ohne … zu kann man nur benutzen, wenn das ____________ im Hauptsatz und Infinitivsatz gleich ist.

3.10 Schreiben Sie Sätze mit *ohne … zu*. Wenn es nicht möglich ist, benutzen Sie *ohne … dass*.

1 Sie lernt ein bisschen Deutsch. Sie besucht keinen Sprachkurs.
2 Missverständnisse können entstehen. Man will das nicht.
3 Er kann frei Vorträge halten. Seine Notizen benutzt er nicht.
4 Sie geht zu der Besprechung. Sie ist nicht eingeladen worden.
5 Er benutzt viele Gesten. Es fällt ihm nicht auf.

1 Sie lernt ein bisschen Deutsch, ohne …

3.11 Wiederholung: modale und finale Infinitivsätze. Was passt: *anstatt … zu*, *ohne … zu* oder *um …zu*? Ergänzen Sie. Der Grammatikanhang (B 2.2.4 und B 2.2.5) hilft.

1 Sie will lieber eine Ausbildung machen, ____________ ein Studium ______ beginnen.

2 Man muss manchmal nachfragen, ____________ Missverständnisse ______ vermeiden.

3 Wenn man Feedback gibt, sollte man auch Lösungen vorschlagen, ____________ nur ______ kritisieren.

4 ____________ Fremdsprachen ______ sprechen, ist er schon in vielen Ländern gewesen.

5 ____________ sich auf einen Vortrag vor______bereiten, sollte man auch die Körperhaltung üben.

4 Gesten international

4.1 In welcher Reihenfolge werden die Gesten erklärt? Lesen Sie den Artikel und ordnen Sie die Fotos. Welche Geste fehlt?

Kennen Sie diese Gesten?

Entspannt reisen 4/19

„Man kommt mit Händen und Füßen im Ausland schon irgendwie weiter, wenn man die Sprache nicht spricht." So denken viele. Das stimmt aber nicht immer. Im Gegenteil: Gesten können leicht die Ursache für Missverständnisse sein und viel Ärger verursachen.

Wenn Deutsche, US-Amerikaner oder Koreaner den Daumen hochhalten, dann sagen sie damit: „Super!" oder „Gut gemacht!". In Australien oder im Iran fordert man damit jemanden auf, ganz schnell wegzugehen. Und in Japan bedeutet der hochgestreckte Daumen die Zahl 5.

Für den Begriff Essen gibt es weltweit viele unterschiedliche Gesten. In Südamerika oder Südeuropa führen die Menschen die zusammengedrückten Fingerspitzen an den Mund, in Japan formt man die linke Hand zu einer Suppenschale und mit der rechten Hand deutet man die Essstäbchen an.

Auch um „ich" zu zeigen, gibt es verschiedene Gesten. Deutsche zeigen mit dem Zeigefinger auf die Brust, US-Amerikaner legen ihre rechte Hand in Herzhöhe auf die Brust. In Japan dagegen deutet man mit dem Zeige- oder Mittelfinger auf seine eigene Nase. Wenn Italiener mit dem Zeigefinger an die Nase klopfen, dann wollen sie damit etwas ganz anderes sagen, nämlich: „Hier stimmt etwas nicht!".

Seien Sie also vorsichtig mit Gesten in anderen Ländern. Die Bedeutung kann schnell falsch interpretiert werden – und danach braucht man lange, um das Missverständnis zu klären.

a 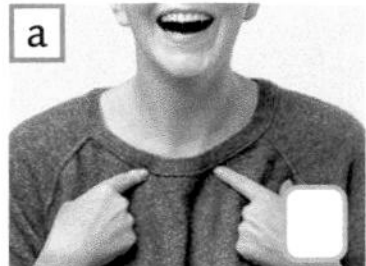
b 
c 
d 
e 
f 

4.2 Was bedeuten die Gesten in den verschiedenen Ländern? Lesen Sie noch einmal und notieren Sie.

Geste 1: Deutschland, USA, Korea: „Super!", aber Australien, ...

Richtig streiten

1 Streitgespräche

1.1 Streit im Büro. Lesen Sie die Abschnitte und bringen Sie den Dialog in die richtige Reihenfolge.

a ☐ Ich verstehe Ihren Wunsch, aber wir müssen uns irgendwie einigen. Ich habe dieses Jahr auch Pläne für die Osterferien. Für die erste Woche habe ich sogar schon ein Hotel gebucht.

b ☐ Also wissen Sie, das ärgert mich jetzt wirklich: Ich habe in den letzten Jahren immer während der Osterferien gearbeitet, damit die Kollegen und Kolleginnen mit kleinen Kindern Urlaub machen können. Wenn ich die einzige bin, die das macht, ist das aus meiner Sicht nicht fair.

c 1 Herr Thon, wir müssen noch einmal wegen der Urlaubsplanung sprechen. Ich habe gerade gesehen, dass Sie in den Osterferien zwei Wochen Urlaub beantragt haben. Das ist ungünstig, denn ich wollte auch Urlaub nehmen. Und wir können nicht gleichzeitig weg sein.

d ☐ Und lassen sich Ihre Pläne vielleicht verschieben?

e ☐ Also, ich finde, das ist ein guter Vorschlag. Das können wir gern so machen.

f ☐ Frau Stanislaus, Sie wissen, dass meine Kinder noch in der Schule sind, deshalb muss ich während der Ferien Urlaub nehmen. Ihre Kinder sind ja schon erwachsen.

g ☐ Es tut mir leid. So war das nicht gemeint. Wir können sicherlich einen Kompromiss finden. Was halten Sie davon, wenn wir die zwei Ferienwochen aufteilen? Für die erste Woche kann ich bestimmt eine Kinderbetreuung organisieren und Sie im Büro vertreten. Und in der zweiten Woche würde ich dann mit meiner Familie wegfahren.

1.2 Was ist passiert? Lesen Sie das Streitgespräch in 1.1 noch einmal und beantworten Sie die Fragen.

1 Warum möchten beide Kollegen über Ostern Urlaub nehmen?
2 Worüber ärgert sich Frau Stanislaus? Wie reagiert Herr Thon?
3 Wie lösen die beiden das Problem?

2 Umgang mit Kritik

2.1 Was passt? Ergänzen Sie die Dialoge. Hören Sie dann und vergleichen Sie.

Kannst du mir mal sagen – Wir finden bestimmt eine Lösung – Ich verstehe absolut nicht – Das ist mir nicht aufgefallen – Was soll das denn jetzt – Ich verstehe, was Sie meinen – Das war wohl ein Missverständnis

1
- Entschuldigen Sie, Frau Walter, können wir kurz über eine Sache sprechen?
- Ja, natürlich. Worum geht es denn?
- Es geht um die Betreuung unserer Kunden nach 17.00 Uhr. ______, warum Sie nie da sind, und ich mich immer allein um alles kümmern muss.
- ______, aber dann müssen wir auch darüber sprechen, dass ich morgens ab halb acht immer allein im Büro bin.
- Oh, Entschuldigung. ______.
- Gut, dass Sie es angesprochen haben. ______, die für uns beide gut ist.

2
- Lena, du wolltest doch einkaufen, aber der Kühlschrank ist leer. ______, warum du nicht eingekauft hast?
- ______?! Erstens ist der Kühlschrank halbvoll und zweitens habe ich dir gestern gesagt, dass ich wegen meiner Prüfung nicht einkaufen kann.
- Oh, ich dachte, deine Prüfung ist erst nächste Woche. ______. Entschuldige!
- Ist schon gut. Wir gehen jetzt einfach zusammen einkaufen!

2.2 Phonetik: emotionale Intonation. Welche Redemittel in 2.1 sind besonders emotional betont? Hören Sie noch einmal und markieren Sie.

2.3 Wie klingt die emotionale Intonation? Sprechen Sie zu zweit. Die Wörter im Kasten helfen.

laut – ruhig – schnell – langsam – stark betont – viel Melodie

2.4 Wie würden die Streitgespräche in Ihrer Sprache klingen? Tauschen Sie sich aus.

2.5 Was könnten die Personen sagen? Schreiben Sie ein Streitgespräch.

Warum muss immer ich alles aufräumen?!
Warum sagt sie nie, dass ich wirklich gut koche?

Digitale Kommunikation

1 Digitale Medien

1.1 Was bedeutet das Gleiche? Verbinden Sie.

1 an erster/letzter Stelle
2 90 %
3 75 %
4 50 %
5 33 %
6 25 %
7 mehr/weniger als … %

a ein Drittel / jeder Dritte
b neun von zehn Personen
c auf dem ersten/letzten Platz
d ein Viertel / jeder Vierte
e über/unter … %
f die Hälfte / jeder Zweite
g drei Viertel

1.2 Was ist falsch? In der Grafikbeschreibung stehen acht falsche Zahlen und Mengenangaben. Lesen Sie und vergleichen Sie mit der Grafik auf Seite 54 im Kursbuch. Korrigieren Sie die Fehler.

E-Mails lesen und schreiben ist für die ~~wenigsten~~ *meisten* Menschen am wichtigsten, denn fast 100 Prozent nutzen in Deutschland das Internet dafür. An zweiter Stelle werden die digitalen Medien zum Nachrichtenlesen benutzt. 86 % der Befragten telefonieren über das Internet. Auch Apps haben eine große Bedeutung: Mehr als neun von zehn Personen nutzen Apps. Über Messenger-Dienste kommunizieren etwas weniger als 80 % der Befragten. Die sozialen Netzwerke spielen ebenfalls eine große Rolle, denn sie werden von fast zwei Dritteln der Befragten genannt. Nur etwa drei von zehn der Befragten nutzen die digitalen Medien für die Suche nach einem Lebenspartner. Damit steht das Online-Dating auf dem ersten Platz.

1.3 Welche Medien besitzen Jugendliche zwischen 12 und 19 Jahren in Deutschland? Lesen Sie den Text und ergänzen Sie das Balkendiagramm.

An erster Stelle steht bei deutschen Jugendlichen das Smartphone oder Handy. Fast jeder besitzt eins, nur 2 % der Jugendlichen kommen ohne aus. Auf dem zweiten Platz liegen mit 71 % ein Computer oder Laptop. Jeder zweite Teenager hat auch einen eigenen Fernseher und knapp die Hälfte (45 %) besitzt eine Spielkonsole. Nur noch etwas mehr als ein Drittel der Jugendlichen benutzt einen MP3-Player. Die meisten nutzen ihre Smartphones zum Musikhören.
Nur 38 % der Jugendlichen brauchen dafür ein zusätzliches Gerät. Auch DVD-Player sind ziemlich aus der Mode gekommen. Mit 26 % besitzt nur noch ungefähr jeder vierte Teenager einen.

Welche Medien besitzen Jugendliche (12–19 Jahre) in Deutschland?

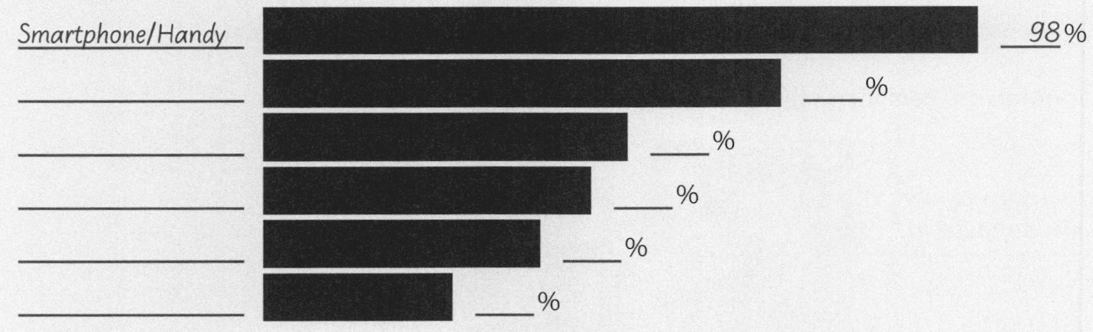

Quelle: Grunddaten Jugend und Medien 2019; © Internationales Zentralinstitut für das Jugend- und Bildungsfernsehen (IZI) (2019)

1.4 Sprachmittlung: Suchen Sie eine Statistik, die zeigt, welche Rolle die digitalen Medien in Ihrem Heimatland spielen und präsentieren Sie die Hauptaussagen Ihrer Partnerin / Ihrem Partner auf Deutsch.

2 Der größte Teil der Befragten schreibt E-Mails.

2.1 Wiederholung: Adjektivdeklination. Welche Endung passt? Ergänzen Sie die Endungen und notieren Sie den Kasus (N = Nominativ, A = Akkusativ, D = Dativ, G = Genitiv). Der Grammatikanhang (A 2.1) hilft.

1 In der aktuell*en* Studie (*D*) findet man wichtig___ Informationen (___) und eine interessant___ Grafik (___).

2 Viele deutsch___ Jugendliche (___) nutzen die sogenannt___ Messenger-Dienste (___).

3 In dem Seminar meines neu___ Professors (___) habe ich viel gelernt.

4 Mit dem Smartphone kann ich schnell aktuell___ Fotos (___) oder eine persönlich___ Nachricht (___) verschicken.

5 Meinen best___ Freunden (___) schreibe ich manchmal auch eine lang___ E-Mail (___).

6 Langsam___ Internet (___) ist ein ärgerlich___ Problem (___).

7 Wegen meiner beruflich___ Tätigkeit (___) poste ich viel in sozial___ Netzwerken (___).

2.2 Welche Form passt? Streichen Sie die falsche Form durch.

1 *Die wenigsten / Am wenigsten* Befragten benutzen Dating-Portale.
2 Die Deutschen benutzen heute *häufiger/häufigere* Apps als früher.
3 Eine *kleiner/kleinere* Gruppe telefoniert über das Internet.
4 E-Mails sind *die beliebtesten / am beliebtesten*.

2.3 Wann werden Komparativ und Superlativ dekliniert? Wie werden sie gebildet? Lesen Sie die Sätze in 2.2 noch einmal, kreuzen Sie die Regel an und ergänzen Sie die Formen im Grammatikkasten.

Komparativ und Superlativ

Der Komparativ und Superlativ werden wie Adjektive dekliniert, wenn sie …
- ◯ als Adjektiv ohne Nomen stehen.
- ◯ als Adverb benutzt werden.
- ◯ vor einem Nomen stehen.

	ohne Nomen / als Adverb	**vor einem Nomen**
Komparativ:	Adjektiv + ___	Adjektiv + ___ + Adjektivendung
Superlativ:	___ + Adjektiv + ___	Adjektiv + (e)___ + Adjektivendung

2.4 Was passt: Komparativ oder Superlativ? Ergänzen Sie die Adjektive in der richtigen Form.

Vor 20 Jahren hatten nur die *wenigsten* [1] *(wenig)* Deutschen ein Smartphone. Durch ___ [2] *(gut)* Technik und ___ [3] *(schnell)* Internetzugänge hat sich das inzwischen geändert. Die ___ [4] *(jung)* Generation wird schon mit Internet und digitalen Medien groß. Sogar die ___ [5] *(klein)* Kinder können heutzutage ein Tablet oder Smartphone bedienen. ___ [6] *(alt)* Menschen haben aber manchmal noch Probleme mit ___ [7] *(neu)* Technik. Doch für den ___ [8] *(groß)* Teil der Menschen sind die digitalen Medien inzwischen normal. Trotzdem gibt es Bereiche, in denen ___ [9] *(altmodisch)* Medien weiterhin sehr beliebt sind. Zum Beispiel lesen die ___ [10] *(viel)* Menschen auch heute noch am ___ [11] *(gern)* Bücher, obwohl es mit E-Books eine ___ [12] *(günstig)* und ___ [13] *(praktisch)* Alternative gibt.

3 Strategietraining: eine Grafik beschreiben

3.1 Lesen Sie die Grafikbeschreibung und bringen Sie die Absätze in die richtige Reihenfolge.

- ☐ Fast 100 Prozent sagen, dass für sie das Schreiben und Lesen von E-Mails am wichtigsten ist. Auf Position zwei ist die Angabe „Apps benutzen", was mehr als acht von zehn Personen machen. Fast genauso wichtig wie Apps finden die Befragten das Kommunizieren über Messenger-Dienste. Nur etwa jeder Fünfte nutzt die digitalen Medien für das Online-Dating, das damit auf dem letzten Platz liegt.
- ☐ Man hat 1.000 Personen im Alter zwischen 14 und 69 befragt und die Ergebnisse in Form eines Balkendiagramms präsentiert.
- ☐ Die vorliegende Grafik „Digitale Medien" vom Bundesverband Digitale Wirtschaft gibt Auskunft über die Nutzung von digitalen Medien.
- ☐ Man kann gut sehen, dass ein Großteil der Bevölkerung die sozialen Medien sowohl beruflich als auch privat nutzt. Ich denke, dass diese Zahl in Zukunft weiter steigen wird. Besonders interessant finde ich, dass die E-Mail auf dem ersten Platz steht. Ich persönlich benutze E-Mails nicht so häufig, um mit Freunden in Kontakt zu bleiben.

3.2 Was ist bei einer Grafikbeschreibung wichtig? Sehen Sie das Strategievideo bei Bedarf noch einmal und notieren Sie Ihre drei wichtigsten Tipps.

eine Grafik beschreiben

____

____

____

3.3 Welche sozialen Netzwerke nutzen die 8,5 Millionen Einwohner der Schweiz? Beschreiben Sie die Grafik mithilfe der Redemittel im Kursbuch auf Seite 61.

3.4 Nehmen Sie Ihre Grafikbeschreibung mit dem Smartphone auf. Spielen Sie Ihre Beschreibung Ihrer Partnerin / Ihrem Partner vor. Haben Sie die Grafik gut beschrieben? Was könnte man vielleicht besser machen? Sprechen Sie zu zweit.

Einfach mal reden!

1 Streitthema WG-Leben

1.1 Welcher Titel passt? Lesen Sie den Blogbeitrag und kreuzen Sie an.

1 ◯ Stress in der WG – bleiben oder ausziehen?
2 ◯ Streit in unserer WG – so haben wir das Problem gelöst.
3 ◯ Zusammenleben in einer WG – so klappt es!

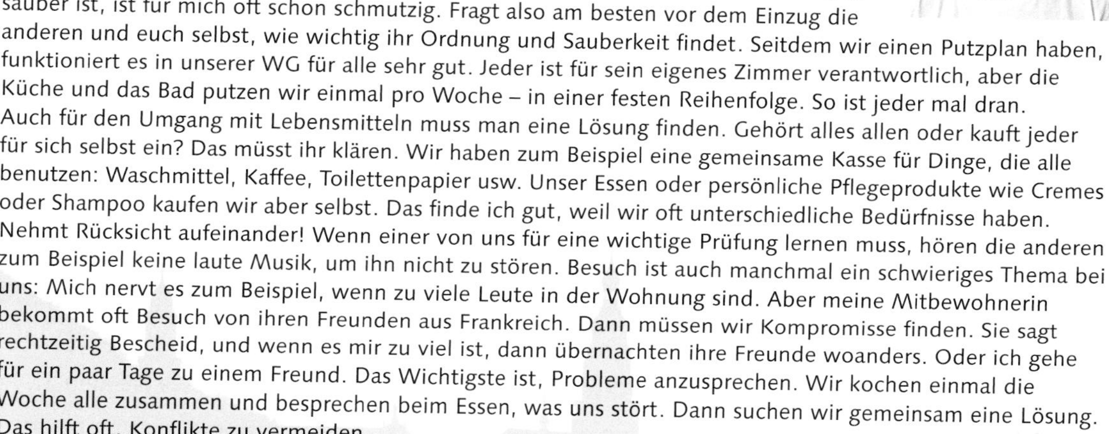

Tayo in Heidelberg

Als ich im Herbst mit dem Studium angefangen habe, bin ich in eine WG mit drei anderen Studenten gezogen. Eine eigene Wohnung war einfach zu teuer, und außerdem bin ich nicht so gern allein. Das Zusammenleben mit den anderen macht viel Spaß, aber ich habe auch gemerkt, dass man oft Kompromisse eingehen muss, damit das WG-Leben gut funktioniert.
Bei uns war das Putzen Streitthema Nummer eins. Was für meine Mitbewohner noch sauber ist, ist für mich oft schon schmutzig. Fragt also am besten vor dem Einzug die anderen und euch selbst, wie wichtig ihr Ordnung und Sauberkeit findet. Seitdem wir einen Putzplan haben, funktioniert es in unserer WG für alle sehr gut. Jeder ist für sein eigenes Zimmer verantwortlich, aber die Küche und das Bad putzen wir einmal pro Woche – in einer festen Reihenfolge. So ist jeder mal dran.
Auch für den Umgang mit Lebensmitteln muss man eine Lösung finden. Gehört alles allen oder kauft jeder für sich selbst ein? Das müsst ihr klären. Wir haben zum Beispiel eine gemeinsame Kasse für Dinge, die alle benutzen: Waschmittel, Kaffee, Toilettenpapier usw. Unser Essen oder persönliche Pflegeprodukte wie Cremes oder Shampoo kaufen wir aber selbst. Das finde ich gut, weil wir oft unterschiedliche Bedürfnisse haben.
Nehmt Rücksicht aufeinander! Wenn einer von uns für eine wichtige Prüfung lernen muss, hören die anderen zum Beispiel keine laute Musik, um ihn nicht zu stören. Besuch ist auch manchmal ein schwieriges Thema bei uns: Mich nervt es zum Beispiel, wenn zu viele Leute in der Wohnung sind. Aber meine Mitbewohnerin bekommt oft Besuch von ihren Freunden aus Frankreich. Dann müssen wir Kompromisse finden. Sie sagt rechtzeitig Bescheid, und wenn es mir zu viel ist, dann übernachten ihre Freunde woanders. Oder ich gehe für ein paar Tage zu einem Freund. Das Wichtigste ist, Probleme anzusprechen. Wir kochen einmal die Woche alle zusammen und besprechen beim Essen, was uns stört. Dann suchen wir gemeinsam eine Lösung. Das hilft oft, Konflikte zu vermeiden.
Wie sind eure Erfahrungen mit dem WG-Leben? Was sind eure Probleme, oder welche Tipps habt ihr noch? Ich freue mich auf eure Kommentare.

1.2 Lesen Sie den Blogbeitrag in 1.1 noch einmal und beantworten Sie die Fragen in Ihrem Heft.

1 Warum ist Tayo in eine WG eingezogen?
2 Worüber haben sich die Mitbewohner am meisten gestritten? Wie haben sie das Problem gelöst?
3 Wie gehen die Mitbewohner mit dem Thema Essen und Haushaltskasse um? Wie findet Tayo das?
4 In welchen Situationen müssen die Mitbewohner Kompromisse finden? Wie sieht das aus?
5 Was empfiehlt Tayo, um Streit in der WG zu vermeiden?

1.3 Und Sie? Welche Erfahrungen haben Sie im Zusammenleben mit anderen Menschen gemacht? Gab es Probleme oder Streit? Wie haben Sie sie gelöst? Schreiben Sie eine Antwort auf Tayos Blogbeitrag.

2 Konstruktiv streiten. Was bedeuten die Ausdrücke? Verbinden Sie.

1 sich nicht um jemanden kümmern
2 jemanden respektieren
3 die Perspektive des anderen einnehmen
4 jemandem den Spaß nehmen
5 zu zweit miteinander reden
6 eine negative Meinung akzeptieren
7 jemandem etwas Schönes sagen

a Kritik annehmen
b den anderen wertschätzen
c jemandem ein Kompliment machen
d jemanden vernachlässigen
e jemandem die Laune verderben
f sich in den anderen hineinversetzen
g unter vier Augen miteinander sprechen

Kommunikation am Arbeitsplatz

1 Ärger im Berufsleben. Was passt zusammen? Verbinden Sie.

1 etwas schriftlich
2 den/einen Eindruck
3 unvorbereitet zu Terminen
4 Entscheidungen
5 die eigene Meinung
6 an einem Projekt
7 Konferenzprotokolle
8 sich Informationen selbstständig
9 Verantwortung

a erscheinen
b treffen
c darstellen
d lesen
e mitarbeiten
f haben
g übernehmen
h besorgen
i einbringen

2 Eine schwierige E-Mail

2.1 Sie sind unzufrieden mit Ihrer Arbeitssituation. Schreiben Sie eine E-Mail an Ihre Chefin. Beschreiben Sie mithilfe der Notizen Ihre Probleme und machen Sie Lösungsvorschläge.

Probleme
- zu viel Arbeit, zu viele Überstunden
- zu wenig Infos vom Team
- wenig Feedback von der Teamleitung und persönliche Kritik wird vor anderen Kollegen geäußert

Lösungsvorschläge
- Team vergrößern, Arbeit besser aufteilen
- regelmäßiger Austausch und Besprechungen
- Gespräche unter vier Augen für Feedback und Kritik

Sehr geehrte Frau Kelter,
seit zwei Monaten bin ich Teil des Projektteams „Bessere Informationen für unsere Kunden", ...

2.2 Tauschen Sie die E-Mail mit Ihrer Partnerin / Ihrem Partner und schreiben Sie eine Antwort-E-Mail aus der Perspektive von Frau Kelter.

Es liegt mir auf der Zunge

1 Strategietraining: unbekannte Wörter umschreiben. Welche Strategien gibt es? Ergänzen Sie im Strategiekasten.

~~Beispiele nennen~~ – ein Wort zeichnen – das Gegenteil nennen – Funktionen beschreiben – ein Wort pantomimisch darstellen – definieren oder erklären – Ober-/Unterbegriffe angeben – mit Bildern zeigen

unbekannte Wörter umschreiben

verbal: *Beispiele nennen;* ____________

nonverbal: ____________

2 Wörter raten

2.1 Wählen Sie acht Wörter oder Ausdrücke und überlegen Sie, wie Sie sie (verbal oder nonverbal) erklären oder darstellen würden. Notieren Sie die Wörter auf Kärtchen.

die Neugierde – die Bedienung – die Krankenversicherung – die Steuererklärung – aggressiv – nachdenklich – die Vermutung – freiberuflich – die Motivation – Kritik üben – recherchieren – der Ekel – interpretieren – gestikulieren – die Melodie – jemanden wertschätzen – das Hausboot – alleinerziehend – obdachlos – jemanden gut leiden können – die Strategie – eine Diskussion führen – identisch

2.2 Spielen Sie zu dritt Wörterraten. Sie haben zwei Minuten Zeit, um so viele Wörter wie möglich aus 2.1 zu erklären. Die anderen raten. Danach ist die/der Nächste an der Reihe.

2.3 Welche Strategien haben Sie benutzt? Welche Strategien waren besonders gut oder weniger gut geeignet? Tauschen Sie sich in der Gruppe aus.

Mit den Ohren sehen

1 Was bedeutet *barrierefrei*? Ergänzen Sie.

barrierefrei – blind – Gebärdensprache – gehörlos – Untertitel – übersetzen – Rollstuhl

1 Menschen, die nicht sehen können, sind ______________.
2 Jemand, der nicht hören kann, ist ______________.
3 Viele gehörlose Menschen benutzen für die Kommunikation untereinander die ______________.
4 Manche Geschäfte sind leider nicht ______________. Es gibt weder eine Rampe noch einen Aufzug.
5 Um in einem Film die Dialoge mitzulesen, gibt es ______________.
6 Personen, die nicht laufen können, benutzen oft einen ______________.
7 Mein Englisch ist leider nicht so gut. Könnten Sie für mich ______________?

2 Der deutsche Hörfilmpreis

2.1 Richtig oder falsch? Hören Sie und kreuzen Sie an.

		richtig	falsch
1	Der Kinoexperte hat die Verleihung des Hörfilmpreises besucht und berichtet darüber.	☐	☐
2	Bei einem Hörfilm wird die Handlung, die man im Film sieht, verbal beschrieben.	☐	☐
3	In den Kinos gibt es Kopfhörer, mit denen man die Filmbeschreibung hören kann.	☐	☐
4	Trotz der hohen Kosten für Hörfilme gibt es sehr viele barrierefreie Filme.	☐	☐
5	Die Filmbeschreibungen werden von blinden Redakteuren überprüft.	☐	☐
6	Nur ein Viertel des Programms der öffentlich-rechtlichen Fernsehsender ist für blinde Menschen geeignet.	☐	☐
7	Der Hörfilmpreis wird bisher nur für Kinoproduktionen vergeben.	☐	☐

2.2 Hören Sie noch einmal und beantworten Sie die Fragen.

1 Was kann man unter anderem in einer Hörfilmfassung hören?
2 Welche technischen Voraussetzungen müssen erfüllt sein, um einen Hörfilm zu hören?
3 Wie wird eine Hörfilmfassung produziert?
4 In wie vielen und welchen Kategorien gibt es den Deutschen Hörfilmpreis?

2.3 Was ist ein Hörfilm? Würden Sie gern einen Hörfilm sehen? Fassen Sie die Informationen aus 2.1 und 2.2 in einem kurzen Text zusammen.

Prüfungstraining

GI **1 Lesen Teil 4**

Sie lesen in einer Zeitschrift verschiedene Meinungsäußerungen zum Thema „mehrsprachige Erziehung".

Welche Überschrift passt inhaltlich zu den Äußerungen a–f? Ordnen Sie zu. Eine Äußerung passt nicht. Die Äußerung a ist das Beispiel und kann nicht noch einmal verwendet werden.

1 [a] Die Wichtigkeit einer frühen Mehrsprachigkeit
2 [ ] Mehrsprachigkeit in der Familie braucht Regeln
3 [ ] Bessere Karrierechancen und größere Weltoffenheit
4 [ ] Herausforderung für die Schule
5 [ ] Mehrsprachigkeit in Zeiten der Migration

a
Wir alle wissen, wie schwer es ist, im Erwachsenenalter Fremdsprachen zu lernen. Umso wichtiger ist es, bereits in Kindergärten und Kitas eine weitere Sprache zu lernen, und zwar spielerisch, ohne Grammatikpaukerei, Regeln und ohne Angst haben zu müssen, Fehler zu machen.
Alex, Frankfurt

b
Ich finde, mehrsprachige Erziehung ist oft der Wunsch ehrgeiziger Eltern, die wollen, dass ihre Kinder schon im Kindergarten eine besondere Leistung erbringen. Man sollte die Kinder aber nicht überfordern, später in der Schule wird sich ja herausstellen, ob sie wirklich sprachbegabt sind oder andere Talente haben.
Sebastian, Berlin

c
In der Diskussion über mehrsprachige Erziehung orientiert man sich zu stark an deutschen Kindern, die schon früh eine andere Sprache, meistens Englisch, lernen müssen. Deutschland ist jedoch ein Einwanderungsland. Kinder in Migrationsfamilien müssen aber nicht nur Deutsch lernen, sondern auch ihre Muttersprache weiter sprechen.
Jasmin, Bonn

d
Ich finde, bei mehrsprachiger Erziehung brauchen die Kinder klare Strukturen. Wenn die Eltern aus unterschiedlichen Ländern kommen, sollte die Mutter immer nur in ihrer Sprache mit dem Kind sprechen und der Vater in seiner. Die emotionale Bindung einer Sprache zu einer Person ist meiner Meinung nach sehr entscheidend.
Sarah, München

e
In Deutschland wachsen immer mehr Kinder mehrsprachig auf, aber an Schulen wird meistens nur bilingualer Unterricht in Englisch oder Französisch angeboten. Hier ist ein Umdenken erforderlich. Warum gibt es zum Beispiel keinen Arabischunterricht? Man muss einfach erkennen, dass alle Sprachen den gleichen Wert haben.
Lena, Stuttgart

f
Wer mehrere Sprachen spricht, hat bessere Chancen im Beruf und ist offener gegenüber anderen Kulturen. Letztendlich sollte das auch ein Ziel der Politik sein. Alle EU-Bürgerinnen und -Bürger sollten zusätzlich zu ihrer Muttersprache zwei Fremdsprachen sprechen können, auch wenn das viel Arbeit bedeutet.
Jan, Regensburg

Tipp: Unterstreichen Sie die Schlüsselwörter in den Überschriften. Achten Sie darauf, dass die Schlüsselwörter in den Texten oft nicht wörtlich vorkommen, sondern manchmal mit mehreren Sätzen beschrieben werden. Wenn Sie einen Text nicht sofort verstehen, gehen Sie zum nächsten Text weiter. Wählen Sie am Ende die Überschrift aus, die am besten zum Text passt.

GI **2 Hören Teil 1**

Lösen Sie zu jedem Text zwei Aufgaben. Hören Sie und kreuzen Sie an, ob die erste Aussage richtig oder falsch ist und welche Option (a, b oder c) bei der zweiten Aussage richtig ist.

1 Die Frau hatte andere Erwartungen an das Seminar. ▢ richtig ▢ falsch

2 Sie wusste schon vor dem Seminarbesuch, dass ...
- a ▢ die gesprochene Sprache beim ersten Kontakt zwischen Menschen fast keine Rolle spielt.
- b ▢ Gesten kulturell unterschiedlich interpretiert werden können.
- c ▢ manche Gefühle überall auf die gleiche Weise gezeigt werden.

3 Der Kollege kritisiert seine Kollegin. ▢ richtig ▢ falsch

4 Die beiden streiten, weil ...
- a ▢ die Projektplanung schlecht ist.
- b ▢ es finanzielle Schwierigkeiten gibt.
- c ▢ unbeliebte Aufgaben ungerecht verteilt sind.

5 Eine Journalistin berichtet über Vor- und Nachteile des Fernsehkonsums. ▢ richtig ▢ falsch

6 Ein Ergebnis der Studie ist, dass ...
- a ▢ in Deutschland junge Leute weniger fernsehen als alte Menschen.
- b ▢ Deutschland im europäischen Vergleich im ersten Drittel liegt.
- c ▢ in Portugal und Rumänien am wenigsten ferngesehen wird.

7 Die beiden Kommilitonen wollen in einen barrierefreien Kinofilm gehen. ▢ richtig ▢ falsch

8 Die Studentin ...
- a ▢ benutzt ein Hörgerät, weil sie gehörlos ist.
- b ▢ nutzt eine App für sehbehinderte Menschen.
- c ▢ findet, dass Hörfilme für Menschen, die sehen können, nicht geeignet sind.

Tipp: In diesem Prüfungsteil hören Sie die Texte nur einmal. Lesen Sie deshalb vorher die Aufgaben genau und markieren Sie Schlüsselwörter. Die erste Aufgabe (richtig/falsch) fragt nach dem globalen Thema, für die zweite Aufgabe müssen Sie auf Detailinformationen achten. Auch wenn Sie bei einer Aufgabe unsicher sind, sollten Sie auf jeden Fall etwas ankreuzen.

GI **3 Schreiben Teil 2**

Sie arbeiten bei einer deutschen Firma in der Marketingabteilung. In der letzten Teambesprechung wurde festgelegt, dass Sie eine Präsentation über die neue Marketingstrategie erstellen sollen. Sie konnten die Präsentation aber leider nicht pünktlich fertigstellen.

Schreiben Sie eine Nachricht (mindestens 100 Wörter) an die Abteilungsleiterin Frau Arghan. Überlegen Sie sich eine passende Reihenfolge der Inhaltspunkte und denken Sie auch an Anrede und Gruß.

Entschuldigen Sie sich für die Verspätung.	Erklären Sie, wie das passieren konnte.	Machen Sie einen Vorschlag zur Lösung des Problems.	Bitten Sie um Verständnis für Ihre Situation.

Tipp: Für diesen Prüfungsteil haben Sie 25 Minuten Zeit. Lesen Sie den Einleitungstext und unterstreichen Sie wichtige Informationen (Wer? Was? Warum?). Machen Sie Notizen zu den vier Inhaltspunkten und legen Sie die Reihenfolge fest. Achten Sie beim Schreiben darauf, dass Sie zu jedem Inhaltspunkt mit Ihren eigenen Worten mindestens ein bis zwei Sätze schreiben.

5 Einfach mal abschalten

Webcode: vayeqo

Den Kopf frei bekommen

1 **Einfach mal abschalten. Was kann man machen, um abzuschalten? Notieren Sie Ihre Ideen in einer Mindmap und vergleichen Sie zu zweit.**

abschalten
draußen
drinnen
allein
ein Buch lesen
mit anderen

2 **Der perfekte Ausgleich**

2.1 Welches Verb passt? Lesen und ergänzen Sie die Verben in der richtigen Form.

abfallen – bekommen – denken – entdecken – erholen – hingeben – kommen – nehmen – verbringen – vergessen

Uni-Magazin *Spaß im Studium 02/20*

Abschalten vom Uni-Stress

Das Semesterende steht vor der Tür und die Prüfungszeit ist für viele Studierende sehr stressig. Wir haben euch gefragt, was ihr tut, damit eure Gedanken zwischendurch zur Ruhe ____________[1] und wie ihr euch vom Prüfungsstress ____________[2].

Jan: Was mir guttut? Ich habe Sport für mich ____________[3]. Beim Schwimmen kann ich mich ganz dem Wasser und den Wellen ____________[4]. Früher fand ich Schwimmen langweilig, aber inzwischen merke ich, wie gut es mir tut: Im Wasser kann der Stress sofort von mir ____________[5]. Seitdem ich regelmäßig Zeit im Wasser ____________[6], bin ich viel ausgeglichener.

Amélie: Sport ist nichts für mich. Ich bin lieber kreativ. Wenn ich meinen Podcast mache, muss ich mal nicht an meine Prüfungen ____________[7]. Deshalb ____________[8] ich mir einmal in der Woche Zeit dafür. Wenn ich mich auf die neue Sendung vorbereite, ____________[9] ich meinen Kopf wieder frei. Bei den Interviews mit meinen Gästen ____________[10] ich dann wirklich alle Probleme.

2.2 *Bei* oder *wenn*? Was passt? Ergänzen Sie zuerst die Sätze, danach die Regeln im Grammatikkasten.

________[1] den Theaterproben bin ich noch ziemlich entspannt. Doch dann, ________[2] ich auf der Bühne stehe, bin ich jedes Mal sehr nervös. Erst zum Schluss, ________[3] das Publikum applaudiert, fällt die Nervosität von mir ab. ________[4] dem lauten Klatschen vergesse ich alles um mich herum. Danach, ________[5] sich der Vorhang schließt, bin ich einfach sehr stolz und glücklich. Und ________[6] der nächsten Aufführung ist es wieder das Gleiche.

Die temporale Präposition *bei* (+ Dativ)

Um gleichzeitige Handlungen auszudrücken, wird ________ benutzt. Nach ________ steht oft ein nominalisiertes Verb. Alternativ kann man einen Nebensatz mit ________ benutzen.

2.3 Wie kann man es anders sagen? Schreiben Sie die Sätze mit *bei*.

1 Wenn ich schwimme, kann ich gut entspannen.
2 Tim vergisst alles andere, wenn er Musik hört.
3 Wenn sie Tango tanzt, kann Lisa am besten abschalten.
4 Noahs Gedanken kommen am besten zur Ruhe, wenn er im Wald joggt.
5 Wenn wir eine lange Wanderung machen, können wir uns richtig gut erholen.

1 Beim Schwimmen ...

2.4 Wiederholung: *wenn* oder *als*? Lesen und ergänzen Sie. Der Grammatikanhang (B 2.2.1) hilft.

1 ______ ich gestern joggen war, konnten meine Gedanken endlich mal zur Ruhe kommen.
2 Ich kann sehr gut abschalten, ______ ich ein gutes Buch lese und einen Kaffee trinke.
3 ______ ich das erste Mal Yoga ausprobiert habe, war ich sofort viel entspannter.
4 Ich war immer viel ausgeglichener, ______ ich meditiert habe.
5 ______ ich mich im Garten um meine Pflanzen kümmere, vergesse ich alles andere.
6 ______ ich letztes Jahr ein großes Bild gemalt habe, ist der ganze Stress von mir abgefallen.

2.5 Und wobei können Sie sich gut entspannen? Schreiben Sie Sätze mit *wenn* oder *bei* und benutzen Sie die Redemittel im Kursbuch auf Seite 73.

3 Abschalten im digitalen Zeitalter

3.1 Welche Überschrift passt am besten? Lesen Sie und kreuzen Sie an.

1 ☐ ZENtoday – bald auf Deutsch erhältlich
2 ☐ Kein Runterkommen – Kritik an neuen Meditations-Apps
3 ☐ Abschalten per Smartphone – Meditations-Apps sind neuester Trend

Mithilfe des Smartphones Erholung und innere Ruhe finden: Wie soll das funktionieren? Schließlich ist das Smartphone genau das Gerät, das unser Leben so viel schneller macht und uns immer wieder ablenkt.
Der Däne Christer Mortensen sieht das anders. Nachdem er über zehn Jahre in einem buddhistischen Kloster im Himalaya gelebt hatte, gründete er eine Firma und entwickelte eine App zum Meditieren: ZENtoday. „Ich verstehe schon, dass manche Zweifel daran haben könnten, mithilfe des Handys den Alltag zu vergessen", sagt er. „Aber ich glaube nicht, dass das Gerät selbst stressig ist, sondern unser Umgang damit." Dennoch ist für Mortensen klar: Gerade mithilfe von Apps erreicht man heutzutage viele Menschen und kann zeigen, dass Meditieren überall möglich ist.

Seine Idee scheint zu funktionieren: Mehr als sieben Millionen Menschen entspannen schon mithilfe der App – so oft wurde sie zumindest schon heruntergeladen. Sein Unternehmen, das den Hauptsitz in Los Angeles hat, beschäftigt inzwischen fast 30 Mitarbeiter. Seit Anfang des Jahres ist die App auch auf Deutsch erhältlich. Es gibt Meditationen zu den unterschiedlichsten Bereichen des Lebens: vom besseren Schlafen über mehr Motivation für den Alltag bis hin zur Verringerung von Stress und Ängsten.
Experten sehen den Trend jedoch kritisch. Der Yogalehrer Martin Range findet, dass es viel Disziplin und eigene Motivation erfordert, mithilfe einer App zu meditieren. Außerdem ist das Ergebnis oft besser, wenn man mit anderen zusammen meditiert. „Schade ist auch, dass man keinen direkten Ansprechpartner hat, mit dem man über seine neuen Erfahrungen sprechen kann." Ähnlich sieht es die Professorin für Psychologie Prof. Dr. Linda Wahl. Am Anfang hatte sie eine sehr skeptische Haltung. „Mittlerweile finde ich es aber positiv, dass mithilfe dieser Apps mehr Menschen zum Meditieren und Entspannen angeregt werden als früher." Menschen, die sich intensiver mit diesem Thema beschäftigen möchten oder die psychische Probleme haben, empfiehlt sie jedoch eine individuellere Unterstützung mithilfe von Kursen oder Therapien. ▪

3.2 Wer sagt was? Lesen Sie den Artikel in 3.1 noch einmal und ordnen Sie zu.

a Christer Mortensen b Martin Range c Linda Wahl

1 ☐ Die Apps motivieren viele Menschen zum Meditieren.
2 ☐ Wenn man alleine meditiert, ist das Ergebnis nicht so gut.
3 ☐ Mit einer App kann man überall meditieren.
4 ☐ Beim Meditieren mit einer App muss man sich selbst motivieren.
5 ☐ Stress entsteht durch die Art und Weise, wie man das Smartphone nutzt.
6 ☐ Bei psychischen Problemen sollte man sich professionelle Hilfe holen.

3.3 Was passt? Markieren Sie in 3.1 alle Sätze mit *mithilfe (von)* und ergänzen Sie den Grammatikkasten.

mithilfe – mithilfe von – Dativ – Genitiv

Die modale Präposition *mithilfe* (+ ________) bzw. *mithilfe von* (+ ________)

Nach der Präposition ________ steht das Nomen normalerweise im Genitiv. Wenn das Nomen keinen Artikel hat, kann man alternativ auch ________ benutzen.

3.4 *Mithilfe* oder *mithilfe von*? Lesen und ergänzen Sie.

1 ________ zahlreichen Apps wollen Menschen mehr Ruhe in ihren stressigen Alltag bringen.
2 Viele Menschen möchten sich ________ angeleiteter Meditationen erholen.
3 Sie haben die Hoffnung, sich ________ kleinen Pausen besser entspannen zu können.
4 ________ einfacher Atemübungen kann man sehr schnell entspannen.
5 Viele Menschen finden es gut, ________ Videos und Apps Yogaübungen zu machen.
6 ________ vieler Auswahlmöglichkeiten können die Apps individuelle Bedürfnisse erfüllen.

3.5 Wozu benutzen Sie Apps? Wobei helfen sie Ihnen? Schreiben Sie Sätze mit *mithilfe (von)*.

Ich benutze eine Vokabel-App. Mithilfe dieser App kann ich die Vokabeln anhören.

4 Strategietraining: eine Präsentation halten

4.1 Lesen Sie die Ausschnitte der Präsentation und bringen Sie sie in die richtige Reihenfolge.

a ☐ *Abschließend kann man sagen, dass man diese Atemtechnik sicherlich regelmäßig trainieren muss, damit sie funktioniert.*

d ☐ *Ich danke Ihnen für Ihre Aufmerksamkeit und wünsche Ihnen eine gute Erholung!*

b ☐ *In meiner Präsentation geht es um eine Atemmethode, die beim Einschlafen helfen soll: Die 4-7-8-Atmung.*

e ☐ *Ich werde zuerst erklären, wie sie genau funktioniert. ... Zum Schluss werde ich noch darauf eingehen, warum diese Technik bei der Entspannung hilft.*

c ☐ *Ein wichtiger Aspekt bei der 4-7-8-Atmung ist, dass die Ausatmung länger als die Einatmung dauert. Beim Einatmen zählt man bis 4. Dann hält man den Atem an und zählt bis 7. Beim Ausatmen zählt man bis 8. Dabei ist es wichtig, durch den Mund zu atmen ...*

4.2 Markieren Sie Redemittel für eine Präsentation in den Sprechblasen in 4.1 und ergänzen Sie.

Einleitung: 1 *In meiner Präsentation geht es um ...*

2

3

Hauptteil: 4

Schluss: 5

6

4.3 Worauf sollte man bei einer Präsentation achten? Notieren Sie drei Tipps im Strategiekasten. Sehen Sie bei Bedarf das Strategievideo noch einmal.

eine Präsentation halten

4.4 Phonetik: flüssig präsentieren. Hören Sie die Ausschnitte aus der Präsentation und markieren Sie den Hauptakzent in den Redemitteln in 4.2.

4.5 Lesen Sie die Redemittel in 4.2 schnell. Achten Sie auf die Betonung und nutzen Sie Gestik und Körpersprache.

4.6 Was ist Floating? Schreiben Sie mithilfe der Informationen auf den Folien eine kurze Präsentation. Benutzen Sie die Redemittel im Kursbuch auf Seite 73.

1 ***Floating – eine Entspannungsmethode***

2 ***Gliederung***
- *Was ist Floating?*
- *Woher kommt es?*
- *Wie hilft es?*

3 ***Was ist Floating?***
- *passives Schwimmen im Salzwasser*
- *in Dunkelheit und absoluter Stille*

4 ***Woher kommt Floating?***
- *in den 50er Jahren von Gehirnforschern in den USA entwickelt*

5 ***Wie hilft Floating?***
- *Wirkung wie bei Meditation, aber in kürzerer Zeit*
- *weniger Stress, mehr Kreativität, weniger Depressionen, stärkeres Immunsystem*

6 ***Fazit***
- *Floating ist noch relativ unbekannt, aber sehr effektiv*
- *besonders für gestresste Großstadtmenschen geeignet*

4.7 Lesen Sie Ihre Präsentation mehrmals und üben Sie, frei zu sprechen. Nehmen Sie dann Ihre Präsentation mit dem Smartphone auf. Hören Sie Ihre Präsentation. Wie fanden Sie sie?

4.8 Arbeiten Sie zu zweit. Hören Sie die Präsentation von Ihrer Partnerin / Ihrem Partner. Was hat Ihnen gut gefallen? Schreiben Sie ein kurzes Feedback mithilfe der Redemittel im Kursbuch auf Seite 73.

Deine/Ihre Präsentation hat mir gut gefallen, weil ...

Weniger Stress im Alltag und Beruf

1 Stress im Arbeitsleben

1.1 Was passt? Lesen Sie die Erklärungen und ergänzen Sie.

Anerkennung – Arbeitsleben – Arbeitspensum – Erreichbarkeit – Reizüberflutung – Stressauslöser – Vorgesetzte – Zeitdruck

1 Das ______________ ist der Teil des Lebens, den man mit Arbeiten verbringt.
2 Wenn man viele Dinge innerhalb kurzer Fristen erledigen muss, hat man ______________.
3 Wenn man für seine Arbeit gelobt wird, bekommt man ______________.
4 ______________ bedeutet, dass das Gehirn zu viele Informationen auf einmal bekommt.
5 Die Ursachen für Stress nennt man ______________ oder Stressfaktoren.
6 Das ______________ ist die Menge der Arbeit.
7 Der oder die ______________ ist die Person, für die man arbeitet.
8 Ständige ______________ bedeutet, dass man das Handy immer angeschaltet hat und sofort auf Anrufe oder E-Mails reagiert.

1.2 Te-Ka-Mo-Lo. Ergänzen Sie die Regeln im Grammatikkasten.

Reihenfolge der Angaben im Hauptsatz (Te-Ka-Mo-Lo)

Die Reihenfolge der Angaben im Satz ist normalerweise ______________.
Die temporale Angabe steht oft am Satzanfang. Man kann auch jede andere Angabe an den Satzanfang stellen, um ______________.

Wenn es mehrere Angaben des gleichen Typs gibt, folgen diese oft einer Reihenfolge.

temporale Angaben: normalerweise von groß nach klein
Wir sind vor einem Jahr an einem Wochenende um Mitternacht in Wien angekommen.

lokale Angaben: normalerweise von klein nach groß
In den Ferien fahre ich zu meiner Oma in ihr Ferienhaus auf Mallorca.

1.3 Schreiben Sie Sätze. Beachten Sie die Te-Ka-Mo-Lo-Reihenfolge und beginnen Sie die Sätze mit dem Subjekt oder mit der temporalen Angabe.

1 der Stress am Arbeitsplatz – ist – wegen unterschiedlicher Stressauslöser – überall – gestiegen – in den letzten Jahren
2 87 Prozent der Arbeitnehmer – heutzutage – regelmäßig gestresst – sind – wegen ihrer Arbeitssituation
3 sechs von zehn Befragten – sehr erschöpft – wegen ihres Arbeitspensums – fühlen sich – nach Feierabend
4 35 Prozent der Befragten – zur Arbeit – gehen – trotz gesundheitlicher Probleme
5 jeder Vierte – wegen der ständigen Erreichbarkeit – fühlte sich – extrem gestresst – im letzten Jahr
6 95 Prozent der Arbeitnehmer – am Arbeitsplatz – würden – in der Pause – auch freiwillig – an Erholungsangeboten teilnehmen

1 Der Stress am Arbeitsplatz ist in den letzten Jahren ...

1.4 Schreiben Sie die Sätze aus 1.3 neu. Stellen Sie eine Angabe an den Satzanfang, um sie zu betonen.

1 Wegen unterschiedlicher Stressauslöser ist der Stress am Arbeitsplatz ...

1.5 Ergänzen Sie die lokalen bzw. temporalen Angaben in der richtigen Reihenfolge im Satz.

1 Sie hat letzte Woche ...

1 Sie hat ... geschlafen. *(jede Nacht – nur fünf Stunden – letzte Woche)*
2 Wir haben ... übernachtet. *(im Wohnwagen – im Süden von Schweden – auf einem Campingplatz)*
3 Ich würde gern ... in die Berge fahren. *(an Weihnachten – für ein paar Tage – nächstes Jahr)*
4 Gestern gab es ... einen Unfall. *(im Stadtzentrum – vor unserem Haus)*

2 Stress abbauen

2.1 Welches Wort passt? Lesen und ergänzen Sie.

Bewegung – Entspannung – Gefahren – Lebensumstellung – Neuanfang – ~~Reaktion~~ – Reserven – Schutzfunktion – Vorfahren – Zusammenbruch

Was ist Stress?

Stress ist eine natürliche *Reaktion* ______ [1] des Körpers auf äußere Gefahren. Stress hat nämlich eine ______ [2]. Das war vor allem früher wichtig, als Menschen gegen echte ______ [3] kämpfen oder vor ihnen fliehen mussten. Weil auf der Flucht oder im Kampf mehr Energie verbraucht wird, werden alle körperlichen ______ [4] gebraucht. Wenn diese leer sind, zeigt der Körper die typischen Stress-Symptome: angefangen von Müdigkeit bis hin zum kompletten ______ [5]. Weil heute die Menschen – anders als unsere ______ [6] – viel seltener Gefahren im Alltag erleben, sind die körperlichen Stressreaktionen eigentlich „übertrieben". In der heutigen Zeit brauchen wir sie nicht mehr. Ein Problem ist, dass den Menschen heute ausreichende ______ [7] fehlt, um den Stress abzubauen. Deshalb brauchen wir andere Methoden zur ______ [8]. Wer unter ständigem Stress leidet, sollte über eine ______ [9] nachdenken. Wenn man den ______ [10] wagt, dann wartet oft ein einfacheres und entspannteres Leben!

2.2 Was steht im Text? Lesen Sie noch einmal und kreuzen Sie an.

1 ☐ Unser Körper reagiert auf Stress vor allem mit Müdigkeit.
2 ☐ Unser Körper reagiert heutzutage zu stark auf Stress.
3 ☐ Wenn man sich immer gestresst fühlt, sollte man viel Sport treiben und regelmäßig abschalten.

2.3 Warum sind Lisa, Felix und Enrique gestresst? Hören Sie das Gespräch und notieren Sie.

Lisa

Felix

Enrique

	Stressursachen
Felix:	*unfreundlicher Kollege*

2.4 Was unternehmen Lisa, Felix und Enrique, um den Stress abzubauen? Welche Ratschläge geben die Freunde? Hören Sie noch einmal und ergänzen Sie Ihre Notizen.

	Stressursachen	Aktivitäten gegen Stress	Ratschläge
Felix:	*unfreundlicher Kollege*		

2.5 Und Sie? In welchen Situationen haben Sie Stress? Was hilft Ihnen besonders, um Stress abzubauen? Schreiben Sie in Ihr Heft.

Kraftwerke abschalten?

1 Energieformen. Welches Adjektiv passt? Lesen und ergänzen Sie in der passenden Form.

gefährlich – umweltbewusst – erneuerbar – nachhaltig – radioaktiv – zuverlässig

1 Immer mehr Menschen verhalten sich ______ und trennen ihren Müll. Sie wollen möglichst ______ konsumieren, damit auch die nächsten Generationen gut auf unserer Erde leben können.
2 Manche Leute machen sich Sorgen um die ______ Strahlung von Atomkraftwerken. Ihrer Meinung nach ist Atomenergie ______.
3 Man sollte ______ Energieformen nutzen, um keine Rohstoffe zu verschwenden.
4 Erneuerbare Energieformen wie Wind- oder Sonnenenergie gelten als weniger ______, weil sie wetterabhängig sind.

2 Energiewende und Atomenergie

2.1 Bilden Sie Komposita mit den Wörtern im Schüttelkasten. Sie können die Wörter mehrmals benutzen.

Atom – Ausstieg – Energie – ~~Gewinnung~~ – Katastrophe – Kohle – Müll – Solar – Unfall – Verbrauch – Wasser – Wende – Wind

die Energiegewinnung

1 Energie... 2 ...energie 3 Atom... 4 ...kraftwerk

2.2 Welches Verb passt nicht? Streichen Sie die falschen Verben durch.

1 den Klimawandel *aufhalten/argumentieren/beschleunigen*
2 Energie *drohen/gewinnen/verbrauchen*
3 ein Kraftwerk *abschalten/reduzieren/zurückbauen*
4 Atommüll *lagern/schützen/transportieren*

2.3 Lösen Sie das Kreuzworträtsel und notieren Sie das Lösungswort.

1 ... bedeutet „traditionell“. Es ist das Gegenteil von „modern“.
2 Bei einem ... gibt es keinen Strom.
3 Produkte, die der Umwelt nicht schaden, sind ... .
4 ... ist ein Gas. Die Abkürzung ist CO_2.
5 ... ist das Adjektiv für Wirtschaft.
6 Der ... bezeichnet die Veränderung des Klimas auf der Erde.
7 ... bedeutet, dass es zu einem Thema viele verschiedene Meinungen gibt.
8 ... ist ein Synonym für weltweit oder international.
9 Menschen, die sich für eine gesunde Natur einsetzen, nennt man ... .

LÖSUNG:

1 2 3 4 5 6 7 8 9 10 11 12

2.4 Atomkraftwerke abschaffen oder behalten? Welche Meinung wird in welcher Aussage vertreten? Lesen und notieren Sie: A (abschaffen) oder B (behalten).

1 [A] Atomenergie ist immer gefährlich, nicht nur bei einem Atomunfall. *Zeile 7–8*
2 [ ] Mithilfe von Atomenergie kann der Klimawandel gestoppt werden. ______
3 [ ] Die Energiewende würde auch finanzielle Vorteile mit sich bringen. ______
4 [ ] Der Abfall von Atomkraftwerken bringt für die Zukunft unlösbare Probleme. ______
5 [ ] Atomenergie hat den Vorteil, nicht auf das Wetter angewiesen zu sein. ______
6 [ ] Erneuerbare Energieformen sind eine sichere Alternative zu Atomenergie. ______
7 [ ] Die Wahrscheinlichkeit eines Atomunfalls ist sehr gering. ______
8 [ ] Mithilfe der Energiewende könnten viele neue Arbeitsplätze geschaffen werden. ______

2.5 Wo stehen die Informationen aus 2.4 im Zeitungsartikel im Kursbuch auf Seite 67? Lesen Sie beide Meinungen (👍 und 👎) noch einmal und notieren Sie die Zeilen in 2.4.

3 Falls die Atomkraftwerke wirklich abgeschaltet werden, ...

3.1 Was passt zusammen? Verbinden Sie.

1 Wenn es mehr finanzielle Förderung für erneuerbare Energien gäbe,
2 Viele Menschen werden durch Naturkatastrophen ihren Lebensraum verlieren,
3 Wollen wir den Verbrauch von Plastik wirklich reduzieren,

a muss die Politik mehr Einfluss auf die großen Unternehmen haben.
b falls wir nicht genug gegen den Klimawandel tun.
c könnte der Atomausstieg beschleunigt werden.

3.2 Was passt? Lesen Sie die Sätze in 3.1 noch einmal und ergänzen Sie den Grammatikkasten.

wenn – am Satzende – Nebensatz – auf Position 1 – falls – Hauptsatz

Bedingungssätze mit *wenn*, *falls* und uneingeleitete Bedingungssätze

Ein Bedingungssatz mit *wenn* oder *falls* ist ein ______. Das Verb steht ______.

Der uneingeleitete Bedingungssatz steht immer vor dem ______. Es gibt weder ______ noch ______. Das konjugierte Verb steht ______.

3.3 Was muss passieren? Schreiben Sie Sätze mit *falls*.

1 Wir möchten die Erde wirklich retten.
Wir müssen jetzt sofort handeln!
2 Der Planet erwärmt sich immer mehr. Es drohen gefährliche Naturkatastrophen.
3 Man verzichtet auf Kohleenergie. Der Verbrauch des Kohlendioxids könnte reduziert werden.
4 Es gäbe weniger Autos. Man würde die Luft weniger verschmutzen.

1 Falls wir die Erde ...

3.4 Schreiben Sie die Sätze in 3.3 als uneingeleitete Bedingungssätze.

1 Möchten wir die Erde ...

3.5 Und Sie? Was würden Sie machen, ...? Schreiben Sie Antworten.

1 ... wenn Sie Energie sparen müssten?
2 ... falls Sie eine Umweltpolitikerin / einen Umweltpolitiker treffen würden?
3 ... wenn Sie im Umweltschutz aktiv wären?

4 Ein Leserbrief/Hörerbrief

4.1 In welcher Reihenfolge kommen die Inhaltspunkte in einem Leserbrief vor? Ordnen Sie.

a ☐ die eigene Meinung äußern
b ☐ eigene Erfahrungen nennen
c ☐ Schlussfolgerungen
d ☐ zum Text Bezug nehmen

4.2 Welche Funktion haben die Redemittel? Ordnen Sie die Inhaltspunkte a–d aus 4.1 zu.

1 ☐ Meine eigenen Erfahrungen haben mir gezeigt, dass … / Aus meiner Erfahrung kann ich (nicht) bestätigen, dass …
2 ☐ In Ihrem Artikel / Ihrer Sendung berichten Sie über ... Das Thema ist aktuell / für mich persönlich interessant, weil …
3 ☐ Deshalb wäre es gut, wenn … / Es wäre wünschenswert, dass …
4 ☐ Ich bin der Meinung, dass … / Man sollte bedenken, dass ... / Das Argument, dass …, finde ich sehr/wenig überzeugend.

2.11 **4.3** Wie kann man die Luftverschmutzung reduzieren? Hören Sie das Radiointerview und bringen Sie die Themen in die richtige Reihenfolge. Ein Thema kommt nicht im Interview vor.

a ☐ Einführung von Tempolimits
b ☐ Einführung einer Steuer auf CO_2
c ☐ staatliche Unterstützung des Car-Sharing-Systems
d ☐ Ausbau und Verbesserung der Fahrradwege
e ☐ Autoverbot in den Innenstädten
f ☐ höhere Unterstützung beim Kauf eines Elektroautos
g ☐ kostenloser öffentlicher Verkehr

2.11 **4.4** Was ist falsch? Hören Sie noch einmal und streichen Sie durch.

1 In *Wien/Tallinn* haben fast 50 Prozent der Einwohner ein Jahresabo für die öffentlichen Verkehrsmittel.
2 In Norwegen zahlt man auf ein Elektro-Auto *30 Prozent / keine* Steuern.
3 Außerhalb der Städte *gibt es kaum Car-Sharing-Angebote. / ist Car-Sharing zu teuer.*
4 Es gibt zu wenig gut ausgebaute *Autobahnen/Fahrradwege*.
5 Die Höchstgeschwindigkeit auf Autobahnen sollte bei *120/150* Stundenkilometern liegen.
6 *Am Wochenende / Unter der Woche* könnte Autofahren verboten werden.

4.5 Was denken Sie über die Vorschläge aus dem Interview? Schreiben Sie einen Hörerkommentar an den Radiosender. Beachten Sie die Leitfragen und benutzen Sie die Redemittel im Kursbuch auf Seite 73.

- Warum finden Sie das Thema interessant?
- Wie ist Ihre Meinung zu den Vorschlägen?
- Wie sind Ihre eigenen Erfahrungen? (Fahren Sie selbst Auto? Wie ist der Verkehr an Ihrem Wohnort bzw. in Ihrer Heimat?)
- Welche Schlussfolgerungen ergeben sich für Sie?

Mit großem Interesse habe ich am ... Ihre Radiosendung zum Thema „Luftverschmutzung" gehört. Dieses Thema ist sehr wichtig und aktuell, weil ...

4.6 Sprachmittlung: Präsentieren Sie eine Umweltschutzorganisation aus Ihrem Land. Übersetzen Sie ihren Namen auf Deutsch und stellen Sie ihre Ziele vor.

Stromausfall

1 *Blackout – Morgen ist es zu spät.* Ein Roman von Marc Elsberg

1.1 Welches Verb passt? Schlagen Sie die Bedeutung der Verben im Wörterbuch nach und ergänzen Sie sie in der richtigen Form.

betreten – kriechen – lehnen – stapfen – umrunden – wickeln

1 Er ________ am Fenster.
2 Sie ________ durch den Schnee.
3 Er ________ das Baby in eine Decke.
4 Die Sportlerin ________ den Platz.
5 Er ________ den Raum.
6 Die Katze ________ unter das Bett.

1.2 Lesen Sie den Romanauszug im Kursbuch auf Seite 68 noch einmal. Wer sagt/macht was? Schreiben Sie den Namen (Sonja, Cloe oder Lara).

1 ________ wundert sich, dass man nirgendwo mehr Benzin kaufen kann.
2 ________ merkt, dass das Benzin nicht reicht, um bis zu ihrem Urlaubsziel zu kommen.
3 ________ macht die Situation mit den stehengebliebenen Autos und den Menschen darin Angst.
4 ________ entscheidet sich, die sanitären Anlagen im Dunkeln nicht zu benutzen.
5 ________ bemerkt, dass Leute in der Raststätte sitzen.
6 ________ erkundigt sich danach, ob es noch Essen gibt.

2 Und Sie? Haben Sie schon einmal eine ungewöhnliche oder abenteuerliche Situation erlebt? Was ist passiert und welche Lösung haben Sie gefunden? Schreiben Sie einen kurzen Text.

Eine Fachtagung

1 Ein wissenschaftlicher Vortrag

1.1 Welche Vorträge hören Sie? Lesen Sie das Vortragsprogramm. Hören Sie dann Auszüge aus drei verschiedenen Vorträgen und ordnen Sie zu.

Die Kunst des Abschaltens

15.00	**Abschalten: Eine philosophische Reise in den Begriff des Aufhörens** Dr. C. Danner präsentiert theoretische Denkweisen von der Antike bis zur Moderne.	☐
16.00	**Alte Muster abschalten und Neues ausprobieren** Prof. Dr. A. Taub erklärt, warum wir so lange an alten Gewohnheiten festhalten, die uns nicht guttun, und wie uns trotzdem der Neuanfang gelingt.	☐
	Kaffeepause	
17.15	**Den Atem abschalten: Wie das Apnoe-Tauchen mein Leben veränderte** Vor acht Jahren verlor S. Bartels den Boden unter den Füßen. Bis er mithilfe des Apnoe-Tauchens die fantastische Welt unter Wasser und sich selbst wiederentdeckte.	☐
18.00	**Nachhaltig leben: Was muss ich dafür abschalten?** Dr. L. Conte erzählt, wie man umweltbewusster leben und nachhaltiger mit Ressourcen umgehen kann.	☐
18.45	**Das Handy abschalten: Ein Jahr ohne Smartphone, Internet und Co.** J. Hernandez spricht über die Erfahrungen seiner Familie mit diesem Experiment.	☐

2.12 1.2 Welchen Teil des Vortrags hören Sie? Hören Sie die Auszüge noch einmal und verbinden Sie.

Vortrag **1**	a Hauptteil
Vortrag **2**	b Einleitung
Vortrag **3**	c Schluss

2 Strategietraining: Folien für einen Vortrag gestalten

2.1 Wie sollte man Folien für einen Vortrag gestalten? Beantworten Sie die Fragen im Strategiekasten.

Strategietraining: Folien für einen Vortrag gestalten

Wie viele Folien gibt es? ______

Welche Informationen stehen auf den Folien? ______

Wie wird der Inhalt formuliert? ______

Wie sehen die Folien aus? ______

2.2 Was könnte man bei diesen Folien besser machen? Sprechen Sie in der Gruppe.

11. April, 18 Uhr
Herzlich willkommen zum Vortrag:

**Nachhaltig leben:
Was muss ich dafür abschalten?**

von Dr. Luisa Conte (Studium der Umweltwissenschaften in Freiburg, M.A.),
seit 2017 wissenschaftl. Mitarbeiterin Institut für Nachhaltigkeit in Zürich,
Mit-Autorin:
„Und ich? Was kann ich schon machen?", erschienen 2019 im Verlag Grün und Glücklich, 9,90€

- Internet ist Hilfe, um Freundschaften und Kontakte zu pflegen!
- nicht realistisch, ohne Internet leben zu können
- Tipp: 1 Monat probieren oder unser Buch lesen ☺
- Danke für Ihre Aufmerksamkeit!

Warum ändern wir lange Zeit nichts an unserer Jobsituation? Das Alte macht uns nicht mehr glücklich. Wir warten und warten und warten. Es kann Monate oder Jahre dauern, bis wir sehen, dass uns etwas unzufrieden macht, zum Beispiel der Job. Bei anderen sehen wir das viel schneller.

2.12 **2.3** Gestalten Sie die Folien aus 2.2 neu. Hören Sie bei Bedarf die Vortragsauszüge noch einmal. Vergleichen Sie Ihre Folien in der Gruppe und geben Sie Feedback.

3 Ihre Fragen auf der Tagung. Nachfragen stellen. Was können Sie sagen? Ordnen Sie zu.

a Ich hätte eine Frage zu dem Punkt …
b Verstehe ich Sie/dich richtig, dass …?
c Könnten Sie / Könntest du das genauer erklären?
d Mich würde interessieren, … / Ich würde gern wissen, …

1 ☐ Sie möchten eine bestimmte Information zu einem Detail des Vortrags besser verstehen.
2 ☐ Sie wollen eine Frage freundlich einleiten.
3 ☐ Sie wollen sichergehen, dass Sie eine Information verstanden haben.
4 ☐ Sie möchten weitere Erklärungen, die im Vortrag nicht genannt wurden.

Lustige Geschichten

1 Te-Ka-Mo-Lo

1.1 Welche Information sollte nach der Te-Ka-Lo-Mo-Regel an einer anderen Position stehen? Korrigieren Sie wie im Beispiel.

1 Kim wird mit dem Fahrrad zur Arbeit (vermutlich) fahren.
2 Irina geht ins Schwimmbad heute trotz des schlechten Wetters.
3 Felix hat im Büro lustlos am Wochenende gearbeitet.
4 Wir werden im Garten am Sonntag wahrscheinlich grillen.
5 Er kam wegen der Verspätung nach Hause müde.

1.2 Schreiben Sie drei Sätze wie in 1.1. Tauschen Sie die Sätze mit Ihrer Partnerin / Ihrem Partner und korrigieren Sie sie.

2 Bildergeschichte

2.1 Ein lustiger Stromausfall. Was ist passiert? Bringen Sie die Bilder in die richtige Reihenfolge.

2.2 Zu welchen Bildern in 2.1 passen die Informationen? Ordnen Sie zu.

a [ ] sitzen / im Dunkeln / während des Musicals / Licht / und / ausgehen
b [1] fahren / mit dem Taxi / zum Broadway Theater / im Juli 2019 / wir
c [ ] Schauspieler / weiterspielen / auf der Straße / spontan
d [ ] gehen / nach draußen / alle zusammen / nach ein paar Minuten / wegen des Stromausfalls
e [ ] Fotos machen / meine Schwester / begeistert / mit dem Smartphone / den ganzen Abend
f [ ] das Musical ansehen / im Theatersaal / wir / konzentriert

2.3 Schreiben Sie die Geschichte mit den Informationen in 2.2. Beachten Sie die Te-Ka-Mo-Lo-Reihenfolge und benutzen Sie die Wörter im Schüttelkasten.

Danach – Deshalb – ~~Im Juli 2019~~ – Plötzlich – Schließlich – Zuerst – Trotzdem

Ein lustiger Stromausfall
Im Juli 2019 sind wir ...

2.4 Tauschen Sie Ihre Geschichte mit Ihrer Partnerin / Ihrem Partner und vergleichen Sie.

Prüfungstraining

GI **1 Sprechen Teil 1**

Sie nehmen an einem Seminar teil und sollen dort einen kurzen Vortrag halten.

Halten Sie einen Vortrag zu einem der beiden Themen (Thema A oder B). Ihre Gesprächspartnerin / Ihr Gesprächspartner stellt Ihnen anschließend Fragen. Tauschen Sie dann die Rollen.

Thema A: Entspannungsmethoden
- Beschreiben Sie mehrere Möglichkeiten.
- Beschreiben Sie eine Möglichkeit genauer.
- Nennen Sie Vor- und Nachteile und bewerten Sie diese.

Thema B: Energieformen
- Beschreiben Sie mehrere Alternativen.
- Beschreiben Sie eine Alternative genauer.
- Nennen Sie Vor- und Nachteile und bewerten Sie diese.

Tipp: Ihr Vortrag soll klar gegliedert sein in Einleitung, Hauptteil und Schluss. Lernen Sie deshalb vor Ihrem Vortrag wichtige Redemittel auswendig. Machen Sie sich während der Vorbereitungszeit (circa 5–10 Minuten) Notizen für jeden der drei Punkte. Überlegen Sie sich genau, worüber Sie sprechen wollen und mit welcher These oder mit welchem Beispiel Sie Ihren Vortrag beginnen möchten. Während des Vortrags können Sie Ihre Notizen benutzen. Sprechen Sie ruhig und deutlich.

GI **2 Hören Teil 3**

Sie hören im Radio ein Gespräch mit mehreren Personen.

Wer sagt das? Lesen Sie die Aufgaben 1–7 und kreuzen Sie an (a, b oder c).

1 Die Belastung am Arbeitsplatz nimmt immer mehr zu.

a ☐ Moderatorin　b ☐ Stressberaterin　c ☐ Betriebsratsmitglied

2 Ich helfe Arbeitnehmern, die Stress haben.
a ☐ Moderatorin　b ☐ Stressberaterin　c ☐ Betriebsratsmitglied

3 Es wird oft nicht gesehen, dass Stress ein Problem ist.
a ☐ Moderatorin　b ☐ Stressberaterin　c ☐ Betriebsratsmitglied

4 In Mitarbeitergesprächen soll über das Thema Arbeitsbelastung gesprochen werden.
a ☐ Moderatorin　b ☐ Stressberaterin　c ☐ Betriebsratsmitglied

5 Manche Betriebe bieten konkrete Programme und Kurse zum Stressabbau an.
a ☐ Moderatorin　b ☐ Stressberaterin　c ☐ Betriebsratsmitglied

6 Es gibt den Wunsch nach gesetzlichen Regelungen zum Stressabbau.
a ☐ Moderatorin　b ☐ Stressberaterin　c ☐ Betriebsratsmitglied

7 Die Betriebe sind dafür verantwortlich, dass Stress bei Mitarbeitern abgebaut wird.
a ☐ Moderatorin　b ☐ Stressberaterin　c ☐ Betriebsratsmitglied

> **Tipp:** Sie hören das Gespräch nur einmal. Lesen Sie deshalb während der Vorbereitungszeit die Sätze genau und markieren Sie die Schlüsselwörter. Dazu haben Sie in der Prüfung 60 Sekunden Zeit. Achten Sie dann beim Hören auf die Schlüsselwörter. Diese können auch mit Synonymen, Gegenteilen oder anderen Wörtern umschrieben werden.

ÖSD **3 Lesen Aufgabe 3**

Sie haben eine Kopie des folgenden Zeitungsartikels bekommen. Leider ist der rechte Rand abgeschnitten.

Rekonstruieren Sie den Text, indem Sie die fehlenden Wörter bzw. Wortteile an den rechten Rand (siehe Beispiele a, b) schreiben. Es gibt für jede Lücke eine Lösung mit maximal drei Buchstaben.

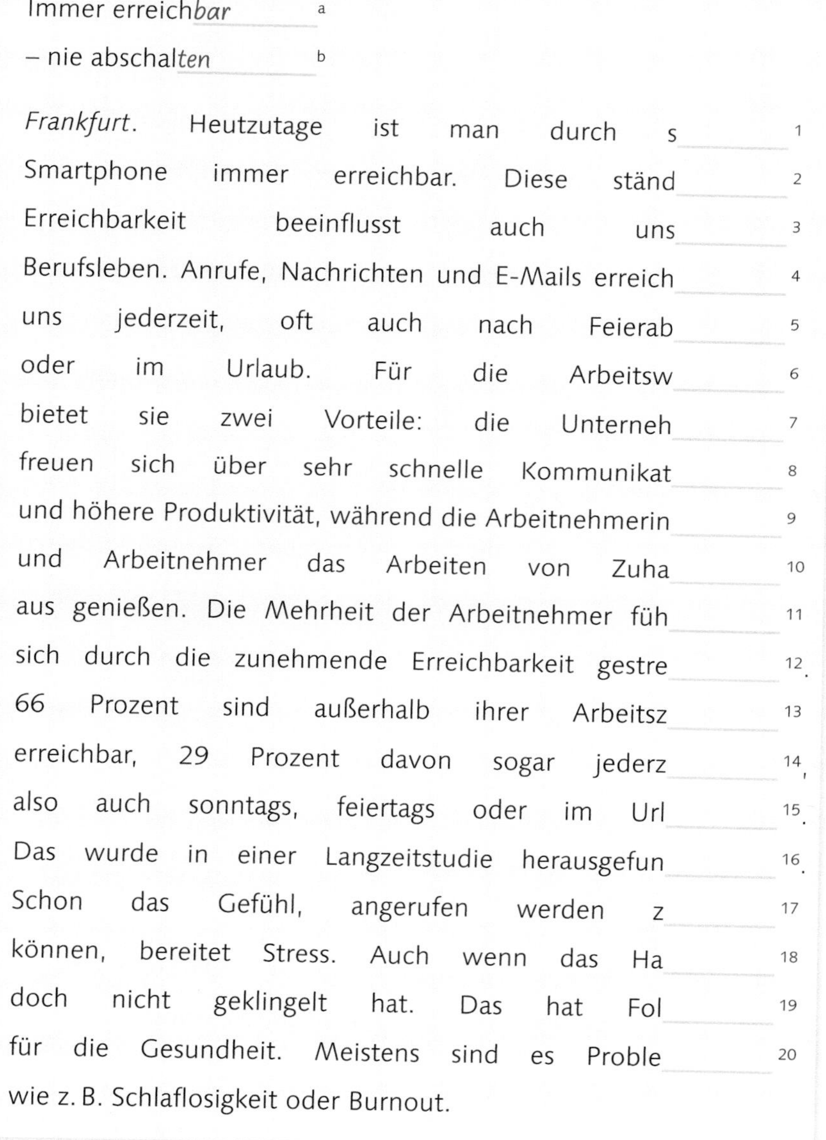

Immer erreich*bar* a
– nie abschal*ten* b

Frankfurt. Heutzutage ist man durch s___ 1
Smartphone immer erreichbar. Diese ständ___ 2
Erreichbarkeit beeinflusst auch uns___ 3
Berufsleben. Anrufe, Nachrichten und E-Mails erreich___ 4
uns jederzeit, oft auch nach Feierab___ 5
oder im Urlaub. Für die Arbeitsw___ 6
bietet sie zwei Vorteile: die Unterneh___ 7
freuen sich über sehr schnelle Kommunikat___ 8
und höhere Produktivität, während die Arbeitnehmerin___ 9
und Arbeitnehmer das Arbeiten von Zuha___ 10
aus genießen. Die Mehrheit der Arbeitnehmer füh___ 11
sich durch die zunehmende Erreichbarkeit gestre___ 12.
66 Prozent sind außerhalb ihrer Arbeitsz___ 13
erreichbar, 29 Prozent davon sogar jederz___ 14,
also auch sonntags, feiertags oder im Url___ 15.
Das wurde in einer Langzeitstudie herausgefun___ 16.
Schon das Gefühl, angerufen werden z___ 17
können, bereitet Stress. Auch wenn das Ha___ 18
doch nicht geklingelt hat. Das hat Fol___ 19
für die Gesundheit. Meistens sind es Proble___ 20
wie z. B. Schlaflosigkeit oder Burnout.

> **Tipp:** Bei dieser Aufgabe geht es um Ihre Wortschatz- und Grammatikkenntnisse. Beachten Sie beim Bearbeiten immer den Kontext. Lesen Sie zuerst den ganzen Satz und ergänzen Sie dann Ihre Antwort. Achten Sie auf die korrekte Rechtschreibung. Bei Artikeln, Adjektiven und Nomen ist der Kasus wichtig und die richtige Endung. Denken Sie bei den Verben an die richtige Konjugation.

6 In Erinnerungen schwelgen

Webcode: hazodu

Lebensstationen

1 Erinnerungen

1.1 Wie war Lennarts erster Schultag? Lesen und ergänzen Sie.

werde nie den Moment vergessen, als – kann ich mich sehr gut erinnern – werde ich wohl nie vergessen – an dieses Gefühl erinnere ich mich heute noch – ich habe kaum Erinnerungen an

Viele Leute erzählen gerne von früher. Aber ______ [1] meine Kindheit. Leider! Das meiste habe ich vergessen. Nur an meine Einschulung ______ [2]. Schon Monate vorher habe ich mich darauf gefreut, bald zur Schule zu gehen. Dann kam der große Tag. Morgens war ich schon früh wach. Ich ______ [3] meine Eltern mit einer riesigen Schultüte vor meinem Bett standen. Ich war so stolz und aufgeregt, als ich sie ausgepackt habe – ______ [4]. So schöne Stifte, Papier, Schokolade und andere Dinge! Den Tag meiner Einschulung ______ [5].

1.2 Und Sie? Woran erinnern Sie sich gut? Wählen Sie ein Ereignis aus Ihrem Leben und schreiben Sie einen Text. Benutzen Sie die Redemittel auf Seite 85 im Kursbuch.

1.3 Über welche Stationen aus Hannis Leben schreibt Claudia in der E-Mail? Lesen und ergänzen Sie. Einige Wörter passen nicht.

Ausstellung – Einschulung – Enkelkinder – Familienurlaub – Geburt – Kindergarten – Restaurant-Eröffnung – Stelle – Uni-Abschluss

Von: claudia.ruben@beispiel.net
Betreff: Noch mehr Erinnerungsfotos

Liebe Mama,
deine Geburtstagsfeier war wirklich schön! Und weil du dich über das Geschenk von Marc so gefreut hast, habe ich auch noch mal meine alten Fotos durchsucht. Schau mal im Anhang, was ich alles gefunden habe. Auf dem ersten Foto siehst du so erleichtert aus – und stolz. Du kommst gerade von deiner letzten Prüfung und wirst von deinen Kommilitoninnen mit Sekt empfangen. Ihr habt den ______ [1] anscheinend richtig gefeiert! Toll finde ich auch das Foto von der ______ [2]. Es ist so hübsch dekoriert, überall stehen Blumen. Und du wartest mit Papa auf die ersten Gäste.

Das Foto von Gerds ______ [3] ist auch sehr schön. Er war wirklich süß, damals als Baby ;-). Aber du siehst echt erschöpft aus. Ich war ja noch klein, aber ihr habt erzählt, dass es lange gedauert hat, bis er endlich auf der Welt war. War das bei mir eigentlich auch so?

Kannst du dich noch an die ______ [4] von Marc erinnern? Es hat so geregnet. Ihr beiden seht aber ziemlich lustig aus: er mit dieser riesigen Schultüte und du mit dem kleinen Regenschirm.

Dann habe ich noch ein Foto von unserem letzten gemeinsamen ______ [5] gefunden. Das muss in dem Jahr gewesen sein, als ich ausgezogen bin. Weißt du noch, wir waren damals alle zusammen am Bodensee zelten.

Ich hoffe, die Fotos freuen dich und du kannst jetzt noch mehr in Erinnerungen schwelgen!
Deine Claudia

1.4 Richtig oder falsch? Lesen Sie noch einmal und kreuzen Sie an.

		richtig	falsch
1	Das erste Foto zeigt Hanni während einer Prüfung als Studentin.	○	○
2	Auf dem zweiten Foto sieht man das Restaurant, bevor die ersten Gäste kamen.	○	○
3	Claudias Geburt war anstrengend und hat sehr lange gedauert.	○	○
4	An Marcs erstem Schultag war das Wetter sehr schlecht.	○	○
5	Claudia ist an den Bodensee gezogen.	○	○

1.5 Schreiben Sie einen Text über Claudias Leben. Benutzen Sie die Redemittel auf Seite 85 im Kursbuch.

- Einschulung (6 Jahre)
- Siegerin bei Fotowettbewerb (14 Jahre)
- Abschluss der Ausbildung zur Floristin (21 Jahre)
- Weltreise (22 Jahre)
- Eröffnung des Blumenladens (28 Jahre)
- Geburt ihres Sohnes Marc (31 Jahre)

2 Wir haben einen Kredit aufnehmen müssen.

2.1 Welches Modalverb passt? Lesen und ergänzen Sie. Beachten Sie: Einige Verben passen mehrmals und ein Verb passt nicht. Der Grammatikanhang (A 1.5.1) hilft.

dürfen – können – müssen – sollen – wollen

Meine Eltern haben beide viel arbeiten *müssen* [1]. Deshalb habe ich schon als Kind im Haushalt helfen und Verantwortung übernehmen ________ [2]. Obwohl ich natürlich lieber etwas mit meinen Freunden habe unternehmen ________ [3], habe ich oft auf meine jüngeren Geschwister aufpassen ________ [4]. Unsere Familie war nie reich. Zum Beispiel haben die Urlaube nicht viel kosten ________ [5]. Und wir haben uns lange kein Auto leisten ________ [6]. Aber meine Kindheit war sehr schön und unsere Eltern waren nicht streng. Wir haben fast alles machen ________ [7], weil es kaum Verbote gegeben hat.

2.2 Markieren Sie in 2.1 die Modalverben im Perfekt. Ergänzen Sie dann die Regeln im Grammatikkasten.

Perfekt: Modalverben

Das Perfekt von Modalverben bildet man mit dem Hilfsverb *haben (konjugiert)* + Verb im ________ + Modalverb im ________.

Im Nebensatz stehen am Satzende alle Verben hintereinander. Das Hilfsverb steht – anders als in anderen Nebensätzen – nicht am Satzende, sondern ________.

2.3 Schreiben Sie die Sätze im Perfekt wie im Beispiel.

1. Ich konnte mir mit meinem Austauschjahr in Kanada einen Traum erfüllen.
2. Wir sollten als Kinder immer pünktlich nach Hause kommen.
3. Ich wollte als Kind immer Zeit mit meinen Großeltern verbringen.
4. Ich konnte mich lange nicht für ein Studienfach entscheiden.
5. Ich durfte mit 16 zum ersten Mal allein mit meinen Freunden in den Urlaub fahren.
6. Als Jugendlicher musste ich am Wochenende in einem Restaurant arbeiten.

1 *Ich habe mir mit meinem Austauschjahr in Kanada einen Traum erfüllen können.*

2.4 Schreiben Sie mit den Sätzen aus 2.3 Nebensätze im Perfekt wie im Beispiel.

1 Ich bin sehr froh, dass …
2 Ich finde es etwas schade, dass …
3 Es hat ihn nicht gestört, dass …
4 Ich erinnere mich gut daran, dass …
5 Es war nicht selbstverständlich, dass …
6 Meine Eltern wollten eigentlich nicht, dass …

1 Ich bin sehr froh, dass ich mir mit meinem Austauschjahr in Kanada einen Traum habe erfüllen können.

3 Was wäre anders gewesen, wenn …?

3.1 Was passt? Ergänzen Sie.

wohl nie so schnell verbessern können – wenn ich nicht in Tokio gewohnt hätte – hätte ich nicht so viel durch Asien reisen können – nicht kennengelernt

1 Wenn ich die Stelle in Japan nicht angenommen hätte, ________________.
2 Fast hätte ich auch meinen Mann ________________.
3 Und ich hätte meine Japanischkenntnisse ________________.
4 Ich hätte auch nicht an einem Kurs zu japanischer Blumenkunst teilgenommen, ________________.

3.2 Was ist falsch? Lesen Sie die Sätze aus 3.1 noch einmal. Lesen Sie dann die Regeln und streichen Sie die falschen Informationen durch.

Konjunktiv II der Vergangenheit

haben oder *sein* (konjugiert) + Verb im ~~*Infinitiv*~~ / *Partizip II*

Konjunktiv II der Vergangenheit mit Modalverb:
haben (konjugiert) + Verb im *Infinitiv / Partizip II* + Modalverb im *Infinitiv / Partizip II*

Irreale Bedingungssätze mit Konjunktiv II der Vergangenheit
Irreale Bedingungssätze beschreiben Handlungen, die in der Vergangenheit *passiert sind / möglich waren* und die in der Gegenwart *nicht mehr möglich sind / noch immer möglich sind.*

3.3 Was wäre fast (nicht) passiert? Schreiben Sie mit den Verben im Schüttelkasten Sätze zu den Bildern im Konjunktiv II der Vergangenheit.

seinen Flug verpassen – nicht heiraten – nicht am Surfkurs teilnehmen – ~~verschlafen~~ – nicht die Surflehrerin kennenlernen

1 Fast hätte er verschlafen.

3.4 Was wäre passiert, wenn …? Schreiben Sie irreale Verbindungssätze mit Ihren Sätzen aus 3.3 wie im Beispiel.

Wenn er verschlafen hätte, hätte er das Flugzeug verpasst. Wenn er …

3.5 Was wäre geworden, wenn …? Schreiben Sie den Tagebucheintrag aus der Perspektive von heute. Benutzen Sie den Konjunktiv II der Vergangenheit.

vom 27.09.2016

Wenn ich nur noch Teilzeit arbeiten würde, hätte ich viel mehr Zeit für mich. Jch könnte dann in Ruhe über meine berufliche Situation nachdenken. Jch müsste nicht mehr so viel arbeiten. Und ich könnte mehr Dinge machen, die mir guttun. Jch würde öfter Sport treiben und immer gesund für mich kochen. Und am Wochenende würde ich verreisen. Dann würde es mir viel besser gehen.

Wenn ich vor drei Jahren in Teilzeit gearbeitet hätte, hätte ich viel mehr Zeit für mich gehabt. Ich ...

3.6 Wiederholung: Irreale Bedingungssätze. Ergänzen Sie die Verben im Konjunktiv der Gegenwart oder der Vergangenheit. Der Grammatikanhang (A 1.4.1 und A 1.4.2) hilft.

1 Wenn ich jetzt Urlaub *hätte* (*haben*), *würde* ich am liebsten ans Meer *fahren* (*fahren*).

2 Wenn ich bei meinem letzten Job mehr ______ ______ (*verdienen*), ______ ich mehr Geld ______ ______ (*sparen können*).

3 Wenn ich damals nicht Chemie ______ ______ (*studieren*), ______ ich heute wahrscheinlich nicht bei einem Pharmaunternehmen ______ (*arbeiten*).

4 Wenn ich beim Studium meine Partnerin nicht ______ ______ (*kennenlernen*), ______ ich wohl nicht so früh Vater ______ (*werden*).

5 Wenn ich jetzt nochmal ______ ______ (*studieren können*), ______ ich wohl ein anderes Fach ______ (*wählen*).

Das Gedächtnis – Ort unserer Erinnerungen

1 Ein Gedächtnis-Experiment. Welche Definition passt? Ordnen Sie zu und schreiben Sie mit jedem Verb einen Satz.

1 ☐ etwas assoziieren mit 2 ☐ sich erinnern an 3 ☐ sich etwas merken

a Fakten im Gedächtnis behalten, z. B. einen Namen, eine Grammatikregel oder eine Telefonnummer
b sich etwas Bestimmtes zu einem Thema vorstellen, z. B. die Farbe Rot bei dem Wort „Rose"
c detaillierte Informationen im Gedächtnis behalten und später abrufen können, z. B. die Einschulung

2 Wie das Gedächtnis funktioniert

2.1 Welches Wort passt? Ergänzen Sie.

Nervenzelle – Sauerstoff – Gehirn – Sinnesorgane

1 Das ______ ist das Organ, wo sich das menschliche Gedächtnis befindet. Es ist für alle Funktionen im Körper zuständig.

2 Mithilfe der ______ nimmt ein Mensch seine Umwelt wahr. Er sieht, hört, riecht, schmeckt und fühlt damit.

3 Der ______ wird beim Atmen aufgenommen und später ins Blut weitergegeben. Ohne ihn kann ein Mensch nur wenige Minuten leben.

4 Eine ______ ist eine sehr sensible Zelle, die für die Weiterleitung von Informationen zuständig ist. Jeder Mensch hat hundert Milliarden davon.

2.2 Welche Gedächtnistypen gibt es? Was passiert dort? Lesen Sie den Artikel im Kursbuch auf Seite 76 noch einmal und machen Sie Notizen in Ihrem Heft.

Gedächtnistypen	*sensorisches Gedächtnis*
Was passiert dort?	
Wie lange bleiben die Informationen dort?	

2.14 **2.3** Was sagt Frau Schönebeck? Hören Sie das Interview und ordnen Sie die Informationen.

a ☐ Man lernt besser, wenn man Informationen über mehrere Sinnesorgane aufnimmt.
b ☐ Im Arbeitsgedächtnis kann nur eine begrenzte Zahl an Informationen gespeichert werden.
c ☐ Beim Schlafen werden neue Informationen vom Gehirn verarbeitet und einsortiert.
d ☐ Das Gedächtnis bezeichnet die Fähigkeit, sich etwas zu merken.
e ☐ Das Kurzzeitgedächtnis ist wichtig, um einem Gespräch folgen zu können.
f ☐ Durch Wiederholung werden die Verbindungen zwischen Nervenzellen intensiver.

2.4 Wiederholung: Passiv Präsens, Präteritum, Perfekt und Passiv Präsens mit Modalverb. Ergänzen Sie die Verben im Passiv in der richtigen Zeitform. Der Grammatikanhang (A 1.3) hilft.

1 Experten erforschen seit vielen Jahren das menschliche Gedächtnis.
Das menschliche Gedächtnis ________ seit vielen Jahren von Experten ________________.

2 Der Gedächtnisforscher Eric Kandel führte im Jahr 1963 ein interessantes Experiment durch.
Im Jahr 1963 ________ von Eric Kandel ein interessantes Experiment ________________.

3 Elektrische Reize haben gezeigt, dass Nervenzellen lernen können.
Durch elektrische Reize ________ ________ ________, dass Nervenzellen lernen können.

4 Die Gedächtnisforschung kann das Leben der Menschen verbessern.
Das Leben der Menschen ________ durch die Gedächtnisforschung ________ ________.

2.5 Wann benutzt man *durch*, wann benutzt man *von* in Passivsätzen? Lesen Sie die Sätze in 2.4 noch einmal und formulieren Sie Regeln mithilfe der Wörter.

Institution – Mittel – Person – Ursache – wer? – wie?

Passivsätze mit *von* oder *durch*

Passiv mit *von* (+Dativ): ________________

Passiv mit *durch* (+Akk.): ________________

2.6 *Von* oder *durch*? Schreiben Sie Sätze mit den Informationen und *von* oder *durch* wie im Beispiel.

1 Das Gedächtnis wird immer weiter erforscht. *(Wissenschaftler)*
2 Die Erinnerungsfähigkeit wird dauerhaft verbessert. *(das Erlernen neuer Dinge)*
3 Die Gedächtnisleistung wird bei Problemen überprüft. *(Ärzten)*
4 Die Prozesse im Gehirn werden verlangsamt. *(negative Emotionen)*
5 Nervenzellen werden besser mit Sauerstoff versorgt. *(sportliche Tätigkeiten)*

1 Das Gedächtnis wird immer weiter von Wissenschaftlern erforscht.

2.7 Sprachen lernen. Welche Information passt? Ergänzen Sie die Sätze mit den Informationen und *von* oder *durch* wie im Beispiel. Achten Sie auf den Kasus.

eine angenehme Lernatmosphäre – ~~das Erlernen einer neuen Fremdsprache~~ – häufiges Wiederholen – Menschen jedes Alters – das Umschalten zwischen den Sprachen

1 Unser Gehirn kann *durch das Erlernen einer neuen Fremdsprache* vor Krankheiten, z. B. vor Alzheimer, besser geschützt werden.

2 ______ ist das Gehirn besser trainiert.

3 Eine neue Sprache kann ______ gelernt werden.

4 Das Lernen wird ______ vereinfacht, z. B. durch ruhige Musik oder einen schönen Schreibtisch.

5 Neue Wörter werden ______ dauerhaft gespeichert, deshalb sollte man am besten jeden Tag üben.

3 Das Lernen lernen. Und Sie? Wie lernen Sie am besten Deutsch? Schreiben Sie einen Text über sich. Beantworten Sie dabei die Fragen.

- Welche Lerntechniken und -strategien haben Sie bisher benutzt? Wie bewerten Sie sie?
- Welche neuen Lerntechniken und -strategien möchten Sie in Zukunft ausprobieren?

Erinnerungen aus der Geschichte

1 Deutsche Geschichte

1.1 Welches Wort passt? Ergänzen Sie.

1 Bei der … am 3. Oktober 1990 wurde aus der BRD und der DDR wieder ein Land. Seitdem wird an diesem Datum der „Tag der deutschen Einheit" in Deutschland gefeiert.
2 Die … ist eine Gruppe von Menschen, die die offiziellen Entscheidungen für ein Land und seine Bewohner trifft.
3 Die … ist die Linie, die zwei Nachbarstaaten voneinander trennt. Von 1949 bis 1990 gab es eine deutsch-deutsche … zwischen der BRD und der DDR.
4 Die … ist die Abkürzung für die Deutsche Demokratische Republik.
5 Der … begann 1961 mitten in der Nacht und trennte plötzlich Familien in Ost- und Westberlin voneinander.
6 Der Regierungs… ist die Person, die im Namen der Regierung offizielle Mitteilungen macht. Günter Schabowski war Regierungs… der DDR.
7 Der … im November 1989 bezeichnet die Öffnung der Mauer in Berlin und ist heute das Symbol für die deutsche Wiedervereinigung.
8 Von einer … spricht man, wenn ein Staat oder eine Organisation neu gebildet wird. Zum Beispiel wurden 1949 die BRD und die DDR gegründet.
9 Der … ist ein Wirtschaftssystem, das – anders als z. B. im Kommunismus oder Sozialismus – auf der Idee von Angebot und Nachfrage am Markt basiert.
10 Der … ist die Zeit zwischen 1933 und 1945, als in Deutschland die Nazi-Regierung unter Hitler an der Macht war.
11 Ein … ist ein Krieg zwischen mehreren Ländern auf der ganzen Welt. Der 2. … dauerte von 1939 bis 1945.

1 *WIEDERVEREINIGUNG*
2 E
3 N
4 D
5 E
6 P
7 U
8 N
9 K
10 T
11 E

1.2 Sprachmittlung: Eine Freundin / Ein Freund stellt Ihnen Fragen über die deutsche Geschichte. Sehen Sie sich noch einmal das Video zur deutschen Geschichte an und beantworten Sie die Fragen schriftlich in Ihrer Muttersprache.

- Wie kam es zur Gründung der beiden deutschen Staaten?
- Wie kam es zum Mauerfall 1989?
- Was waren die Folgen des Mauerfalls?

2.15 1.3 Phonetik: der wandernde Satzakzent. Hören Sie und markieren Sie den Satzakzent.

1 Mit dem 2. Weltkrieg endete der Nationalsozialismus in Deutschland.
2 Das Land wurde in vier Besatzungszonen geteilt.
3 1961 ließ die DDR-Regierung die Berliner Mauer bauen.
4 Die Mauer stand fast 30 Jahre.
5 Am 3. Oktober 1990 wurde Deutschland wiedervereinigt.
6 An diesem Datum feiert man den deutschen Nationalfeiertag.

2.16 1.4 Ist das richtig? Hören und widersprechen Sie. Wie ändert sich der Satzakzent? Betonen Sie wie im Beispiel.

Mit dem 2. Weltkrieg begann der Nationalsozialismus in Deutschland.

Nein, mit dem 2. Weltkrieg endete der Nationalsozialismus in Deutschland.

2 Berühmte Personen in der Geschichte

2.1 Richtig oder falsch? Lesen Sie die Biografie über Angela Merkel und kreuzen Sie an.

Angela Merkel wurde am 17. Juli 1954 als Tochter eines Theologiestudenten und einer Lehrerin in Hamburg geboren. Im selben Jahr zog die Familie von der BRD in die DDR, wo ihr Vater begann, als Pfarrer zu arbeiten. Wenn ihrem Vater die Stelle in der DDR nicht angeboten worden wäre, wäre Angela Merkel in Westdeutschland aufgewachsen. Während ihrer Schulzeit, ihres Physik-Studiums und ihrer Promotion engagierte sie sich politisch und war Mitglied bei der DDR-Jugendorganisation *Freie Deutsche Jugend* (FDJ). Aber sie arbeitete weder für die Partei der DDR-Regierung noch für eine andere politische Gruppe. Das änderte sich im Jahr 1989. Sie wurde Mitglied bei *Demokratischer Aufbruch* (DA), einer neuen Partei der DDR. Diese Partei hatte das Ziel, die DDR und die BRD wieder zu vereinigen. Ohne die allgemeine Stimmung im Jahr 1989 wäre diese Partei wahrscheinlich nicht gegründet worden. Im Februar 1990 – ein halbes Jahr vor der deutsch-deutschen Wiedervereinigung – trat der DA der Partei *Christlich Demokratische Union Deutschlands* (CDU) bei. Damit wurde auch Angela Merkel CDU-Mitglied. In den folgenden Jahren machte sie Karriere in der CDU und war eine wichtige Person in der Politik Deutschlands. Zum Beispiel war sie Anfang der 90er-Jahre Ministerin für Frauen und Jugend in der ersten Regierung des wiedervereinigten Deutschlands. Im Jahr 2005 wurde sie schließlich Bundeskanzlerin. Das Außergewöhnliche an ihr ist aber nicht nur, dass sie als erste Frau zur Kanzlerin gewählt wurde. Für die Geschichte Deutschlands ist sie auch aus anderen Gründen wichtig: Sie war die erste Kanzlerin aus Ostdeutschland, die erste Kanzlerin mit einem naturwissenschaftlichen Beruf sowie mit 51 Jahren die jüngste Kanzlerin. Ohne den Mauerfall wäre sie wohl nie zur Bundeskanzlerin gewählt worden.

		richtig	falsch
1	Als Angela Merkel geboren wurde, arbeitete ihr Vater als Lehrer in Ostdeutschland.	◯	◯
2	Schon als Jugendliche und junge Erwachsene war Angela Merkel politisch engagiert.	◯	◯
3	Während ihres Studiums trat sie der Partei *Demokratischer Aufbruch* bei.	◯	◯
4	Angela Merkel war in der DDR Frauen- und Jugendministerin.	◯	◯
5	Sie ist die erste Frau, Ostdeutsche und Naturwissenschaftlerin, die Kanzlerin wurde.	◯	◯
6	Ohne die deutsche Wiedervereinigung wäre sie vielleicht nie Kanzlerin geworden.	◯	◯

2.2 Wie sind die Regeln? Markieren Sie drei Passivsätze mit Konjunktiv II der Vergangenheit in der Biografie in 2.1 und ergänzen Sie den Grammatikkasten.

> **Passiv mit Konjunktiv II der Vergangenheit**
>
> Das Passiv mit Konjunktiv II der Vergangenheit leitet sich vom Passiv Perfekt ab und besteht immer aus drei Verben:
>
> Das Hilfsverb ________ (im Konjunktiv II + konjugiert) + ____________ + __________.
>
> Im Nebensatz stehen alle Verben ______________________________.

2.3 Wiederholung: Passiv Perfekt. Schreiben Sie die Sätze im Passiv. Der Grammatikanhang (A 1.3) hilft.

1 Die Siegermächte haben Deutschland nach dem 2. Weltkrieg besetzt.
2 1949 hat man zwei deutsche Staaten gegründet.
3 Die DDR-Regierung hat 1961 die Berliner Mauer gebaut.
4 DDR-Bürger, die fliehen wollten, hat man verhaftet.
5 Erst 1989 hat man die Grenzen zwischen der DDR und der BRD wieder geöffnet.
6 Ein Jahr später – am 3.10.1990 – hat man beide Länder wiedervereinigt.
7 Die Bundesregierung hat dieses Datum zum deutschen Nationalfeiertag bestimmt.

1 Deutschland ist nach dem 2. Weltkrieg besetzt worden.

2.4 Wie wäre die Welt heute ohne die berühmten Personen in der Geschichte? Ergänzen Sie die Verben im Passiv mit Konjunktiv II der Vergangenheit.

1 Ohne viele berühmte Personen in der Geschichte *wäre* weniger für Menschenrechte *gekämpft worden* *(kämpfen)*.

2 Ohne mutige Widerstandskämpferinnen und Widerstandskämpfer __________ der zweite Weltkrieg vielleicht erst viel später __________ __________ *(beenden)*.

3 Ohne kreative Erfinderinnen und Erfinder __________ wichtige Dinge, die uns heute den Alltag erleichtern, nicht __________ __________ *(erfinden)*.

4 Ohne die Ideen vieler Schriftstellerinnen und Schriftsteller __________ weniger interessante Bücher über unser Leben und unsere Gesellschaft __________ __________ *(schreiben)*.

5 Ohne Friedensforscherinnen und Friedensforscher __________ der Frieden und seine gesellschaftlichen Voraussetzungen weniger __________ __________ *(untersuchen)*.

2.5 Wählen Sie eine berühmte Person aus der Geschichte. Wie wäre die Welt heute ohne sie? Schreiben Sie eine kurze Biografie. Die Redemittel im Kursbuch auf Seite 85 helfen.

3 Strategietraining: Informationen recherchieren und strukturieren

3.1 Was macht man zuerst? Sehen Sie das Strategievideo noch einmal und ordnen Sie die Schritte.

> **Informationen recherchieren und strukturieren**
>
> ☐ Fotos und Videos zum Thema anschauen
> ☐ genauere Informationen zum Thema suchen
> ☐ konkrete Fragen für die Recherche überlegen
> ☐ Informationen aus verschiedenen Quellen zusammenfassen und evtl. visualisieren
> ☐ seriöse von unseriösen Seiten unterscheiden
> ☐ Stichwörter in Suchmaschine eingeben
> ☐ wichtige Informationen zum Thema notieren
> ☐ Überschriften der Ergebnisse überfliegen, dann genauer lesen

3.2 Wo findet man die Antworten? Lesen Sie die Fragen und den Artikel und unterstreichen Sie wichtige Textstellen. Machen Sie danach Notizen zu den Fragen in Ihrem Heft.

1 Wo und wann fand der Mauerbau statt?
2 Wie kam es dazu?
3 Was genau ist geschehen?
4 Welche Folgen hatte der Mauerbau für die Menschen?

1 Wo und wann:
- an der Grenze zwischen Ost- und Westberlin, am ...

Geschichte — Nr. 8

Der Mauerbau 1961:
Die DDR-Regierung lässt Bürger nicht mehr ausreisen

Noch am 15. Juni 1961 erklärte der DDR-Politiker Walter Ulbricht, dass in Berlin keine Mauer gebaut werden sollte. Doch Anfang August 1961 wuchs der Druck auf die DDR-Regierung. Immer mehr DDR-Bürger flohen in den Westen. Die meisten verließen die DDR über West-Berlin, da die Grenze zwischen der DDR und der Bundesrepublik bereits seit 1952 streng bewacht wurde. Allein in den ersten beiden Augustwochen 1961 gingen circa 47.000 DDR-Bürger, die meisten von ihnen jung und gut ausgebildet, in den Westen. Sie flohen mit der Hoffnung, in der BRD in Freiheit und in einer besseren finanziellen Situation leben zu können.

Bau in nur wenigen Tagen

In der Nacht zum 13. August 1961 wurde die Grenze nach West-Berlin von zahlreichen Polizisten und Soldaten geschlossen. In den folgenden Tagen wurde damit begonnen, eine circa vier Meter hohe Mauer zu bauen, die Berlin in zwei Hälften trennte. Die Bevölkerung in beiden Teilen Deutschlands war wütend und schockiert. Offiziell sagte die DDR-Regierung, dass man mithilfe der Mauer die DDR schützen wollte. Der wirkliche Grund wurde nicht genannt: nämlich der Versuch, die Flucht aus der DDR zu beenden.

Getrennte Verwandte und Freunde

In den Tagen des Mauerbaus fanden überall entlang der Mauer unglückliche Szenen statt. Plötzlich wurden die Menschen in West- und Ost-Berlin voneinander getrennt. Verwandte, Freunde und Kollegen hatten keine Möglichkeit mehr, sich zu treffen. Die Mauer teilte Straßen, Plätze und sogar Häuser. Über 50.000 Ost-Berliner erreichten ihren Arbeitsplatz in West-Berlin nicht mehr. Die Soldaten an der Mauer bekamen die Erlaubnis, zu schießen – was sie auch taten: Mindestens 136 Menschen starben nach 1961 an der Berliner Mauer. Fast 30 Jahre lang war Berlin eine geteilte Stadt. Bis es 1989 schließlich zum Fall der Berliner Mauer kam.

2.17 **3.3** Was sagt Frau Langwitz? Hören Sie und kreuzen Sie an.

1 ☐ An den Tag des Mauerbaus kann ich mich nicht mehr so gut erinnern.
2 ☐ Als es noch keine richtige Mauer gab, hätte ich einfach in den Westen laufen können.
3 ☐ Wir konnten meinen Vater nach dem Mauerbau jedes Jahr nur einmal sehen.
4 ☐ Wir haben uns in unserer Wohnung nicht mehr wohlgefühlt.

2.17 **3.4** Hören Sie noch einmal und ergänzen Sie Ihre Notizen aus 3.2.

3.5 Beschreiben Sie in einem kurzen Text die Geschichte des Mauerbaus. Benutzen Sie die Fragen und Ihre Notizen aus 3.2 sowie die Redemittel auf Seite 85 im Kursbuch.

Lieblingsbücher

1 Bestseller. Welches Genre passt? Lesen Sie die Kurzkritiken und ordnen Sie zu.

a Autobiografie
b Familienroman
c Gedichtband
d Ratgeber
e Sachbuch
f Science-Fiction-Roman

1 ☐ Wie können wir in unserem hektischen Leben mehr Pausen einbauen, um ein entspannteres und zufriedeneres Leben zu führen? Das ist keine neue Frage. Aber der Autor Matthew Fisher beantwortet sie mit neuesten Erkenntnissen aus der Hirnforschung, sodass sein Buch mit bisher unbekannten Ratschlägen überzeugt und überrascht. „Die Entdeckung der neuen Langsamkeit. Wie wir bei uns ankommen", gehört in jedes Bücherregal.

2 ☐ Dieses Buch macht süchtig! Begleiten Sie Elsas Suche nach ihrer Schwester während des zweiten Weltkrieges. Entdecken Sie das Geheimnis, das die beiden verbindet und das ihr Vertrauen zueinander testet. Ein Geheimnis, das auch für spätere Generationen – die Kinder und Enkel der beiden Schwestern – Folgen hat. „Grün wie Gras" von Anna Kabelka wird Sie begeistern.

3 ☐ „Die Achtziger. Wie alles zusammenhing." Das neue Buch der Historikerin Sabine Ganglauer behandelt eine besondere Zeit in Europa. Detailliert berichtet sie über dieses Jahrzehnt aus verschiedenen Perspektiven und zeigt auf diese Weise überraschende Verbindungen zwischen Politik, Kunst, Musik und Technik. Mit zahlreichen Abbildungen und Grafiken.

4 ☐ Rebecca Steinfeld setzt sich seit Jahrzehnten mit großem Erfolg für ein besseres Leben von Mädchen auf der ganzen Welt ein. Für ihren Mut wurde sie mit zahlreichen Preisen ausgezeichnet. Zum ersten Mal erzählt sie auf beeindruckend offene Art davon, wie ihr Engagement und ihr eigenes Leben zusammenhängen. Unser Bestseller-Tipp: „Wie ich wurde, was ich bin".

5 ☐ „Schwimmen im runden Sand" eignet sich für alle Leserinnen und Leser, die ihren Tag mit ein paar schönen Zeilen beginnen möchten. In seiner Poesie spielt Johann Schwarz mit Wörtern und Bildern auf eine Art, die uns plötzlich unseren Alltag mit anderen Augen sehen lässt. Kurzum: ein poetisches Buch mit viel Liebe zum Detail, das man gern in die Hand nimmt.

6 ☐ Es ist der Erzählstil, der dieses Buch von anderen Büchern unterscheidet. Denn der Erzähler Viktor lebt zwar im Jahr 2045, berichtet aber in Erinnerungen von einem Ereignis, das in der heutigen Zeit geschieht. Das neue Buch „Du weißt es schon" von Èric Morel beschreibt eine zukünftige Situation und erinnert uns daran, jetzt zu handeln!

2 Strategietraining: eine Rezension verstehen

2.1 Wie wird dieses Buch insgesamt bewertet? Lesen Sie die Rezension und kreuzen Sie an.

1 ☐ besonders gut 2 ☐ gut 3 ☐ nicht so gut

Alexandra Frohberg: Nur eine bessere Welt *Rezension von Yuri Okeke*

Nach ihrem Bestseller „Schlüsselkind", der mit vielen Preisen ausgezeichnet wurde, erscheint nun endlich mit „Nur eine bessere Welt" der neue Roman von Alexandra Frohberg. Auch diesmal dürften sich vor allem wieder Science-Fiction-Fans freuen.

Wir befinden uns im Jahr 2035. Das technische Wissen wird von Tag zu Tag größer. Paul, ein junger Informatikstudent, entwickelt zusammen mit anderen Mitgliedern einer weltweiten politischen Friedensbewegung eine neue Form von künstlicher Intelligenz: Roboter, die empathisch sind und dabei helfen sollen, die Friedensbewegung weiterzubringen. Doch eines Tages verschwindet Paul. Warum? Versteckt er sich? Oder gehört sein Verschwinden zum Plan der politischen Gegner? Die bessere Welt, von der die junge Bewegung träumt, ist in Gefahr.

Das Thema das Buches ist hochinteressant. Frohberg beschäftigt sich mit Fragen wie: Was passiert mit Menschen, wenn sie mehr Macht gewinnen? Wie verändern sie sich, sogar wenn sie ihre Macht eigentlich für positive Zwecke nutzen? Doch leider nähert sich die Autorin diesem Thema auf wenig unterhaltsame Art. Frohbergs Schreibstil unterscheidet sich in ihrem neuen Buch stark von ihrem bisherigen. Ihre Erzählweise ist nicht mehr gewohnt humorvoll, sondern eher kalt und distanziert. Wegen der kurzen Sätze, die Frohberg wählt, gelingt es dem Leser nicht, sich in die Gefühle der Romanfiguren hineinzuversetzen.

Auch hätte der Roman informativer sein müssen. Ohne Hintergrundwissen zu künstlicher Intelligenz wird man es schwer haben, der Handlung folgen zu können. Das macht das Lesen anstrengend.

„Nur eine bessere Welt" richtet sich daher eher an Menschen, die sich schon länger für künstliche Intelligenz interessieren und sich intensiv mit dem Thema beschäftigt haben. An ihren großen Erfolg mit „Schlüsselkind" wird die Autorin mit diesem neuen Werk sehr wahrscheinlich nicht herankommen. Schade!

2.2 Welche Fragen sollte eine Rezension beantworten? Ergänzen Sie den Strategiekasten. Überprüfen Sie dann Ihre Lösung mit den Fragen im Kursbuch auf Seite 80.

2.3 Lesen Sie die Rezension in 2.1 noch einmal und beantworten Sie die Fragen aus 2.2 in Ihrem Heft.

eine Rezension verstehen

Wie wird das Buch insgesamt bewertet?

3 Ein Lieblingsbuch. Schreiben Sie mithilfe der Informationen eine Kurzrezension zu diesem Buch.

„Broken German" von Tomer Gardi (2016)
- Genre: Großstadtroman
- Zielgruppe: Erwachsene; Deutschlernende und Sprachbegeisterte
- Thema/Inhalt: Einwanderung/Migration und Sprache
- Was war gut? kreativer Umgang mit deutscher Sprache; Fehler als bewusstes Stilmittel; Spiel mit literarischen Formen/Konventionen
- Fazit: absurd-komischer Roman; fehlerhafte Sprache ist mutig und originell

Zeitreisen – das hätte ich gern erlebt!

1 In welcher Zeit hätten die Personen gern gelebt oder würden sie gern leben? Schreiben Sie Bedingungssätze mit Konjunktiv II der Vergangenheit oder der Gegenwart wie im Beispiel.

1 Evrin: Antike / mit Philosophen über den Sinn des Lebens diskutieren können
2 Merle: 19. Jahrhundert / bei den ersten Erfindungen der Fotografie dabei sein können
3 Laila: 90er-Jahre / den Präsidenten von Südafrika Nelson Mandela kennenlernen können
4 Thandi: Jahr 2050 / sich wahrscheinlich mit Flugtaxis durch die Stadt bewegen können
5 Frederik: in 100 Jahren / vielleicht den Mond als gewöhnliches Reiseziel auswählen können

1 *Wenn Evrin in der Antike gelebt hätte, hätte er mit Philosophen über den Sinn des Lebens diskutieren können.*

2 Was kann ich dafür, dass ich aus den 80ern bin?

2.1 Was passt? Finden Sie sechs Verben in der Wortschlange und ergänzen Sie.

alkabesteigenesenokspaltenangitauftretenolfitamiterlebenklenghaltenterafliegenullisse

1 bei einem Festival ____________

2 ein Atom ____________

3 ein Tor ____________

4 einen Berg ____________

5 auf den Mond ____________

6 ein Ereignis ____________

2.2 Wann hätten die Personen gern gelebt? Warum? Hören Sie die Radiosendung und notieren Sie.

	Marion	Faris	Ana
Wann?			
Warum?			

2.3 Richtig oder falsch? Hören Sie noch einmal und kreuzen Sie an.

		richtig	falsch
1	Marion sagt, dass sie oft Angst hat, etwas zu verpassen.	◯	◯
2	Ihrer Meinung nach hat Coco Chanel die Rolle von Frauen positiv beeinflusst.	◯	◯
3	Faris findet, dass man aus vergangenen Ereignissen etwas lernen kann.	◯	◯
4	Er mag an seinem Beruf, dass er verschiedene historische Ereignisse erleben kann.	◯	◯
5	Ana stört es nicht, wenn sie etwas verpasst.	◯	◯
6	Sie glaubt, dass sie mit Leonardo da Vinci viele Gemeinsamkeiten hat.	◯	◯

3 Und Sie? In welche Zeit würden Sie gern reisen und warum? Schreiben Sie einen kurzen Text.

Erinnern Sie sich noch an Einheit ...?

1 Erinnerungsstationen

1.1 Zu welchen Einheiten gehören die Fotos? Um welches Thema ging es? Sprechen Sie zu zweit.

1.2 Wählen Sie zu zweit ein Thema aus 1.1 und notieren Sie so viele Wörter wie möglich in einer Mindmap.

2 Schnelle Erinnerungen. Eine Person nennt ein beliebiges Thema aus den Einheiten 1 bis 6. Jede/r sagt spontan, was ihr/ihm dazu einfällt. Danach wählt eine andere Person ein anderes Thema usw.

Ich wähle das Thema: Mehrgenerationenprojekte.

Alternative zu Altenheim

mehr Lebensfreude

Prüfungstraining

GI **1 Hören Teil 4**

2.19 Was ist richtig? Lesen Sie zuerst die Aufgaben 1–8.
Hören Sie dann den Vortrag zum Thema Prüfungsängste und kreuzen Sie an (a, b oder c).

1 Aufregung vor einer Prüfung ...
- a ▢ sollte man vermeiden.
- b ▢ ist nicht nur negativ.
- c ▢ schadet der Konzentration.

2 Bei der Prüfungsvorbereitung sollte man ...
- a ▢ an seinen Schwächen arbeiten.
- b ▢ sich zuerst auf die einfachen Aufgaben konzentrieren.
- c ▢ sich an den gestellten Anforderungen orientieren.

3 Auswendig lernen ...
- a ▢ ist in Einzelfällen sinnvoll.
- b ▢ ist für viele Menschen die beste Methode.
- c ▢ kann auch zu noch größerem Stress führen.

4 Herr Lohmann rät dazu, ...
- a ▢ nach einem Plan zu arbeiten.
- b ▢ immer nach zehn Stunden eine lange Pause einzulegen.
- c ▢ auch in der Freizeit Prüfungsstoff zu wiederholen.

5 Morgenmenschen ...
- a ▢ können Prüfungen besser bewältigen.
- b ▢ haben keine spezifischen Vorteile.
- c ▢ sind am nächsten Tag konzentrierter.

6 Laut Herrn Lohmann ...
- a ▢ kann man sich zu Hause schlecht vorbereiten.
- b ▢ kann man am besten in Bibliotheken arbeiten.
- c ▢ sind Ablenkungen häufig schwer zu vermeiden.

7 Bei Prüfungsängsten sollte man ...
- a ▢ stundenlang joggen.
- b ▢ einfache Übungen machen.
- c ▢ regelmäßig Sport treiben.

8 Am Abend vor der Prüfung sollte man ...
- a ▢ sich nicht mehr mit der Prüfung beschäftigen.
- b ▢ früh ins Bett gehen.
- c ▢ nur noch wiederholen, was Spaß macht.

Tipp: Lesen Sie die Sätze genau und markieren Sie die Schlüsselwörter. Dazu haben Sie in der Prüfung 90 Sekunden Zeit. Achten Sie darauf, dass Sie in jeder Option (a, b oder c) etwas markiert haben. Überlegen Sie sich vor dem Hören, was die Sätze und die Optionen genau bedeuten. Welche dieser Optionen ist logisch, welche ist unlogisch? Das funktioniert aber nicht bei allen Sätzen!

telc **2 Lesen Teil 1**

Was passt? Lesen Sie zuerst die zehn Überschriften. Lesen Sie dann die fünf Texte und entscheiden Sie, welche Überschrift (a–j) zu welchem Text (1–5) passt.

- a Erinnerungsorte – früher und jetzt
- b Die Folgen falscher Erinnerungen
- c Zeitgeschichte in persönlichen Erinnerungen
- d Ein kleines Gedächtnis für die Zukunft
- e Das kollektive Gedächtnis
- f Erinnerungsarbeit in Schulen
- g Erinnerungen an den Mut
- h Erinnerungsverlust bei Verwandten
- i Gedächtnisforschung bei Senioren
- j Das Gehirn am Laufen halten

1 ▢ Das Haus der Literatur für Kinder in Nürnberg lädt am Samstag zu einer ganz besonderen Lesung mit der Autorin Sibylle G. ein. In ihrem neuen Kinderbuch thematisiert die Autorin die Geschichte von 50 außergewöhnlichen Frauen, die die Welt auf ihre Art und Weise verbessert haben. Mit dabei sind unter anderem Jane Goodall, Simone de Beauvoir, Yoko Ono, Astrid Lindgren und Sophie Scholl. In der Lesung wird die Autorin auf inspirierende Art vom Leben einiger dieser mutigen Frauen erzählen, damit die lebhafte Erinnerung an sie auch in Zukunft nicht verloren geht. Nach der Lesung sind alle Kinder eingeladen, an den anschließenden Workshops teilzunehmen. An verschiedenen Stationen können sie sich auf unterhaltsame und interaktive Weise mit den Biografien der Frauen auseinandersetzen. Haus der Literatur für Kinder, Samstag von 14 bis circa 17 Uhr, keine Anmeldung erforderlich.

2 ☐ Die eigene Geschichte festhalten – das geht in Regensburg. Die Geschichtsstudentin Franziska Kauer (25 J.) hat ein Projekt gestartet, das immer mehr Menschen zum Mitmachen motiviert. „Die Geschichte eines jeden Menschen ist besonders und einzigartig. Mir ist es wichtig, dass persönliche Erinnerungen nicht verlorengehen." Deswegen hatte Franziska die Idee, Erinnerungen zu sammeln, diese aufzubewahren und sie den Menschen erst in 100 Jahren wieder zugänglich zu machen. „Alle sind eingeladen, mitzumachen und einen Briefumschlag mit den Dingen zu füllen, die etwas über das eigene Leben erzählen", erklärt Franziska. Schon fast 300 Briefumschläge hat sie inzwischen. Darin sind die verschiedensten Dinge enthalten: von Kassetten mit der Lieblingsmusik, über eine genaue Beschreibung des eigenen Lebens, bis zu Fotoalben der eigenen Kinder. Die Umschläge legt sie in eine große Box, die die nächsten hundert Jahre verschlossen bleibt. Die Box wird im Keller des städtischen Museums gelagert. In 100 Jahren können die Menschen die Umschläge öffnen, um eine Idee davon zu bekommen, wie die Menschen heute gelebt haben. „Ich wäre so gerne dabei!" sagt Franziska und lacht.

3 ☐ Dass Sport sich positiv auf unsere Gesundheit auswirkt, ist allen klar. Doch wie sieht es mit dem Gehirn aus? Bedeutet Gedächtnistraining für unseren Kopf dasselbe wie Sport für unseren Körper? Wir haben mit zwei Menschen gesprochen, die sich damit auskennen: „Alles hat mit Training zu tun", sagt Alexander Steinbach, Gedächtnisexperte an der Uni (Reutlingen), „es ist wichtig, sich von allem, was man nicht vergessen möchte, ein Bild zu machen – am besten mit allen Sinnen. Wenn sich zum Beispiel jemand mit Namen vorstellt, dann denke ich zuerst daran, ob ich mithilfe des Namens etwas Besonderes rieche, schmecke, sehe oder höre. Auf diese Weise fällt es mir leichter, mir den Namen zu merken." Eine andere Art des Gedächtnistrainings bietet Frau Dumitru in der *Sport and Mental School* an. Ihr Kurs ist sowohl ein Training für das Gedächtnis als auch für den Körper. „Ich arbeite mit einer Methode, die Gedanken mit einer bestimmten Bewegung verknüpft. Auf diese Art und Weise können Erinnerungen besser wieder abgerufen werden.", erklärt Frau Dumitru. „Wenn ich mich bewege, werde ich mich auch wieder erinnern."

4 ☐ Etwa 16 Millionen Menschen haben den Alltag der DDR und seine Einschränkungen miterlebt. Um zu verhindern, dass die Erinnerungen an die DDR in Vergessenheit geraten, wurde in Zusammenarbeit mit dem *Institute of Remembrance* ein Projekt ins Leben gerufen. Das Projekt beschäftigt sich mit der persönlichen Ebene des Gedächtnisses: der biografischen Erinnerung. Der Dokumentarfilmer Josh Warren ist auf der Suche nach privaten DDR-Erinnerungen auf alten selbstgedrehten Filmen. Er hofft, dass möglichst viele Menschen ihre Filme aus dem Keller holen und an dem Projekt teilnehmen. Ziel ist es, 300 Stunden Originalmaterial zu bekommen. Diese sollen ausgewertet und im Internet zur Verfügung gestellt werden. Mit den „gefilmten Erinnerungen" möchte Warren zeigen, wie unterschiedlich und vielfältig das Leben in der DDR war.

5 ☐ Im Rahmen des Welt-Alzheimertages am 21. September haben wir mit Barbara Schwan (54 Jahre) gesprochen. Barbaras Mutter leidet unter der gefürchteten Krankheit, die das Gedächtnis negativ beeinflusst. „Meine Mutter ist nicht mehr der Mensch, der sie immer war. Sie kennt mich schon lange nicht mehr. Dagegen machen kann man nichts." Es hat fast drei Jahre gedauert, bis die Diagnose Alzheimer bei Maria (78 Jahre) gestellt wurde. Lange dachte Barbara, dass es am Alter lag, dass Maria zunehmend Dinge vergaß, aber als sie zufällig kleine Notizzettel mit Erinnerungen oder Namen in der Wohnung ihrer Mutter fand, da ahnte sie, dass etwas nicht stimmte. „Meine Mutter hatte sogar meinen Namen aufgeschrieben!", erzählt Barbara empört. „Es war ein langer und harter Weg, aber heute kann ich entspannter mit der Erkrankung meiner Mutter umgehen. Das Wichtigste ist, dass man sich auch um sich selbst kümmert. Denn nur so hat man die Kraft, für einen Menschen mit Alzheimer zu sorgen." Brigitte rät anderen Betroffenen, Hilfe von außen anzunehmen, ob professionell durch Beratung oder von Freunden. Jede Hilfe ist wichtig.

Tipp: Bei dieser Aufgabe geht es darum, dass Sie verstehen, was das Thema der Zeitungsartikel ist. Sie müssen keine Details verstehen. Markieren Sie deshalb in jedem Artikel die wichtigsten Informationen. Notieren Sie bei jedem Artikel, welche Überschrift passen könnte. Wenn Sie nicht sicher sind, notieren Sie mehrere. Erst wenn Sie alle Artikel gelesen haben, entscheiden Sie sich für eine Überschrift. Beginnen Sie dafür mit den Artikeln, die Ihnen leichtfallen.

Inhalt Grammatik

A Wörter

B Sätze

Grammatik

Grammatik

A Wörter

1 Verben

1.1 Über Vergangenes sprechen

1.1.1 Perfekt

Das Perfekt benutzt man, wenn man über die Vergangenheit spricht oder in persönlichen Texten (E-Mails, Briefen) über Vergangenes schreibt.

Kim Park	hat	sich auf ihr Leben in der Schweiz	gefreut.
Sie	ist	in einen Karnevalsverein	eingetreten.

Die meisten Verben bilden das Perfekt mit haben. *Folgende Verben bilden das Perfekt mit* sein:
- *Verben, die eine Bewegung ausdrücken (*gehen, fahren, reisen, springen, fallen *…)*
- *Verben, die eine Zustandsveränderung ausdrücken (*werden, wachsen, aufwachen *…)*
- *andere Verben (*sein, bleiben, passieren, geschehen *…)*

Partizip II

	regelmäßig (Endung -*t*)	**unregelmäßig (Endung -*en*)**
	gekauft	gesehen
trennbare Verben	eingekauft	ferngesehen
untrennbare Verben	verkauft	entschieden
Verben auf -ieren	studiert	

Unregelmäßige Verben haben oft einen Vokalwechsel im Partizip II: entscheiden – entschieden

Verben mit den Vorsilben be-, emp-, ent-, er-, ge-, miss-, ver- *und* zer- *sind immer untrennbar:*
(hat) beherrscht, (hat) behauptet, (hat) empfohlen, (hat) entschieden, (hat) erzählt, (hat) gefallen, (hat) missverstanden, (ist) verschwunden, (hat) zerrissen …

Verben mit über- *sind oft untrennbar:* (hat) überzeugt, (hat) überlegt …

Verben mit um *können trennbar oder untrennbar sein:*
umgehen: Er ist immer ordentlich mit seinen Sachen umgegangen. Sie hat das Problem umgangen.
umschreiben: Sie hat den Text umgeschrieben. Er hat das Wort mit anderen Wörtern umschrieben.

▸ *siehe Liste unregelmäßige Verben S. 106–109.*

1.1.2 Perfekt: Modalverben ▸ E6

Hauptsatz

Wir	haben	die Idee nicht	aufgeben wollen.
Nach der Schule	haben	wir Kinder oft noch	arbeiten müssen.
Ich	habe	oft draußen	spielen können.

Nebensatz
Sie war die erste aus ihrer Familie, die an der Uni hat studieren können.

Das Perfekt der Modalverben bildet man mit haben + *Infinitiv* + *Infinitiv des Modalverbs.*
Im Nebensatz stehen drei Verben am Satzende. Die Reihenfolge der Verben ist wie im Hauptsatz.

Wenn das Modalverb als Vollverb ohne zweites Verb benutzt wird, bildet man das Perfekt mit haben + *Partizip II.*
Entschuldige, das habe ich nicht gewollt! Er hat es nicht gekonnt.

1.1.3 Perfekt: *lassen, sehen, hören*

▶ E1

als Vollverb

Danach	hat	sie mich in Ruhe	gelassen.
Die Leute	haben	mich nur einmal	gesehen.
Ich	habe	schon immer solche Musik	gehört.

als Hilfsverb

Ich	habe	mir ein neues Piercing	machen lassen.
Der Kollege	hat	mich	hereinkommen sehen.
Er	hat	mich	reden hören.

Wenn die Verben lassen, sehen, hören *als Hilfsverb mit einem zweiten Verb verwendet werden, bildet man das Perfekt mit* haben + *Infinitiv + Infinitiv des Hilfsverbs.*

Bei hören *(und selten bei* sehen*) wird in der gesprochenen Sprache manchmal auch das Partizip II benutzt.*
Er hat mich reden gehört.

Im Nebensatz stehen drei Verben hintereinander am Satzende. Die Reihenfolge der Verben ist wie im Hauptsatz: haben + *Infinitiv + Infinitiv Modalverb*

Als er mich so hat reden hören, war er sehr überrascht.

1.1.4 Präteritum

Das Präteritum benutzt man vor allem, um in Zeitungen, literarischen Texten und Biografien vergangene Ereignisse zu beschreiben. Bei den Verben sein *und* haben, *den Modalverben sowie einigen anderen Verben (z.B.* es gibt, finden, denken, wissen, werden*) benutzt man auch in der gesprochenen Sprache meist bzw. alternativ zum Perfekt das Präteritum.*

	regelmäßig *Verbstamm + -t*	***unregelmäßig*** *Verbstamm mit Vokalwechsel*				***Modalverben*** *Verbstamm ohne Umlaut + -t*	***Mischverben*** *Verbstamm mit Vokalwechsel + -t*
	machen	**bleiben**	**sein**	**haben**	**werden**	**können**	**kennen***
ich	machte	blieb	war	hatte	wurde	konnte	kannte
du	machtest	bliebst	warst	hattest	wurdest	konntest	kanntest
er/es/sie	machte	blieb	war	hatte	wurde	konnte	kannte
wir	machten	blieben	waren	hatten	wurden	konnten	kannten
ihr	machtet	bliebt	wart	hattet	wurdet	konntet	kanntet
sie/Sie	machten	blieben	waren	hatten	wurden	konnten	kannten

**genauso:* bringen (brachte), denken (dachte), mögen (mochte), nennen (nannte), senden (sandte) wissen (wusste)

▶ *siehe Liste unregelmäßige Verben S. 106–109.*

1.1.5 Plusquamperfekt

Das Plusquamperfekt drückt aus, dass eine Handlung in der Vergangenheit vor einer anderen Handlung in der Vergangenheit passiert ist. Es wird häufig in Nebensätzen mit nachdem *benutzt.*

Plusquamperfekt: hatte/war + *Partizip II*

Nachdem sie von dem Austauschprogramm erfahren hatte, hat sie sich sofort beworben.
Sie war gerade erst in Chile angekommen. Da hat sie schon die ersten Leute kennengelernt.

1.2 **Über die Zukunft sprechen**
Um über Zukünftiges zu sprechen, kann man das Präsens – mit einer Zeitangabe (*morgen, später, nächstes Jahr …*) – oder das Futur I benutzen. Das Futur I wird seltener benutzt. Wenn der Kontext bekannt ist, kann die Zeitangabe im Präsenssatz entfallen.

Ich mache in drei Monaten die B2-Prüfung. / Ich werde in drei Monaten die B2-Prüfung machen.

Futur I:
*Das Futur I (*werden + *Infinitiv) verwendet vor allem für:*

– *Pläne*	Wir werden im Sommer umziehen.
– *Versprechen*	Ich werde dir auf jeden Fall helfen!
– *Voraussagen/Prognosen*	Morgen wird die Sonne scheinen.
– *Vermutungen über die Gegenwart**	Er wird sicher noch arbeiten.
– *Vermutungen über die Zukunft**	Ihr werdet bestimmt viel Spaß im Urlaub haben.

**Modalwörter* (sicher, sicherlich, bestimmt, (höchst)wahrscheinlich, wohl, vermutlich, vielleicht, eventuell …) *betonen den Vermutungscharakter.*

1.3 **Passiv**
Das Passiv benutzt man vor allem, wenn man Vorgänge und Regeln beschreibt oder allgemeingültige Aussagen trifft. In Passivsätzen steht der Vorgang im Vordergrund, der handelnde Akteur ist nicht wichtig.

Aktiv	**Passiv**
Das Unternehmen schickt den Expat in die Schweiz.	Der Expat wird in die Schweiz geschickt.

Das Akkusativobjekt im Aktiv wird zum Subjekt (Nominativ) im Passiv. In Passivsätzen ohne Subjekt muss am Satzanfang eine andere Information oder das Wort es *stehen:*
In Deutschland wird viel gebaut. / Es wurde viel gebaut. / In den letzten Jahren ist viel gebaut worden.

Passiv Präsens	Die Expats	werden	ins Ausland	geschickt.
Passiv Präteritum	Die Expats	wurden	ins Ausland	geschickt.
Passiv Perfekt	Die Expats	sind	ins Ausland	geschickt worden.
Passiv Präsens + Modalverb	Die Expats	können	ins Ausland	geschickt werden.
Passiv Präteritum + Modalverb	Die Expats	konnten	ins Ausland	geschickt werden.
Passiv Konjunktiv II der Gegenwart	Die Expats	würden	ins Ausland	geschickt werden.
Passiv Konjunktiv II der Vergangenheit	Die Expats	wären	ins Ausland	geschickt worden.

Das Passiv bildet man immer mit dem Verb werden *und dem Partizip II des Verbs.*

Das Passiv Perfekt und das Passiv Konjunktiv II der Vergangenheit bildet man immer mit dem Hilfsverb sein. *Das Partizip II des Verbs* werden *ist verkürzt (ohne* ge-*):* worden.

▸ *siehe auch A 1.4.2 Konjunktiv II der Vergangenheit*

Passivsätze mit *von* und *durch* ▸ E6
Um den handelnden Akteur oder die Ursache eines Vorgangs in Passivsätzen zu nennen, benutzt man die Präpositionen von *(+ Dativ) oder* durch *(+ Akkusativ).*

***von* + „Akteur", Person oder Institution (Wer?)**
Neue Informationen werden vom sensorischen Gedächtnis gespeichert.
(Das sensorische Gedächtnis speichert neue Informationen.)
Die Funktionsweise des Gedächtnisses wird von Neurologen erforscht.
(Neurologen erforschen die Funktionsweise des Gedächtnisses.)

***durch* Ursache oder Vorgang (Wie? Wodurch?)**
Durch körperliche Tätigkeit wird das Gehirn besser mit Sauerstoff versorgt.
(Wenn man körperlich tätig ist, wird das Gehirn besser mit Sauerstoff versorgt.)

1.4 Konjunktiv II

Der Konjunktiv II drückt Hypothetisches oder Irreales aus.

1.4.1 Konjunktiv II der Gegenwart

Mit Konjunktiv II kann man Folgendes ausdrücken:

- *Wünsche* — Ich würde gern in einer WG leben. / Ich hätte lieber ein eigenes Haus.
- *höfliche Bitten* — Könnten Sie mir helfen?
- *Vorschläge* — Wir könnten doch eine Projektwoche planen. / Wie wäre es, wenn ...
- *Tipps/Ratschläge* — Du solltest dich beschweren. / An deiner Stelle würde ich kündigen.
- *Vermutungen** — Sie müsste noch in der Bibliothek sein.
- *irreale Bedingungen*** — Wenn man auf Atomenergie verzichten würde, wäre die Welt sicherer. Sollte man die Kraftwerke wirklich abschalten, würden viele Menschen ihren Arbeitsplatz verlieren.

Um Wünsche auszudrücken benutzt man immer Konjunktiv II + gern/lieber / am liebsten.

*▸ *siehe auch A 1.5.2 Vermutungen ausdrücken mit Modalverben*
**▸ *siehe auch B 2.2.2 konditionale Nebensätze*

Konjunktiv II ohne *würde*

▸ E3

Bei den meisten Verben bildet man den Konjunktiv II mit würde + *Infinitiv. Bei den Verben* sein *und* haben, *den Modalverben sowie einigen besonders häufig gebrauchten Verben benutzt man den Konjunktiv II ohne* würde.

	sein	**haben**	**werden**	**können***	**sollen****	**gehen**	**wissen**
ich	wäre	hätte	würde	könnte	sollte	ginge	wüsste
du	wärst	hättest	würdest	könntest	solltest	gingest	wüsstest
er/es/sie	wäre	hätte	würde	könnte	sollte	ginge	wüsste
wir	wären	hätten	würden	könnten	sollten	gingen	wüssten
ihr	wärt	hättet	würdet	könntet	solltet	ginget	wüsstet
sie/Sie	wären	hätten	würden	könnten	sollten	gingen	wüssten

Die Formen des Konjunktiv II leiten sich vom Präteritum der Verben ab. Der Konjunktiv II wird gebildet mit Verbstamm im Präteritum (oft + Umlaut) + Endung. Die Endungen sind die gleichen Endungen wie bei regelmäßigen Verben im Präteritum. z. B. finden (ich fände), kommen (ich käme), geben (ich gäbe)

* *genauso:* müssen (müsste), dürfen (dürfte)
** *genauso:* wollen (wollte)

1.4.2 Konjunktiv II der Vergangenheit

▸ E6

Mit dem Konjunktiv II der Vergangenheit drückt man eine Möglichkeit in der Vergangenheit aus, die sich aber nicht erfüllt hat.

Damals hätten sich meine Eltern fast getrennt. Das wäre schrecklich gewesen.
Sonst hätten wir das Restaurant wohl nicht eröffnen können.

Den Konjunktiv II der Vergangenheit bildet man: hätte/wäre + *Partizip II*
Beim Konjunktiv II der Vergangenheit mit Modalverb benutzt man das Modalverb im Perfekt:
hätte + *Infinitiv* + *Infinitiv Modalverb*

Irreale Bedingungssätze in der Vergangenheit

▸ E6

Nebensatz		**Hauptsatz**	
Wenn ich in Wien	geblieben wäre,	hätte	ich Siegfried nie kennengelernt.
Wenn ich Siegfried nicht	kennengelernt hätte,	hätte	ich heute vielleicht keine Kinder.

Passiv mit Konjunktiv II der Vergangenheit

▶ E6

> Die Grenzen wären nicht geöffnet worden, wenn Schabowski sich nicht geirrt hätte.
> Ohne den Mauerfall wäre Angela Merkel wohl nie zur Bundeskanzlerin gewählt worden.

Passiv mit Konjunktiv II der Vergangenheit: wäre + *Partizip II* + worden

1.5 Modalverben

1.5.1 Grundbedeutung der Modalverben

müssen (Notwendigkeit)	Er muss zu Fuß gehen. (Sein Auto ist kaputt.) Er muss nicht zu Fuß gehen. (Sein Auto ist repariert.)*
müssen (Pflicht)	Ich muss die Konferenz organisieren. (Das gehört zu meinen Aufgaben.)
können (Fähigkeit)	Sie konnte schon mit fünf Jahren lesen.
können (Möglichkeit)	Ich kann leider nicht mitkommen. (Ich habe keine Zeit.)
wollen (Plan/Wunsch)	Er will in einer WG wohnen.
„möchten" (höflicher Wunsch)**	Ich möchte gern zur Party gehen.
sollen (Aufforderung eines anderen)	Ich sollte früher immer abwaschen. (Das wollte mein Vater.) Soll ich das machen? (Möchtest du, dass ich das mache?)
dürfen (Erlaubnis/Verbot)***	Hier darf man rauchen. Hier darf man nicht rauchen.

**Alternativ auch mit* nicht brauchen zu: Er braucht nicht zu Fuß zu gehen.
**Möchten *war der Konjunktiv II von* mögen, *wird inzwischen aber wie ein eigenständiges Verb benutzt.*
*** *Alternativ auch mit* können: Hier kann man (nicht) rauchen. (Es ist verboten.)

Im Konjunktiv II verändert sich die Bedeutung der Modalverben.
Du solltest weniger arbeiten. *(Ratschlag)*
Wir könnten ins Kino gehen. *(Vorschlag)*
Ich müsste eigentlich arbeiten. (Ich will aber nicht.)

1.5.2 Vermutungen über die Gegenwart und Zukunft mit Modalverben ausdrücken

▶ E4

Mit Modalverben lassen sich Vermutungen ausdrücken. Das Modalverb zeigt an, wie sicher man sich bei einer Vermutung ist.

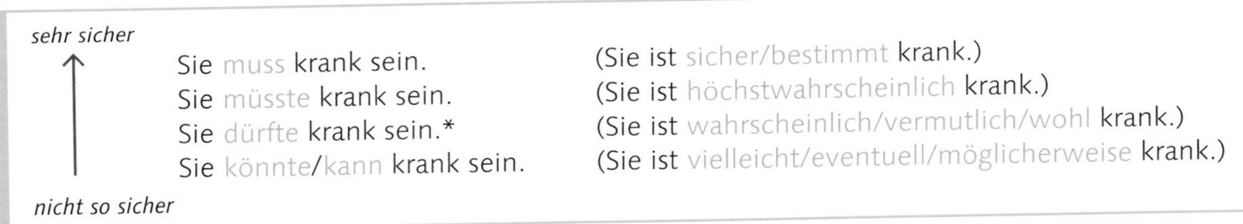

sehr sicher ↑	Sie muss krank sein.	(Sie ist sicher/bestimmt krank.)
	Sie müsste krank sein.	(Sie ist höchstwahrscheinlich krank.)
	Sie dürfte krank sein.*	(Sie ist wahrscheinlich/vermutlich/wohl krank.)
nicht so sicher	Sie könnte/kann krank sein.	(Sie ist vielleicht/eventuell/möglicherweise krank.)

*dürfen *wird für Vermutungen immer im Konjunktiv II benutzt.*

In Vermutungen kann man Modalverben und Modalwörter kombinieren:
Sie dürfte wahrscheinlich krank sein. Sie könnte vielleicht auch einfach keine Lust haben.

1.6 Das Verb *lassen*

Das Verb lassen *hat verschiedene Bedeutungen.*

- *etwas erlauben oder zulassen:* — Lasst ihr eure Tochter abends fernsehen?
- *etwas nicht selbst machen / jemanden beauftragen* — Ich lasse mein Auto reparieren.
- *etwas vergessen oder nicht mitnehmen* — Ich habe mein Buch zu Hause gelassen.
- *etwas vorschlagen* — Lasst uns doch ins Kino gehen.

In dieser Bedeutung eines Vorschlags wird immer der Imperativ + uns *benutzt:*
Lassen Sie uns morgen noch einmal darüber sprechen. Lass uns die Aufgabe zusammen machen.

2 Adjektive

2.1 Deklination der Adjektive

	Nominativ	Akkusativ	Dativ	Genitiv
m	der neue Job (k)ein neuer Job neuer Job	den neuen Job (k)einen neuen Job neuen Job	dem neuen Job (k)einem neuen Job neuem Job	des neuen Jobs (k)eines neuen Jobs neuen Jobs
n	das neue Seminar (k)ein neues Seminar neues Seminar	das neue Seminar (k)ein neues Seminar neues Seminar	dem neuen Seminar (k)einem neuen Seminar neuem Seminar	des neuen Seminars (k)eines neuen Seminars neuen Seminars
f	die neue Uni (k)eine neue Uni neue Uni	die neue Uni (k)eine neue Uni neue Uni	der neuen Uni (k)einer neuen Uni neuer Uni	der neuen Uni (k)einer neuen Uni neuer Uni
Pl.	die neuen Pläne keine neuen Pläne neue Pläne	die neuen Pläne keine neuen Pläne neue Pläne	den neuen Plänen keinen neuen Plänen neuen Plänen	der neuen Pläne keiner neuen Pläne neuer Pläne

Je nach Art des Artikels werden die Adjektive unterschiedlich dekliniert. Es gibt drei Artikelgruppen:
- *definiter Artikel; genauso:* dieser, jener, jeder, welcher
  Welchen deutschen Film kannst du mir empfehlen?
- *indefiniter Artikel; genauso: Possessivartikel,* was für (ein)
  Mein neuer Job ist ganz toll! – Glückwunsch! Was für gute Nachrichten!
- *Nullartikel; genauso: Zahlwörter*
  Ich habe ihr zwei spannende Bücher geschenkt.

Einige Adjektive verändern sich bei der Deklination.
teuer: das teure Geschenk; hoch: die hohen Mieten; dunkel: ein dunkles Zimmer

Adjektive, die auf -a *enden, sowie das Adjektiv* super *werden nicht dekliniert.*
Die rosa Taschen kosten nur 15 Euro. Das ist ein super Angebot! – Cool, ich kaufe mir eine rosa Tasche.

2.2 Komparation der Adjektive (und Adverbien)

2.2.1 Komparativ und Superlativ

	Positiv	Komparativ *Positiv* + er	Superlativ *am* + *Positiv* + (e)sten
regelmäßig	schnell	schneller	am schnellsten
mit Umlaut	groß	größer	am größten
unregelmäßig	hoch	höher	am höchsten
	teuer	teurer	am teuersten
	nah	näher	am nächsten
	viel	mehr	am meisten
	gut	besser	am besten
	gern	lieber	am liebsten

Kurze (meist einsilbige) Adjektive mit a, o, u *bekommen oft einen Umlaut im Komparativ und Superlativ.*
alt – älter – am ältesten; jung – jünger – am jüngsten; gesund – gesünder – am gesündesten

Alle Adjektive, die auf einen Vokal oder auf -z, -t, -sch, -d *sowie einige Adjektive, die auf* -ß *enden, bilden den Superlativ mit* -esten.
neu – am neuesten; kurz – am kürzesten; laut – am lautesten; hübsch – am hübschesten; gesund – am gesündesten; heiß – am heißesten

Deklination: Komparativ und Superlativ

▶ E4

Facebook wird am häufigsten benutzt. Die Nutzerzahl von XING ist kleiner.
Über die Hälfte nutzt die „Gefällt-mir"-Funktion. Ein kleinerer Anteil schreibt Nachrichten.
WhatsApp ist der beliebteste Nachrichtendienst.

Wenn der Komparativ oder Superlativ unabhängig vom Nomen steht, wird er nicht dekliniert. Vor einem Nomen müssen Komparativ und Superlativ wie alle Adjektive dekliniert werden.

deklinierter Komparativ: Positiv + er + *Adjektivendung*
Ein kleinerer Anteil schreibt Nachrichten. Dieses Start-Up produziert günstigere Apps als das andere.
deklinierter Superlativ: Positiv + (e)st + *Adjektivendung*
WhatsApp ist der beliebteste Nachrichtendienst. Unter den neuesten Smartphones ist dieses das beste.

2.2.2 Vergleichssätze

Komparativ + als: Die Mieten in Wien sind höher als in Berlin.
(genau)so + *Positiv* + wie* Die Lebenshaltungskosten sind genauso hoch wie in Deutschland.

**genauso mit:* nicht so; doppelt so; halb so …
Ich finde Deutsch nicht so schwer wie Französisch. Sie verdient doppelt so viel wie ihr Mann.

Vergleichssätze mit Nebensatz und *als/wie*

▶ E1

Hauptsatz	Nebensatz	
Die Menschen sind freundlicher,	als viele	glauben.
Die Natur und die Landschaft sind genauso schön,	wie ich	dachte.
Das ist nicht so gefährlich,	wie ich	erwartet habe.

Die Wörter als *und* wie *stehen nach dem Komma am Anfang des Nebensatzes. Der Nebensatz mit* als *und* wie *steht immer nach dem Hauptsatz.*

3 Präpositionen

3.1 Präpositionen mit Akkusativ, Dativ, Genitiv

Um etwas für meine Gesundheit zu tun, mache ich seit drei Wochen während der Mittagspause regelmäßig Yoga. Einmal kam eine Kollegin ins Büro, als ich im Büro auf dem Boden Übungen machte.

mit Akkusativ	mit Dativ	mit Genitiv	Wechselpräpositionen *(Wohin? Akkusativ Wo? Dativ)*
bis*, durch, für, gegen, ohne, um	ab, aus, außer, bei, gegenüber (von), mit, nach, seit, von, zu	außerhalb, entlang, innerhalb, mithilfe, während, wegen**, trotz	an, auf, hinter, in, neben, über, unter, vor, zwischen

**Die Präposition* bis *wird oft in Kombination mit* zu *(+ Dativ) verwendet:*
Bis nächstes Mal! Bis zum nächsten Mal!
*** Die Präposition* wegen *wird in der gesprochenen Umgangssprache auch mit Dativ verwendet.*
Wegen dem Regen bleibe ich heute zu Hause.

3.2 Nachgestellte Präpositionen: *entlang, gegenüber*

Die Präpositionen entlang *und* gegenüber *können vor oder nach dem Nomen stehen.*

Entlang des Ufers gibt es einen großen Park.
Gehen Sie den Weg entlang und biegen Sie an der Kreuzung rechts ab.
In der der Besprechung hat er gegenüber seiner Chefin / seiner Chefin gegenüber gesessen.
Er hat ihr gegenüber gesessen.

Bei entlang *verändert sich die Bedeutung:*
entlang *(vorangestellt + Genitiv): Position;* entlang *(nachgestellt + Akkusativ): Richtung*

Die Präposition gegenüber *ist bei einem Pronomen immer nachgestellt.*

3.3 Zweiteilige Präpositionen

Bei zweiteiligen Präpositionen steht das Nomen/Pronomen zwischen den Präpositionen.

an ... *(+ Dativ)* **entlang**	Die Straße führt am Ufer entlang.
an ... *(+ Dativ)* **vorbei**	Kommst du auf dem Weg an einem Supermarkt vorbei?
von ... *(+ Dativ)* **an**	Von nächster Woche an arbeite ich in Teilzeit.
von ... *(+ Dativ)* **aus**	Von meinem Fenster aus kann ich das Meer sehen.
von ... *(+ Dativ)* **bis ...** *(+ Akkusativ)*	Von 12 bis 13 Uhr mache ich Pause.
um ... *(+ Akkusativ)* **herum**	Um das Zentrum herum sind die Mieten höher.

Von ... bis ... *wird oft mit Zahlwörtern (z.B. Uhrzeiten) verwendet. In anderen Fällen benutzt man meist* von ... bis zu ... *(+ Dativ)*
Unser Urlaub war vom ersten bis zum letzten Tag sehr entspannend.

3.4 Bedeutung der Präpositionen

lokal (Wo? Wohin? Woher?)	ab, an, an ... entlang, an ... vorbei, auf, aus, außerhalb, bei, bis (zu), durch, entlang, gegen, gegenüber, hinter, in, innerhalb, neben, über, um, unter, von, von ... aus, um ... herum, vor, zwischen
temporal (Wann? Wie lange?)	ab, an, auf, außerhalb, bei, bis (zu), gegen, in, innerhalb, nach, seit, von ... an, von ... bis ..., um, vor, während, zwischen
kausal (Warum?)	wegen
konzessiv	trotz
modal (Wie?)	mithilfe (von)

Die temporale Präposition *bei* (+ Dativ)

▶ E5

Bei *drückt aus, dass etwas gleichzeitig passiert. Alternativ kann man einen Nebensatz mit* wenn *oder* als *benutzen.*

Beim Spazierengehen wird mein Kopf frei. (Wenn ich spazieren gehe, wird mein Kopf frei.)
Beim Applaus des Publikums fällt die Nervosität von mir ab. (Wenn das Publikum applaudiert, ...)
Bei meiner Ankunft habe ich mich sofort wie zu Hause gefühlt. (Als ich angekommen bin, ...)

Bei *kann auch eine konditionale Bedeutung haben.*
Bei Feuer müssen Sie das Gebäude sofort verlassen. (Wenn/Falls es ein Feuer gibt, sollten Sie ...)

Die modale Präposition *mithilfe* (+ Genitiv) bzw. *mithilfe von* (+ Dativ)

▶ E5

Mithilfe *beschreibt ein Instrument.*

Mithilfe der App kann man Pausen besser einhalten.
Mithilfe einfacher Methoden / Mithilfe von einfachen Methoden kann man schnell entspannen.
Mithilfe von Hobbys kann man sich gut von der Arbeit ablenken.

Bei Nomen ohne Artikel benutzt man mithilfe von *(+ Dativ). Wenn vor dem Nomen ein Adjektiv steht, kann man* mithilfe *(+ Genitiv) oder* mithilfe von *(+ Dativ) benutzen.**

**genauso bei:* außerhalb (von) / innerhalb (von)
Ich habe innerhalb kurzer Zeit Meditation gelernt. Jetzt kann ich innerhalb von wenigen Minuten entspannen.

4 Verben, Nomen und Adjektive mit Präpositionen

4.1 Verben, Nomen und Adjektive mit Präpositionen

Viele Verben sowie einige Nomen und Adjektive haben ein Objekt mit Präposition. Die Präposition bestimmt den Kasus des Objektes.

▸ *siehe Listen Verben, Nomen, Adjektive mit Präpositionen S.110–116*

> Die Professorin ärgert sich sehr über die Unpünktlichkeit der Studierenden.
> Als Abteilungsleiter ist er für viele Projekte verantwortlich. Trotzdem hat er ein Recht auf Elternzeit.

Manche Verben, Nomen oder Adjektive haben mehrere Präpositionen.
Er hat sich bei ihr für seine Verspätung entschuldigt.
Der Betriebsrat engagiert sich für gleiche Löhne und gegen schlechte Arbeitsbedingungen.

Manchmal verändert die Präposition die Bedeutung des Verbs.
Sie leidet unter der schlechten Arbeitsatmosphäre. (leiden unter: *Person, Situation)*
Sie leidet an einer Krankheit. (leiden an: *Krankheit)*

Die meisten Präpositionen brauchen immer den gleichen Kasus. Bei wenigen Präpositionen ist je nach Verb Akkusativ oder Dativ notwendig.

Verb + Präposition + Akkusativ:	für, gegen, über, um
Verb + Präposition + Dativ:	aus, bei, mit, nach, unter, von, vor, zu
Verb + Präposition + Akkusativ/Dativ:	an, auf, in

Ich möchte an diesem Seminar teilnehmen. – Hast du auch schon an die Anmeldung gedacht?
Sie ist auf ihren Job angewiesen. Sie besteht auf einem fairen Gehalt.
Ich bin in zwei verschiedene Menschen verliebt. Die beiden unterscheiden sich sehr in ihrem Charakter.

Verben, Nomen und Adjektive mit der gleichen Bedeutung haben oft, aber nicht immer, die gleiche Präposition:
sich ärgern über – der Ärger über – verärgert (sein) über
aber: sich interessieren für – das Interesse an – interessiert (sein) an

4.2 Präpositionaladverbien als Fragewörter und Pronomen

Je nachdem, ob das Objekt nach einer Präposition eine Person oder eine Sache beschreibt, gibt es unterschiedliche Fragewörter und Pronomen.

bei Personen	**bei Sachen / abstrakten Dingen**
Über wen ärgerst du dich?	Worüber ärgerst du dich?
Ich ärgere mich über unseren Vorgesetzten.	Ich ärgere mich über die Arbeitsbedingungen.
Ja, über ihn habe ich mich auch schon oft geärgert.	Ja, darüber ärgere ich mich auch sehr.

*Bei Sachen und abstrakten Dingen benutzt man Präpositionaladverbien (*wofür, dafür, worüber, darüber, …*) als Fragewort bzw. Pronomen.*

Fragewort bei Sachen: wo + (r) + *Präposition*
Pronomen bei Sachen: da + (r) + *Präposition*
*Wenn die Präposition mit einem Vokal beginnt (*an, auf, über, um, unter*), fügt man ein* r *ein.*

Auch wenn nicht bekannt ist, ob das Objekt eine Person oder eine Sache ist, benutzt man als Fragewort das Präpositionaladverb mit wo-.
Du siehst wütend aus. Worüber hast du dich denn geärgert? – Über meinen Kollegen. Er ist so unhöflich.

4.3 Präpositionaladverbien mit einem Nebensatz/Infinitivsatz

Das Präpositionaladverb kann auch auf einen Nebensatz oder Infinitivsatz verweisen.

Ich bin darauf angewiesen, meine Stelle zu behalten.
Ich habe Angst davor, dass es Stress gibt.
Ich bin nicht einverstanden damit, wie meine Kommilitonen diskutieren.
Ich habe darüber nachgedacht, mit dem Betriebsrat zu sprechen.

Das Präpositionaladverb steht normalerweise am Satzende des Hauptsatzes. Bei zweiteiligen Verben (Perfekt, Futur I, …) steht es vor dem zweiten Verb am Satzende. Der Hauptsatz steht immer vor dem Nebensatz.

In der gesprochenen Umgangssprache kann das Präpositionaladverb manchmal auch entfallen:
Ich habe Angst, dass es Stress gibt.

5 Andere Wörter und Wortverbindungen

5.1 Negationswörter

nicht (mehr)	*negiert einen Satz oder Satzteil; negiert Possessivartikel und definite Artikel*	Ich kann nicht (mehr) weiterfahren. Das ist nicht meine Schuld.
kein (mehr)	*negiert indefinite Artikel und Nomen ohne Artikel; muss dekliniert werden*	Ich mache keinen Deutschkurs (mehr). Ich habe keine Zeit (mehr).
nichts	*Gegenteil von* alles/viel	Für diesen Kurs muss man nichts bezahlen.
niemand	*Gegenteil von* jeder; *kann (muss aber nicht) dekliniert werden*	Ich kenne hier noch niemand/niemanden.
nie(mals)	*Gegenteil von* immer	Ich war noch nie(mals) in Australien.
nirgends/ nirgendwo	*Gegenteil von* überall	Nirgends/Nirgendwo sind die Mieten so günstig wie hier.

5.2 Das Wort *es*

▶ E3

Das Wort es *hat verschiedene Funktionen. Je nach Funktion kann* es *im Satz entfallen.*

***es* muss benutzt werden**

***es* als Pronomen**

für das Subjekt	Das Smartphone ist ein wichtiges Medium. Es ist ein wichtiges Medium.
*für das Objekt**	Ich benutze das Smartphone jeden Tag. Ich benutze es jeden Tag.
*für ein Adjektiv**	Das Smartphone ist sehr praktisch. – Ja, das ist es.
*für den ganzen Satz**	Viele können auf ihr Smartphone nicht verzichten. Ich kann es auch nicht.

***es* als grammatisches inhaltsloses Subjekt oder Objekt**

Befinden	Mir geht es gut. Wie geht es dir?
Wetter	Es regnet.
Sinneswahrnehmungen	Es klingelt. / Es riecht nach Kaffee.
Thema	Es geht um … / Es gibt … / Es kommt darauf an, … / Davon hängt es ab.
*feste Ausdrücke**	Sie hat es eilig. / Er meint es gut.

Als Pronomen oder grammatisches Subjekt oder Objekt bleibt es *auch bei Umstellung des Satzes erhalten.*
Gibt es heute Vorlesungen? – Es gibt heute keine Vorlesungen. / Vorlesungen gibt es heute nicht.
Worum geht es in dem Buch? – Es geht um … in dem Buch. / In dem Buch geht es um …

**In diesen Fällen steht* es *niemals auf Position 1.*

***es* fällt bei Umstellung des Satzes weg**

***es* bezieht sich auf einen Nebensatz**

Nebensatz mit dass	Es nervt mich, dass man im Internet so viel Werbung sieht. Dass man so viel Werbung im Internet sieht, nervt mich.
Infinitivsatz	Ich finde es praktisch, alles mit dem Smartphone zu organisieren. Alles mit dem Smartphone zu organisieren, finde ich praktisch.
indirekte Frage	Es ist nicht sicher, welche Suchergebnisse man bekommt. Welche Suchergebnisse man bekommt, ist nicht sicher.
Relativsatz	Ich finde es toll, was man mit dem Smartphone alles machen kann. Was man mit dem Smartphone alles machen kann, finde ich toll.

***es* ist Platzhalter auf Position 1**

Es sind viele Gäste gekommen. Es wurde den ganzen Abend getanzt.
Viele Gäste sind gekommen. Den ganzen Abend wurde getanzt.

Wenn es *auf einen Nebensatz verweist oder als Platzhalter dient, entfällt* es *bei Umstellung des Satzes.*

5.3 Modalpartikeln

Modalpartikeln sind schwer übersetzbar. Sie drücken Gefühle aus und haben oft mehrere Bedeutungen. Modalpartikeln stehen immer im Mittelfeld des Satzes und sind immer unbetont.

Frage: Reaktion auf bekannte Information	Kim ist nicht da. – Wo ist sie denn?
Frage: Interesse	Warum lernst du eigentlich Deutsch?
Ausruf: Überraschung	Sie können aber/ja toll Deutsch sprechen!
Ausruf: Widerspruch/Vorwurf	Das habe ich doch/ja gesagt!
Aussage: Vermutung	Sie ist wohl noch zu Hause.

5.4 Das Wort *eigentlich* ▶ E1

Als Adverb hat eigentlich *in Aussagesätzen eine einschränkende Bedeutung. Es folgt oft ein Satz mit* aber.
Ich wollte eigentlich nach Wien gehen. Aber das hat nicht geklappt.

In Fragesätzen ist eigentlich *eine Modalpartikel und drückt freundliches Interesse aus.*
Warum sind Sie eigentlich in die Schweiz eingewandert?

5.5 Nomen-Verb-Verbindungen ▶ E3

Eine Nomen-Verb-Verbindung ist eine Kombination aus einem Nomen und einem bestimmten Verb mit einer festen Bedeutung.

Die Bewerber stehen im Assessment-Center unter großem Druck.
Sie müssen Probleme lösen und Entscheidungen treffen.

Manche Nomen-Verb-Verbindungen kann man alternativ mit einem einfachen Verb ausdrücken.
Kritik üben = kritisieren; eine Entscheidung treffen = entscheiden

▶ *siehe Liste Nomen-Verb-Verbindungen S. 117*

6 Wortbildung

6.1 Nomen

Nominalisierung

Man kann aus einem Verb Nomen bilden.

Infinitiv	das Essen (essen), das Leben (leben), das Arbeiten (arbeiten)
Verbstamm	der Schlaf (schlafen), der Wunsch (wünschen), der Unterschied (unterscheiden)
Verbstamm +er/erin	der Fahrer / die Fahrerin (fahren), der Fernseher (fernsehen)
andere Formen	die Suche (suchen), die Fahrt (fahren)

Der nominalisierte Infinitiv wird oft mit den Präpositionen bei *und* zu *benutzt.*

Wollen wir uns zum Kochen treffen?	*(beschreibt einen Zweck:* Wozu?*)*
Beim Kochen kann ich gut entspannen.	*(beschreibt einen Zeitpunkt:* Wann?/Wobei?*)*

Ableitung
Man kann Nomen aus anderen Wörtern bilden, indem man Suffixe anhängt.
Nomen mit -ung, -heit *und* -keit *sind immer feminin.*

Verbstamm +ung	die Beratung (beraten)
Nomen +heit	die Kindheit (das Kind)
Adjektiv +keit	die Persönlichkeit (persönlich)

6.2 Adjektive

Negation
Mithilfe der Präfixe un-, des- *und* in- *kann man Adjektive negieren.*
unehrlich; desinteressiert; inkompetent

Nomen, die aus Adjektiven abgeleitet werden, können auch mit diesen Präfixen negiert werden.
die Unehrlichkeit; das Desinteresse; die Inkompetenz

Ableitung
Man kann Adjektive aus anderen Wörtern ableiten, indem man ein Suffix anhängt.

Verbstamm +bar	machbar	(Man kann es machen.)
Nomen +los	erfolglos, arbeitslos	(ohne Erfolg, ohne Arbeit)
Nomen +reich	erfolgreich	(mit viel Erfolg)
Nomen +voll	humorvoll	(mit viel Humor)

B Sätze

1 Hauptsätze

1.1 Satzklammer

	Position II		Satzende
Sie	möchte	für ein Jahr nach Chile	gehen.
In der Schweiz	habe	ich viele nette Leute	kennengelernt.
Die Atomkraftwerke	müssen		abgeschaltet werden.

In Hauptsätzen steht das konjugierte Verb immer auf Position II. Bei zweiteiligen Verben (trennbare Verben, Perfekt, Passiv, Futur I, Konjunktiv II, ...) steht der zweite Verbteil am Satzende.

1.2 Dativ- und Akkusativobjekte im Mittelfeld

▶ E1

Die Firma bietet den Expats ein Freizeitprogramm an.	*(Dativ: Nomen; Akkusativ: Nomen)*
Die Firma bietet ihnen ein Freizeitprogramm an.	*(Dativ: Pronomen; Akkusativ: Nomen)*
Die Firma bietet es den Expats an.	*(Akkusativ: Pronomen; Dativ: Nomen)*
Die Firma bietet es ihnen an.	*(Akkusativ: Pronomen; Dativ: Pronomen)*

Das Dativobjekt steht normalerweise vor dem Akkusativobjekt. Wenn das Akkusativobjekt ein Pronomen ist, steht der Akkusativ vor dem Dativ.

1.3 Reihenfolge der Angaben im Hauptsatz (Te-Ka-Mo-Lo)

▶ E5

		temporal	kausal	modal	lokal	
Ich	gehe	morgens	wegen der vielen Arbeit	ungern	ins Büro.	
Die Arbeit	ist	in der letzten Zeit	durch die digitalen Medien	stressiger		geworden.

In einem Aussagesatz stehen die Angaben im Mittelfeld oft in der Te-Ka-Mo-Lo-Reihenfolge.

temporal	*Wann? Wie lange? Wie oft?*	*modal*	*Wie?*
kausal	*Warum? Wodurch?*	*lokal*	*Wo? Woher? Wohin?*

Die temporale Angabe steht oft auch auf Position 1. Die anderen Angaben können auch auf Position 1 stehen, wenn man sie besonders betonen möchte.
Während der Arbeit liegt das Handy gut sichtbar auf dem Schreibtisch.
Wegen des Zeitdrucks machen viele Arbeitnehmer regelmäßig fast selbstverständlich Überstunden.

Bei mehreren temporalen Angaben in einem Satz ist die Reihenfolge normalerweise von groß nach klein.
Wir sind vor einem Jahr an einem Wochenende um Mitternacht in Wien angekommen.
Bei mehreren lokalen Angaben in einem Satz ist die Reihenfolge normalerweise von klein nach groß.
In den Ferien fahre ich zu meiner Oma in ihr Ferienhaus auf Mallorca.

1.4 Hauptsätze verbinden

1.4.1 Die Konjunktionen *aber, denn, oder, sondern, und*

Hauptsatz	Hauptsatz			
Ich möchte Geld sparen,	aber	(ich)	(möchte)	auch eine Weltreise machen.
Ich möchte Geld sparen,	denn	ich	möchte	eine Weltreise machen.
Ich möchte Geld sparen	oder	(ich)	(möchte)	eine Weltreise machen.
Ich möchte kein Geld sparen,	sondern	(ich)	(möchte)	eine Weltreise machen.
Ich möchte Geld sparen	und	(ich)	(möchte)	eine Weltreise machen.

Bei den Konjunktionen aber, oder, sondern, und *werden die Satzteile, die sich im zweiten Hauptsatz wiederholen, meist weggelassen.*
Bei aber, denn, sondern *steht ein Komma zwischen den Hauptsätzen.*
Bei sondern *steht im ersten Hauptsatz immer eine Negation mit* nicht *oder* kein.

1.4.2 Die Adverbien *deshalb, trotzdem ...*

Hauptsatz	**Hauptsatz**
Sie möchte an der Kunsthochschule studieren,	deshalb bereitet sie ihr Portfolio vor.
Er hat noch keine Deutschkenntnisse.	Er möchte trotzdem gern in Deutschland studieren.

Adverbien wie deshalb *(genauso:* darum, daher, deswegen*),* trotzdem *(genauso:* dennoch*) können Hauptsätze verbinden. Sie stehen immer im zweiten Hauptsatz auf Position 1 oder im Mittelfeld.*

1.4.3 Doppelkonjunktionen

sowohl ... als auch ...	*Aufzählung: beides (+ +)*
nicht nur ..., sondern auch ...	*Aufzählung: beides; das letzte betont (+ +)*
entweder ... oder ...	*Alternative: eins von beidem (+ - / - +)*
weder ... noch ...	*beides nicht (- -)*
zwar ..., aber ...	*Einschränkung (☹/☹)*
je ..., desto/umso ...	*Abhängigkeit (↗↗/↘↘)* ▶ *zu* je ... desto *siehe B 2.2.8 Vergleichssätze*

> Mit dem Smartphone kann man sowohl telefonieren als auch Nachrichten schreiben.
> Viele recherchieren nicht nur in Büchern, sondern (sie recherchieren) auch online.
> Entweder rufst du mich an oder (du) schreibst mir eine Nachricht.
> Ich mag weder Fernsehen noch (mag ich) Kino.
> Die sozialen Medien sind zwar interessant, aber (sie) kosten auch viel Zeit.

Doppelkonjunktionen können Satzteile oder ganze Hauptsätze verbinden. Sie stehen normalerweise direkt vor den Satzteilen, auf die sie sich beziehen.
Ich mag weder Fernsehen noch Kino. / Ich sehe weder gern fern, noch gehe ich gern ins Kino.
Satzteile, die sich wiederholen, können im zweiten Hauptsatz weggelassen werden.

2 Nebensätze

2.1 Infinitivsätze

2.1.1 Infinitiv mit zu

▶ E2

> Ich habe keine Lust, in einem spießigen Reihenhaus zu leben.
> Ich habe vor, irgendwann umzuziehen. Es ist toll, wenig arbeiten zu müssen.

Ein Infinitivsatz folgt nach bestimmten Nomen, Verben und Formulierungen im Hauptsatz. Diese drücken oft Meinungen, Gefühle, Wünsche oder Pläne aus.

– *abstrakte Nomen (+* haben*)**	Wir hatten die Absicht, eine Familie zu gründen.
– es ist + *Adjektiv*	Es ist doch blöd, sich so oft zu streiten.
– ich finde es + *Adjektiv*	Ich fand es schön, deine Mitbewohner kennenzulernen.
– *es + Verb + Objekt***	Es stresst mich, so viele Dinge zu besitzen.
– *bestimmte Verben****	Alle haben sich bemüht, höflich zu sein.
– *nach Nomen, Verben, Adjektiven mit Präposition*	Ich freue mich darauf umzuziehen. / In einer WG sind alle dafür verantwortlich aufzuräumen.

**genauso:* Ich habe Angst/Zeit/Spaß / den Plan / die Hoffnung / die Möglichkeit
Auch ohne haben *folgt nach abstrakten Nomen ein Infinitiv mit* zu.
Unser Plan, ins Ausland zu gehen, hat leider nicht geklappt. Es macht Spaß, in einer WG zu wohnen.

***genauso:* es gefällt mir; es ärgert/freut/stört/wundert mich
Oft drücken diese Verben Meinungen oder Gefühle aus.

****Dazu gehören vor allem Verben aus folgenden Bereichen: Gefühle/Gedanken* (sich freuen, sich ärgern, sich vorstellen ...); *Pläne/Wünsche* (planen, vorhaben, versuchen, hoffen); *Ratschläge* (vorschlagen, raten, empfehlen); *Anfang/Ende* (beginnen, anfangen, aufhören); *Verbot/Erlaubnis* (erlauben, verbieten).

Anders als bei Nebensätzen ist es nicht immer nötig, zwischen dem Hauptsatz und dem Infinitivsatz mit *zu* ein Komma zu setzen. Man kann das Komma aber setzen, um die Satzteile deutlicher zu machen.

▶ E2

Infinitiv mit *zu* oder Nebensatz mit *dass*

Ein Infinitivsatz mit zu ist nur möglich,

- *wenn die Subjekte im Hauptsatz und* dass-*Satz identisch sind*
  Ich habe entschieden, zu kündigen. (Ich habe entschieden, dass ich kündige.)
- *das Objekt im Hauptsatz identisch mit dem Subjekt im* dass-*Satz ist.*
  Es stresst mich, so viel zu arbeiten. (Es stresst mich, dass ich so viel arbeite.)
- *das Subjekt im Hauptsatz* es *und das Subjekt im* dass-*Satz* man *ist.*
  Es ist schön, nicht so viel arbeiten zu müssen. (Es ist schön, dass man nicht so viel arbeiten muss.)

In allen anderen Fällen und wenn im Hauptsatz ein Modalverb oder ein bestimmtes Verb wie z. B. wissen, sagen, antworten *steht, ist nur ein Nebensatz und kein Infinitivsatz möglich.*

Ich weiß, dass ich mich auf meine Nachbarn verlassen kann.
Ich will, dass meine Mitbewohner öfter aufräumen.

2.1.2 Infinitivsätze in der Gegenwart und Vergangenheit

Infinitivsatz in der Gegenwart

Es gefällt mir, Briefe zu schreiben.	*(beides heute)*
Es hat mir immer gefallen, Briefe zu schreiben.	*(beides früher)*

Die Handlungen im Hauptsatz und Infinitivsatz passieren gleichzeitig.

Infinitivsatz in der Vergangenheit

Ich bin froh, früher viele Briefe geschrieben zu haben.
Ich bin froh, ohne Internet aufgewachsen zu sein.

Infinitivsätze in der Vergangenheit drücken meist eine rückblickende Bewertung einer vergangenen Handlung aus. Die Handlung im Infinitivsatz ist vor der Handlung im Hauptsatz passiert. Man benutzt den Infinitiv Perfekt (Partizip II + zu + haben/sein).

2.1.3 Infinitiv mit *um ... zu, ohne ... zu, (an)statt ... zu*

um ... zu	*drückt ein Ziel / einen Zweck aus*
ohne ... zu	*drückt aus, dass etwas ohne Konsequenz bleibt*
(an)statt ... zu	*drückt eine Alternative aus, die man nicht wählt*

Wir benutzen Gesten, um Gefühle auszudrücken.
Beim Sprechen bewegen wir unsere Hände, ohne es zu merken.
Bei einer Präsentation sollte man ruhig stehen, anstatt nervös herumzulaufen.

Das Subjekt im Hauptsatz und das (gedachte) Subjekt im Infinitivsatz ist identisch. Wenn die Subjekte nicht identisch sind, benutzt man Nebensätze mit damit *bzw.* ohne ... dass *oder* (an)statt ... dass.

▶ *siehe auch B 2.2.4 und 2.2.5*

2.2 Nebensätze

Hauptsatz Ich kann alles um mich herum vergessen,	**Nebensatz** wenn ich Musik höre.
Nebensatz Wenn ich im Wald spazieren gehe,	**Hauptsatz** kann ich so richtig gut abschalten.

Wenn der Nebensatz vor dem Hauptsatz steht, dann beginnt der Hauptsatz mit dem konjugierten Verb.

2.2.1 Temporale Nebensätze

Gleichzeitige Handlungen

wenn	*regelmäßige, sich wiederholende Ereignisse in der Gegenwart oder Vergangenheit*
als	*einmalige Ereignisse in der Vergangenheit*
während	*parallel stattfindende Ereignisse*
(seit)dem	*Das Ereignis im Nebensatz hat in der Vergangenheit begonnen und dauert bis heute an.*

> Wenn ich im Urlaub bin, lese ich viel. / Ich habe immer viel gelesen, wenn ich im Urlaub war.
> Als ich im Urlaub war, habe ich viel gelesen.
> Während wir uns unterhalten haben, hat das Telefon geklingelt.
> Seit(dem) ich regelmäßig meditiere, bin ich viel ausgeglichener.

Nicht-gleichzeitige Handlungen

bevor	*Das Ereignis im Hauptsatz passiert vor dem Ereignis im Nebensatz.*
nachdem	*Das Ereignis im Hauptsatz passiert nach dem Ereignis im Nebensatz.*
sobald	*Das Ereignis im Hauptsatz passiert sehr schnell nach dem Ereignis im Nebensatz.*
bis	*Das Ereignis im Hauptsatz dauert bis zum Beginn des Ereignisses im Nebensatz.*

> Bevor sie ihr Visum beantragen konnte, musste sie ihren Pass verlängern.
> Nachdem sie die Zusage bekommen hatte, hat sie sich einen Reiseführer besorgt.
> Ruf mich an, sobald du ankommst. / Sobald er in Polen war, hat er angefangen, Polnisch zu lernen.
> Ich warte auf dich, bis du wiederkommst.

In Sätzen mit nachdem *steht der Nebensatz immer in einer früheren Zeitform als der Hauptsatz.*
Hauptsatz: Präsens → Nebensatz: Perfekt/Präteritum
Hauptsatz: Perfekt/Präteritum → Nebensatz: Plusquamperfekt

2.2.2 Konditionale Nebensätze (Bedingungssätze)

▶ E5

Konditionale Nebensätze drücken eine Bedingung aus.

> Der Atommüll wird ein unlösbares Problem, wenn/falls die Atomkraftwerke weiterarbeiten.
> Wenn/Falls die Atomkraftwerke abgeschaltet werden, droht ein globaler Stromausfall.
> Wenn man auf Atomkraft verzichten würde, wäre die Welt viel sicherer.
> Wenn man schon früher auf nachhaltige Energien umgestiegen wäre, gäbe es heute weniger Probleme.

In irrealen Bedingungssätzen wird der Konjunktiv II verwendet.
▶ *siehe auch A 1.4.1 Konjunktiv II der Gegenwart und A 1.4.2 Konjunktiv II der Vergangenheit*

Uneingeleitete Bedingungssätze

▶ E5

Nebensatz		**Hauptsatz**		
Würde	man alle Atomkraftwerke schließen,	würden	viele Arbeitsplätze	verloren gehen.
Sollte	die Umweltpolitik nicht bald reagieren,	kann	der Klimawandel nicht	aufgehalten werden.

In uneingeleiteten Bedingungssätzen entfällt wenn *oder* falls. *Das konjugierte Verb steht auf Position 1. Der Nebensatz steht immer vor dem Hauptsatz. In formelleren geschriebenen Texten beginnt der Nebensatz oft mit* sollte.

2.2.3 Kausale und konzessive Nebensätze

Kausale Nebensätze drücken Gründe aus. Konzessive Nebensätze drücken einen Widerspruch/Gegensatz zum Hauptsatz aus. Gründe und Gegensätze kann man alternativ mit den Präpositionen wegen *bzw.* trotz *(▶ siehe A 3.1) oder den Adverbien* deshalb *bzw.* trotzdem *(▶ siehe B 1.4.2) ausdrücken.*

> Die Kollegin ärgert sich, weil/da sie weniger als ihre männlichen Kollegen verdient.
> Obwohl sie die Gehaltsunterschiede ärgern, arbeitet sie gern in der Firma.

Der Konnektor da *wird vor allem in formellerer Sprache benutzt.*

2.2.4 Modale und adversative Nebensätze

Modale Nebensätze mit ohne dass … *drücken aus, dass die Handlung im Hauptsatz ohne Konsequenz bleibt. Adversative Nebensätze mit* (an)statt … dass *beschreiben eine Alternative, die man nicht wählt.*

> Körpersprache findet oft unbewusst statt, ohne dass man darüber nachdenkt.
> In Bulgarien wird Zustimmung mit einem Kopfschütteln ausgedrückt, (an)statt dass man nickt.

Wenn die Subjekte im Haupt- und Nebensatz gleich sind, kann man alternativ ohne … zu *(+ Infinitiv) bzw.* (an)statt … zu *(+ Infinitiv) benutzen (▶ siehe B 2.1.3). Infinitivsätze klingen stilistisch meist besser.*
Wir benutzen oft Körpersprache, ohne darüber nachzudenken.
In Bulgarien schüttelt man den Kopf, anstatt zu nicken.

2.2.5 Finale Nebensätze

Finale Nebensätze drücken ein Ziel bzw. einen Zweck aus.

> Man braucht bis zu 80 Wiederholungen, damit das Gehirn neue Informationen dauerhaft speichert.

Ein Ziel / Einen Zweck kann man alternativ mit um … zu *(+ Infinitiv) (▶ siehe auch B 2.1.3) oder der Präposition* zu *(+ Nomen im Dativ) ausdrücken.*
Man braucht bis zu 80 Wiederholungen, um sich neue Informationen dauerhaft zu merken.
Zur dauerhaften Speicherung von Informationen braucht das Gehirn bis zu 80 Wiederholungen.

2.2.6 Vergleichssätze

▶ siehe auch Komparation der Adjektive A 2.2

Vergleichssätze mit Nebensatz und *als/wie* ▶ E1

Vergleichssätze mit als *und* wie *vergleichen eine Situation mit den Erwartungen.*

> Die Menschen sind freundlicher, als viele glauben. / Es war anders, als ich es erwartet hatte.
> Die Landschaft sind genauso schön, wie ich dachte. / Es ist nicht so teuer, wie ich gedacht hätte.

Vergleichssätze mit *je … desto / je … umso*

Vergleichssätze mit je … desto *oder* je .. umso *beschreiben eine Abhängigkeit.*

Nebensatz		Hauptsatz			
Je entspannter man bei der Arbeit	ist,	desto besser	kann	man sich	konzentrieren.
Je besser die Arbeitsbedingungen	sind,	umso zufriedener	sind	die Mitarbeiter.	

Der Nebensatz mit je *steht immer am Anfang. Nach* je *und* desto/umso *steht immer der Komparativ.*

2.3 Indirekte Fragen

> Kannst du mir mal sagen, warum du immer mit mir streitest? (Warum streitest du immer mit mir?)
> Ich verstehe wirklich nicht, wieso du schon wieder zu spät bist. (Wieso bist du schon wieder zu spät?)
> Mich würde interessieren, ob er schon aus dem Urlaub zurück ist. (Ist er schon aus dem Urlaub zurück?)

2.4 Relativsätze

Relativsätze geben zusätzliche Informationen zu einem Nomen (dem Bezugswort) im Hauptsatz. Sie stehen meist direkt hinter dem Bezugswort und können deshalb auch in den Hauptsatz eingeschoben werden. Die Relativpronomen leiten sich von den definiten Artikeln ab.

Relativpronomen

	Nominativ	Akkusativ	Dativ
m	der	den	dem
n	das	das	dem
f	die	die	der
Pl.	die	die	denen

2.4.1 Relativsätze im Nominativ

Angela Merkel, die später Bundeskanzlerin wurde, hatte in der DDR Physik studiert.

Der 9. November 1989 war der Tag, der heute als Tag des Mauerfalls bekannt ist.

Das Bezugswort im Hauptsatz bestimmt das Relativpronomen.

2.4.2 Relativsätze im Akkusativ und Dativ

Albert Hofmann hat das LSD, das man heute als Droge kennt, bei einem Experiment entdeckt.

Günter Schabowski, dem wir den Mauerfall verdanken, war Pressesprecher der DDR-Regierung.

Das Verb im Relativsatz bestimmt den Kasus des Relativpronomens.

2.4.3 Relativsätze mit Präposition

Der Mauerfall ist ein Ereignis, an das sich viele Ost- und Westberliner noch heute erinnern.

Der Tag, an dem Deutschland wiedervereinigt wurde, ist der deutsche Nationalfeiertag.

Die Präposition bestimmt den Kasus des Relativpronomens. Sie steht vor dem Relativpronomen am Anfang des Relativsatzes.

2.4.4 Relativsätze mit *was*

Wie stolz ich war an meinem ersten Schultag! Das ist etwas, was ich nie vergessen werde!

Es gibt nichts, was ich heute anders machen würde.

Ich mache meistens nur das, was mir Spaß macht.

Die Geburt unserer Kinder war das Schönste, was ich je erlebt habe.

Deine Oma musste die Sachen von ihrem älteren Bruder anziehen, was sie gehasst hat.

*Nach Indefinitpronomen (*etwas, nichts, alles, vieles, manches *…), nach* das *sowie nach einem Superlativ als Nomen* (das Schönste, das Schlimmste, das Beste …) *benutzt man das Relativpronomen* was.
Relativsätze mit was *können sich auch auf die komplette Aussage des Hauptsatzes beziehen.*

2.4.5 Relativsätze mit *wo, wohin, woher*

Das ist der Kirschbaum, wo wir immer stundenlang zusammensaßen.

In Wien, wohin deine Oma zum Studieren gegangen ist, hat sie vier Jahre gelebt.

Das Dorf, woher ich komme, hat nur 200 Einwohner.

Das Relativpronomen wo *(genauso:* woher, wohin*) bezieht sich auf eine lokale Angabe im Hauptsatz.*
Vor allem bei konkreten Ortsangaben benutzt man besser eine Präposition mit Relativpronomen.
Das ist der Kirschbaum, unter/auf dem wir immer stundenlang zusammensaßen.
In der Stadt, in die deine Oma zum Studieren gegangen ist, hat sie vier Jahre gelebt.

Unregelmäßige Verben

In der Liste der unregelmäßigen Verben sind nur die Grundverben erfasst. Trennbare Verben, die sich von einem Grundverb aus dieser Liste ableiten (z.B. *losgehen, weggehen, untergehen*), sind nicht einzeln erfasst. Sie haben die gleiche Konjugation wie das Grundverb (z.B. *geht los, ging weg, ist untergegangen*).

Infinitiv	3. Person Sg. Präsens	3. Person Sg. Präteritum	3. Person Sg. Perfekt
abbiegen	sie/er biegt ab	sie/er bog ab	sie/er ist abgebogen
anerkennen	sie/er erkennt an	sie/er erkannte an	sie/er hat anerkannt
backen	sie/er bäckt/backt	sie/er buk/backte[1]	sie/er hat gebacken
bedenken	sie/er bedenkt	sie/er bedachte	sie/er hat bedacht
sich befinden	sie/er befindet sich	sie/er befand sich	sie/er hat sich befunden
beginnen	sie/er beginnt	sie/er begann	sie/er hat begonnen
behalten	sie/er behält	sie/er behielt	sie/er hat behalten
beißen	sie/er beißt	sie/er biss	sie/er hat gebissen
benennen	sie/er benennt	sie/er benannte	sie/er hat benannt
beschließen	sie/er beschließt	sie/er beschloss	sie/er hat beschlossen
besitzen	sie/er besitzt	sie/er besaß	sie/er hat besessen
besprechen	sie/er bespricht	sie/er besprach	sie/er hat besprochen
betreffen	es betrifft	es betraf	es hat betroffen
betreten	sie/er betritt	sie/er betrat	sie/er hat betreten
betrügen	sie/er betrügt	sie/er betrog	sie/er hat betrogen
beweisen	sie/er beweist	sie/er bewies	sie/er hat bewiesen
(sich) bewerben	sie/er bewirbt (sich)	sie/er bewarb (sich)	sie/er hat (sich) beworben
(sich) beziehen	sie/er bezieht (sich)	sie/er bezog (sich)	sie/er hat (sich) bezogen
bieten	sie/er bietet	sie/er bot	sie/er hat geboten
binden	sie/er bindet	sie/er band	sie/er hat gebunden
bitten	sie/er bittet	sie/er bat	sie/er hat gebeten
bleiben	sie/er bleibt	sie/er blieb	sie/er ist geblieben
braten	sie/er brät	sie/er briet	sie/er hat gebraten
brechen	sie/er bricht	sie/er brach	sie/er hat gebrochen
brennen	es brennt	es brannte	es hat gebrannt
bringen	sie/er bringt	sie/er brachte	sie/er hat gebracht
denken	sie/er denkt	sie/er dachte	sie/er hat gedacht
einfallen (+ Dat.)	es fällt (ihr/ihm) ein	es fiel (ihr/ihm) ein	es ist (ihr/ihm) eingefallen
empfangen	sie/er empfängt	sie/er empfing	sie/er hat empfangen
empfehlen	sie/er empfiehlt	sie/er empfahl	sie/er hat empfohlen
empfinden	sie/er empfindet	sie/er empfand	sie/er hat empfunden
entfallen	sie/er entfällt	sie/er entfiel	sie/er ist entfallen
enthalten	sie/er enthält	sie/er enthielt	sie/er hat enthalten
entlassen	sie/er entlässt	sie/er entließ	sie/er hat entlassen
(sich) entscheiden	sie/er entscheidet (sich)	sie/er entschied (sich)	sie/er hat (sich) entschieden
sich entschließen	sie/er entschließt sich	sie/er entschloss sich	sie/er hat sich entschlossen
entstehen	sie/er entsteht	sie/er entstand	sie/er ist entstanden
erfahren	sie/er erfährt	sie/er erfuhr	sie/er hat erfahren
erfinden	sie/er erfindet	sie/er erfand	sie/er hat erfunden
erhalten	sie/er erhält	sie/er erhielt	sie/er hat erhalten
erkennen	sie/er erkennt	sie/er erkannte	sie/er hat erkannt
erscheinen	sie/er erscheint	sie/er erschien	sie/er ist erschienen
erschrecken	sie/er erschrickt	sie/er erschrak	sie/er ist erschrocken

[1] *buk:* veraltete Form

sich erschrecken[2]	sie/er erschreckt sich	sie/er erschreckte sich	sie/er hat sich erschreckt/ erschrocken
erziehen	sie/er erzieht	sie/er erzog	sie/er hat erzogen
essen	sie/er isst	sie/er aß	sie/er hat gegessen
fahren	sie/er fährt	sie/er fuhr	sie/er ist gefahren
fallen	sie/er fällt	sie/er fiel	sie/er ist gefallen
fangen	sie/er fängt	sie/er fing	sie/er hat gefangen
finden	sie/er findet	sie/er fand	sie/er hat gefunden
fliegen	sie/er fliegt	sie/er flog	sie/er ist geflogen
fliehen	sie/er flieht	sie/er floh	sie/er ist geflohen
fließen	sie/er fließt	sie/er floss	sie/er ist geflossen
freigeben	sie/er gibt frei	sie/er gab frei	sie/er hat freigegeben
fressen	sie/er frisst	sie/er fraß	sie/er hat gefressen
frieren	sie/er friert	sie/er fror	sie/er hat gefroren
geben	sie/er gibt	sie/er gab	sie/er hat gegeben
gefallen (+ Dat.)	es gefällt (ihr/ihm)	es gefiel (ihr/ihm)	es hat (ihr/ihm) gefallen
gehen	sie/er geht	sie/er ging	sie/er ist gegangen
gelingen (+ Dat.)	es gelingt (ihr/ihm)	es gelang (ihr/ihm)	es ist (ihr/ihm) gelungen
gelten	sie/er gilt	sie/er galt	sie/er hat gegolten
genießen	sie/er genießt	sie/er genoss	sie/er hat genossen
geschehen	sie/er geschieht	sie/er geschah	sie/er ist geschehen
gießen	sie/er gießt	sie/er goss	sie/er hat gegossen
gleiten	sie/er gleitet	sie/er glitt	sie/er ist geglitten
greifen	sie/er greift	sie/er griff	sie/er hat gegriffen
guttun (+ Dat.)	es tut (ihr/ihm) gut	es tat (ihr/ihm) gut	es hat (ihr/ihm) gutgetan
halten	sie/er hält	sie/er hielt	sie/er hat gehalten
hängen[3]	sie/er hängt	sie/er hing	sie/er hat gehangen[4]
heben	sie/er hebt	sie/er hob	sie/er hat gehoben
heißen	sie/er heißt	sie/er hieß	sie/er hat geheißen
helfen	sie/er hilft	sie/er half	sie/er hat geholfen
hinterlassen	sie/er hinterlässt	sie/er hinterließ	sie/er hat hinterlassen
hinweisen	sie/er weist hin	sie/er wies hin	sie/er hat hingewiesen
kennen	sie/er kennt	sie/er kannte	sie/er hat gekannt
klingen	sie/er klingt	sie/er klang	sie/er hat geklungen
kommen	sie/er kommt	sie/er kam	sie/er ist gekommen
kriechen	sie/er kriecht	sie/er kroch	sie/er ist gekrochen
laden	sie/er lädt	sie/er lud	sie/er hat geladen
lassen	sie/er lässt	sie/er ließ	sie/er hat gelassen[5]
laufen	sie/er läuft	sie/er lief	sie/er ist gelaufen
leichtfallen (+ Dat.)	es fällt (ihr/ihm) leicht	es fiel (ihr/ihm) leicht	es ist (ihr/ihm) leichtgefallen
leiden	sie/er leidet	sie/er litt	sie/er hat gelitten
leidtun (+ Dat.)	es tut (ihr/ihm) leid	es tat (ihr/ihm) leid	es hat (ihr/ihm) leidgetan
leihen	sie/er leiht	sie/er lieh	sie/er hat geliehen
lesen	sie/er liest	sie/er las	sie/er hat gelesen
liegen	sie/er liegt	sie/er lag	sie/er hat gelegen[6]
lügen	sie/er lügt	sie/er log	sie/er hat gelogen

[2] gleiche Konjugation in der Bedeutung *jemanden erschrecken: Das Geräusch erschreckte mich. Es hat mich erschreckt.* – [3] unregelmäßige Konjugation in der Bedeutung *hängen: Die Jacke hing im Schrank.*; regelmäßige Konjugation in der Bedeutung *etwas hängen: Er hängte die Jacke in den Schrank.* – [4] D: *hat gehangen*; süddt. + A + CH: *ist gehangen* – [5] Perfekt von *lassen* als Hilfsverb mit Infinitiv: *Sie hat sich die Haare schneiden lassen.* – [6] D: *hat gelegen*; süddt. + A + CH: *ist gelegen*

messen	sie/er misst	sie/er maß	sie/er hat gemessen
missverstehen	sie/er missversteht	sie/er missverstand	sie/er hat missverstanden
nachvollziehen	sie/er vollzieht nach	sie/er vollzog nach	sie/er hat nachvollzogen
nehmen	sie/er nimmt	sie/er nahm	sie/er hat genommen
nennen	sie/er nennt	sie/er nannte	sie/er hat genannt
raten	sie/er rät	sie/er riet	sie/er hat geraten
reißen	sie/er reißt	sie/er riss	sie/er hat gerissen
reiten	sie/er reitet	sie/er ritt	sie/er ist geritten
rennen	sie/er rennt	sie/er rannte	sie/er ist gerannt
riechen	sie/er riecht	sie/er roch	sie/er hat gerochen
rufen	sie/er ruft	sie/er rief	sie/er hat gerufen
schaffen[7]	sie/er schafft	sie/er schuf	sie/er hat geschaffen
scheinen	sie/er scheint	sie/er schien	sie/er hat geschienen
schieben	sie/er schiebt	sie/er schob	sie/er hat geschoben
schießen	sie/er schießt	sie/er schoss	sie/er hat geschossen
schlafen	sie/er schläft	sie/er schlief	sie/er hat geschlafen
schlagen	sie/er schlägt	sie/er schlug	sie/er hat geschlagen
schießen	sie/er schießt	sie/er schoss	sie/er hat geschossen
schmeißen	sie/er schmeißt	sie/er schmiss	sie/er hat geschmissen
schneiden	sie/er schneidet	sie/er schnitt	sie/er hat geschnitten
schreiben	sie/er schreibt	sie/er schrieb	sie/er hat geschrieben
schreien	sie/er schreit	sie/er schrie	sie/er hat geschrien
schweigen	sie/er schweigt	sie/er schwieg	sie/er hat geschwiegen
schwerfallen (+ Dat.)	es fällt (ihr/ihm) schwer	es fiel (ihr/ihm) schwer	es ist (ihr/ihm) schwergefallen
schwimmen	sie/er schwimmt	sie/er schwamm	sie/er ist geschwommen
sehen	sie/er sieht	sie/er sah	sie/er hat gesehen
sein	sie/er ist	sie/er war	sie/er ist gewesen
senden[8]	sie/er sendet	sie/er sandte/sendete	sie/er hat gesandt/gesendet
singen	sie/er singt	sie/er sang	sie/er hat gesungen
sinken	sie/er sinkt	sie/er sank	sie/er ist gesunken
sitzen	sie/er sitzt	sie/er saß	sie/er hat gesessen[9]
sprechen	sie/er spricht	sie/er sprach	sie/er hat gesprochen
springen	sie/er springt	sie/er sprang	sie/er ist gesprungen
stechen	sie/er sticht	sie/er stach	sie/er hat gestochen
stehen	sie/er steht	sie/er stand	sie/er hat gestanden[10]
stehlen	sie/er stiehlt	sie/er stahl	sie/er hat gestohlen
steigen	sie/er steigt	sie/er stieg	sie/er ist gestiegen
sterben	sie/er stirbt	sie/er starb	sie/er ist gestorben
stinken	sie/er stinkt	sie/er stank	sie/er hat gestunken
(sich) stoßen	sie/er stößt (sich)	sie/er stieß (sich)	sie/er hat (sich) gestoßen
streichen	sie/er streicht	sie/er strich	sie/er hat gestrichen
(sich) streiten	sie/er streitet (sich)	sie/er stritt (sich)	sie/er hat (sich) gestritten
tragen	sie/er trägt	sie/er trug	sie/er hat getragen
(sich) treffen	sie/er trifft (sich)	sie/er traf (sich)	sie/er hat (sich) getroffen
treiben	sie/er treibt	sie/er trieb	sie/er hat getrieben
treten	sie/er tritt	sie/er trat	sie/er hat/ist getreten[11]

[7] unregelmäßige Konjugation in der Bedeutung von *etwas erschaffen/kreieren*: *Sie hat ein Kunstwerk geschaffen.*; regelmäßige Konjugation in der Bedeutung von *gelingen*: *Er hat die Prüfung geschafft.* – [8] In der Bedeutung von *schicken* ist die unregelmäßige Konjugation üblicher: *Sie hat ihm einen Brief gesandt.* In der Bedeutung von *übertragen*, v.a. im Bereich Technik wird nur die regelmäßige Konjugation benutzt: *Die Information wurde im Radio gesendet.* – [9] D: *hat gesessen*; süddt. + A + CH: *ist gesessen* – [10] D: *hat gestanden*; süddt. + A + CH: *ist gestanden*
[11] Perfekt mit *haben* in der Bedeutung von *(gegen) etwas/jemanden treten*: *Sie hat (gegen) die Tür getreten.*; Perfekt mit *sein* in der Bedeutung von *in etwas treten*: *Er ist in den Raum getreten.*

trinken	sie/er trinkt	sie/er trank	sie/er hat getrunken
tun	sie/er tut	sie/er tat	sie/er hat getan
überfahren	sie/er überfährt	sie/er überfuhr	sie/er hat überfahren
übernehmen	sie/er übernimmt	sie/er übernahm	sie/er hat übernommen
überschreiten	sie/er überschreitet	sie/er überschritt	sie/er hat überschritten
übertreiben	sie/er übertreibt	sie/er übertrieb	sie/er hat übertrieben
überwinden	sie/er überwindet	sie/er überwand	sie/er hat überwunden
umgeben	sie/er umgibt	sie/er umgab	sie/er hat umgeben
umgehen / **um**gehen	sie/er umgeht / geht um	sie/er umging / ging um	sie/er hat umgangen / ist umgegangen
umschreiben/ **um**schreiben	sie/er umschreibt / schreibt um	sie/er umschrieb / schrieb um	sie/er hat umschrieben/ hat umgeschrieben
unterbrechen	sie/er unterbricht	sie/er unterbrach	sie/er hat unterbrochen
unterlassen	sie/er unterlässt	sie/er unterließ	sie/er hat unterlassen
unterscheiden	sie/er unterscheidet	sie/er unterschied	sie/er hat unterschieden
unterstreichen	sie/er unterstreicht	sie/er unterstrich	sie/er hat unterstrichen
verbieten	sie/er verbietet	sie/er verbot	sie/er hat verboten
verbinden	sie/er verbindet	sie/er verband	sie/er hat verbunden
(sich) verbrennen	sie/er verbrennt (sich)	sie/er verbrannte (sich)	sie/er hat (sich) verbrannt[12]
verbringen	sie/er verbringt	sie/er verbrachte	sie/er hat verbracht
verderben	sie/er verdirbt	sie/er verdarb	sie/er hat/ist verdorben[13]
vergessen	sie/er vergisst	sie/er vergaß	sie/er hat vergessen
sich verhalten	sie/er verhält sich	sie/er verhielt sich	sie/er hat sich verhalten
(sich) verlassen	sie/er verlässt (sich)	sie/er verließ (sich)	sie/er hat (sich) verlassen
(sich) verlaufen	sie/er verläuft (sich)	sie/er verlief (sich)	sie/er hat (sich) verlaufen
verleihen	sie/er verleiht	sie/er verlieh	sie/er hat verliehen
verlieren	sie/er verliert	sie/er verlor	sie/er hat verloren
vermeiden	sie/er vermeidet	sie/er vermied	sie/er hat vermieden
verraten	sie/er verrät	sie/er verriet	sie/er hat verraten
verschließen	sie/er verschließt	sie/er verschloss	sie/er hat verschlossen
(sich) verschreiben	sie/er verschreibt (sich)	sie/er verschrieb (sich)	sie/er hat (sich) verschrieben
verschwinden	sie/er verschwindet	sie/er verschwand	sie/er ist verschwunden
versprechen	sie/er verspricht	sie/er versprach	sie/er hat versprochen
vertreten	sie/er vertritt	sie/er vertrat	sie/er hat vertreten
verzeihen	sie/er verzeiht	sie/er verzieh	sie/er hat verziehen
wachsen	sie/er wächst	sie/er wuchs	sie/er ist gewachsen
waschen	sie/er wäscht	sie/er wusch	sie/er hat gewaschen
(sich) wenden[14]	sie/er wendet (sich)	sie/er wandte (sich) / wendete	sie/er hat (sich) gewandt / hat gewendet
werfen	sie/er wirft	sie/er warf	sie/er hat geworfen
widersprechen	sie/er widerspricht	sie/er widersprach	sie/er hat widersprochen
wiegen	sie/er wiegt	sie/er wog	sie/er hat gewogen
wissen	sie/er weiß	sie/er wusste	sie/er hat gewusst
ziehen	sie/er zieht	sie/er zog	sie/er hat/ist gezogen[15]
zwingen	sie/er zwingt	sie/er zwang	sie/er hat gezwungen

[12] auch Perfekt mit *sein* möglich in der Bedeutung von *etwas verbrennt (= wird durch Feuer zerstört): Das Holz ist verbrannt.* – [13] Perfekt mit *haben* in der Bedeutung von *etwas/jemanden verderben*: *Er hat mir den Spaß verdorben.*; Perfekt mit *sein* in der Bedeutung von *schlecht werden*: *Das Gemüse ist verdorben.* – [14] In der Bedeutung von *(mit dem Auto) umdrehen / die Richtung wechseln* wird immer die regelmäßige Konjugation benutzt: *Sie hat (mit dem Auto) gewendet*. In allen anderen Fällen ist die unregelmäßige Konjugation üblicher: *Sie wandte sich zu ihm. Er hat sich mit der Frage an seinen Kollegen gewandt.* – [15] Perfekt mit *haben* in der Bedeutung von *an etwas/jemandem ziehen*: *Er hat an der Tür gezogen.*; Perfekt mit *sein* in der Bedeutung von *umziehen*: *Sie ist nach Wien gezogen.*

Verben mit Präpositionen

Infinitiv	Präposition	Beispielsatz
abhängen	von (Dat.)	Unsere Urlaubspläne hängen vom Wetter ab.
abstimmen	über (Akk.)	Wir stimmen über dieses Thema nächste Woche ab.
achten	auf (Akk.)	Achte bitte kurz auf deinen Bruder.
sich amüsieren	über (Akk.)	Sie haben sich über das Theaterstück sehr amüsiert.
anfangen	mit (Dat.)	Du kannst gleich mit dieser Aufgabe anfangen.
angeben	in (Dat.)	Die Zahlen in der Grafik sind in Prozent angegeben.
ankommen	auf (Akk.)	Wenn man Kritik äußert, kommt es auf den richtigen Ton an.
(sich) **an**melden	für (Akk.)	Sie hat sich für einen Spanischkurs angemeldet.
(sich) **an**passen	an (Akk.)	Wir passen unser Angebot gern an Ihre Bedürfnisse an.
anrufen	bei (Dat.)	Ruf doch beim Kundenservice an.
antworten	auf (Akk.)	Meine Chefin hat auf meine E-Mail noch nicht geantwortet.
arbeiten	als (Nom.) / an/bei/mit (Dat.)	Sie arbeitet als Managerin bei einem Pharmaunternehmen. Er arbeitet mit seinen Kolleginnen an einem neuen Projekt.
sich ärgern	über (Akk.)	Die Passagiere ärgern sich über die Zugverspätung.
assoziieren	mit (Dat.)	Was assoziieren Sie mit dem Wort *Zuhause*?
aufhören	mit (Dat.)	Wann willst du endlich mit dem Rauchen aufhören?
aufpassen	auf (Akk.)	Ich muss auf meinen kleinen Bruder aufpassen.
sich **auf**regen	über (Akk.)	Ich habe mich wieder sehr über meinen Kollegen aufgeregt.
ausgeben	für (Akk.)	Mein Mann gibt sein Geld am liebsten für Kosmetik aus.
ausgehen	von (Dat.)	Ich bin von falschen Informationen ausgegangen.
sich **aus**tauschen	mit (Dat.) / über (Akk.)	In der Teambesprechung kann man sich mit den anderen Kollegen über die aktuellen Projekte austauschen.
auswählen	aus (Dat.)	Im Assessment-Center werden die besten Bewerber*innen aus den Gruppen ausgewählt.
sich bedanken	bei (Dat.) / für (Akk.)	Ich bedanke mich bei Ihnen für die gute Zusammenarbeit.
sich beeilen	mit (Dat.)	Beeile dich bitte mit dem Anziehen!
beeindrucken	mit (Dat.)	Ich konnte meine Chefin mit meinen Sprachkenntnissen beeindrucken.
beginnen	mit (Dat.)	Sie hat heute mit ihrer Ausbildung zur Friseurin begonnen.
beitragen	zu (Dat.)	Mit Ihrer Arbeit haben Sie sehr zum Erfolg dieses Projektes beigetragen.
sich bemühen	um (Akk.)	Ich bemühe mich seit Wochen um einen Termin beim Arzt.
berichten	über (Akk.) / von (Dat.)	In den Nachrichten wurde über den Unfall berichtet. Die Journalisten berichteten von der Öffnung der Mauer.
sich beschäftigen	mit (Dat.)	In meiner Masterarbeit beschäftige ich mich mit dem Thema Stress.
sich beschweren	bei (Dat.) / über (Akk.)	Mein Nachbar hat sich bei mir über die laute Musik beschwert.
bestehen	aus (Dat.)	Die Prüfung besteht aus drei Teilen: Hören, Lesen, Schreiben.
bestehen	auf (Dat.)	Ich bestehe auf einem höheren Gehalt.
sich beteiligen	an (Dat.)	Möchtest du dich an dem Geschenk für Kim beteiligen?
sich bewerben	um (Akk.)	Sie bewirbt sich um eine Stelle als Pflegeanleiterin.
bezeichnen	als (Akk.)	Ich würde ihn als guten Freund bezeichnen.
sich beziehen	auf (Akk.)	Meine Frage bezieht sich auf den letzten Punkt Ihres Vortrags.
bitten	um (Akk.)	Mein Freund hat mich um meine Hilfe beim Umzug gebeten.
danken	für (Akk.)	Ich danke dir für deine Hilfe und Unterstützung.
demonstrieren	für/gegen (Akk.)	Die Menschen in der DDR demonstrierten für ihre Freiheit. Wir demonstrieren gegen die Diskriminierung von Frauen.
denken	an (Akk.)	Ich denke noch oft an meinen Opa.

diskutieren	mit (Dat.) / über (Akk.)	Mein Bruder diskutiert mit unserem Vater über sein Studium.
dolmetschen	aus (Dat.) / in (Akk.)	Sie dolmetscht aus dem Italienischen ins Deutsche.
sich drehen	um (Akk.)	Seit sie ein Baby hat, dreht sich alles nur noch um ihr Kind.
sich eignen	für (Akk.)	Diese Schuhe eignen sich auch für schlechtes Wetter.
sich einigen	auf (Akk.) / mit (Dat.)	Sie hat sich mit den anderen Bewerber*innen auf ein Projekt geeinigt.
einladen	zu (Dat.) / *auch:* auf (Akk.)	Zu meiner Geburtstagsfeier habe ich 50 Personen eingeladen. Kann ich dich auf einen Kaffee einladen?
(sich) **ein**setzen	für/gegen (Akk.)	Der Betriebsrat setzt sich für bessere Arbeitsbedingungen und gegen Gehaltsunterschiede ein.
sich ekeln	vor (Dat.)	Mein Vater ekelt sich vor Spinnen.
sich engagieren	für (Akk.)	Sie engagiert sich auch für soziale Projekte.
sich entscheiden	für/gegen (Akk.)	Er hat sich für eine Ausbildung und gegen ein Studium entschieden.
sich entschließen	zu (Dat.)	Sie hat sich kurzfristig zu einer Weltreise entschlossen.
sich entschuldigen	bei (Dat.) / für (Akk.)	Ich möchte mich bei Ihnen für meine Verspätung entschuldigen.
entstehen	aus (Dat.)	Aus recyceltem Material können neue Dinge entstehen.
erfahren	über (Akk.) / von (Dat.)	Ich würde gern mehr über die deutsche Geschichte erfahren. Ich habe von deinem Unfall erst heute erfahren.
sich erholen	von (Dat.)	Im Urlaub haben wir uns von der Arbeit gut erholt.
(sich) erinnern	an (Akk.)	Darf ich Sie an unseren Termin erinnern? Ich erinnere mich noch gut an meinen ersten Schultag.
erkennen	an (Dat.)	Ich habe ihn sofort an seinen langen Haaren erkannt.
sich erkundigen	bei/nach (Dat.)	Ich habe mich bei meiner Kollegin nach den Terminen erkundigt.
sich ernähren	von (Dat.)	Er ernährt sich nur von Süßigkeiten.
erschrecken	vor (Dat.)	Meine Mutter ist sehr ängstlich, sie erschrickt vor jedem lauten Geräusch.
erwarten	von (Dat.)	Meine Chefin erwartet von mir, dass ich regelmäßig Überstunden mache.
erzählen	von (Dat.) / *auch:* über (Akk.)	Du hast mir noch nie von deiner Familie erzählt. Erzähl doch mal etwas über sie.
fehlen	an (Dat.)	Bei dem Projekt fehlt es uns an guten Ideen.
fliehen	vor (Dat.)	Meine Nachbarn sind vor dem Bürgerkrieg geflohen.
fordern	von (Dat.)	Meine Kollegin fordert von unserem Chef mehr Geld.
fragen	nach (Dat.)	Hast du sie schon nach ihrer Telefonnummer gefragt?
sich freuen	auf (Akk.)	Ich freue mich schon sehr auf meinen Urlaub.
sich freuen	über (Akk.)	Ich freue mich sehr über meine Gehaltserhöhung.
sich fürchten	vor (Dat.)	Mein Bruder fürchtet sich vor großen Hunden.
es geht	um (Akk.)	In der Serie geht es um das Leben einer Familie.
gehören	zu (Dat.)	Zu meinen Aufgaben gehört die Betreuung der Kunden.
gelten	als (Nom.)	Sie gilt als wichtigste Künstlerin ihrer Epoche.
(sich) gewöhnen	an (Akk.)	Ich habe mich schnell an den schweizerischen Dialekt gewöhnt.
glauben	an (Akk.)	Du schaffst das schon! Ich glaube an dich.
(sich) gliedern	in (Akk.)	Der Vortrag ist in drei Teile gegliedert.
gratulieren	zu (Dat.)	Ich gratuliere dir zum bestandenen Examen.
halten	für (Akk.)	Ich halte ihn für einen sehr zuverlässigen Mitarbeiter.
halten	von (Dat.)	Von dieser Idee halte ich nichts. Was hältst du davon?
handeln	mit (Dat.)	Es ist verboten, mit Drogen zu handeln.
handeln	von (Dat.)	Das Buch handelt von einem Stromausfall in ganz Europa.
sich handeln	um (Akk.)	Bei Origami handelt es sich um eine Falttechnik.
helfen	bei/mit (Dat.)	Könnten Sie mir bitte bei/mit dieser Aufgabe helfen?

hinweisen	auf (Akk.)	Stress weist oft auf Überforderung bei der Arbeit hin.
hoffen	auf (Akk.)	Ich hoffe auf schönes Wetter am Wochenende.
hören	von (Dat.)	Ich habe schon seit zwei Wochen nichts von meiner Oma gehört.
(sich) identifizieren	mit (Dat.)	Ich kann mich sehr gut mit ihr identifizieren, weil ich die gleichen Probleme habe.
impfen	gegen (Akk.)	Vor meiner Reise will ich mich noch gegen Malaria impfen lassen.
(sich) informieren	bei (Dat.) / über (Akk.)	Über die Preise kann man sich beim Kundenservice informieren.
(sich) interessieren	für (Akk.)	Er interessiert sich für deutsche Geschichte und Politik.
kämpfen	für/gegen/um (Akk.) / mit (Dat.)	Die Organisation kämpft für mehr Freiheit und gegen die Unterdrückung. Die Sportler*innen kämpfen um die Medaillen. Die Firma kämpft mit finanziellen Problemen.
klagen	über (Akk.)	Sie klagt immer über starke Rückenschmerzen.
kommunizieren	mit (Dat.) / über (Akk.)	Durch die digitalen Medien kann man heute mit Menschen auf der ganzen Welt kommunizieren. Viele kommunizieren nur noch über die sozialen Medien.
sich konzentrieren	auf (Akk.)	Ich muss mich auf mein Studium konzentrieren.
sich kümmern	um (Akk.)	Er ist in Elternzeit und kümmert sich um seine kleine Tochter.
lachen	über (Akk.)	Ich habe über deinen Witz sehr gelacht.
leiden	an (Dat.)	Sie leidet schon lange an dieser Krankheit.
leiden	unter (Dat.)	Er leidet unter den schlechten Arbeitsbedingungen und unter seiner unhöflichen Chefin.
mitmachen	bei (Dat.)	Hast du schon mal bei einem Assessment-Center mitgemacht?
(sich) motivieren	zu (Dat.)	Als Altenpflegerin motiviere ich ältere Menschen zu mehr Bewegung.
nachdenken	über (Akk.)	Über diese Frage muss ich erstmal nachdenken.
passen	zu (Dat.)	Die Bluse passt sehr gut zu deinem neuen Rock.
profitieren	von (Dat.)	Die Studierenden profitieren von der günstigen Miete.
protestieren	gegen (Akk.)	Die Anwohner*innen protestieren gegen den Bau des Atomkraftwerks.
reagieren	auf (Akk.)	Mein Vermieter hat noch nicht auf meine Beschwerde reagiert.
rechnen	mit (Dat.)	Ich rechne fest mit deiner Hilfe.
reden	mit (Dat.) / über (Akk.) / von (Dat.)	Ich rede nicht so gern mit meinen Freunden über meine Arbeit. Seit Wochen redet sie über das gleiche / von dem gleichen Thema.
(sich) richten	an (Akk.)	Sie können Ihre Beschwerde an die Geschäftsführung richten.
riechen	nach (Dat.)	Hier riecht es nach frischem Kaffee.
sich schämen	für (Akk.)	Er schämt sich für seinen Fehler.
schicken	an (Akk.)	An wen willst du das Paket schicken?
schimpfen	auf/über (Akk.) / mit (Dat.)	Meine Kollegin schimpft ständig auf/über die Arbeit. Meine Mutter hat nie mit uns geschimpft.
schmecken	nach (Dat.)	Die Suppe schmeckt nach Fisch.
schreiben	an (Akk.)	Ich habe eine E-Mail an meine Chefin geschrieben.
sich schützen	gegen (Akk.) / vor (Dat.)	Der Anorak schützt gut gegen die / vor der Kälte.
sich sehnen	nach (Dat.)	Ich sehne mich nach dir.
siegen	über (Akk.)	Die Mannschaft hat über die Gegenmannschaft gesiegt.
sorgen	für (Akk.)	Mein Mann sorgt für die Kinder, wenn ich arbeite.
sich sorgen	um (Akk.)	Du sorgst dich zu viel um deine Kinder.
spielen	mit (Dat.) / um (Akk.)	Ich spiele gern mit meinen Freunden Brettspiele. Beim Spieleabend spielen wir manchmal auch um Geld.
sprechen	mit (Dat.) / über (Akk.) / *auch:* von (Dat.)	Hast du schon mit ihm über deine Pläne gesprochen? Er spricht selten über seine / von seiner Arbeit.

sterben	an (Dat.)	Mein Großvater ist an einer Krankheit gestorben.
stimmen	für/gegen (Akk.)	Das Parlament hat für ein neues Gesetz gestimmt. Unsere Abteilung hat gegen seinen Vorschlag gestimmt.
stinken	nach (Dat.)	Ich rauche nur draußen, damit es in der Wohnung nicht nach Rauch stinkt.
(sich) streiten	mit (Dat.) / über/um (Akk.)	Sie streitet mit ihrem Freund über den Namen ihres Babys. Unsere Kinder streiten sich ständig um das Spielzeug.
suchen	nach (Dat.)	Wir suchen seit langem nach einer Lösung für das Problem.
teilnehmen	an (Dat.)	Hast du schon an vielen Deutschkursen teilgenommen?
träumen	von (Dat.)	Ich habe von einem schwarzen Hund geträumt.
sich treffen	mit (Dat.)	Ich habe mich mit zwei alten Freunden getroffen.
(sich) trennen	von (Dat.)	Ihre Freundin hat sich gestern von ihr getrennt.
überreden	zu (Dat.)	Meine Freundin hat mich zu diesem Ausflug überredet. Eigentlich habe ich keine Lust.
übersetzen	aus (Dat.) / in (Akk.)	Hamed übersetzt Bücher aus dem Englischen ins Arabische.
überzeugen	von (Dat.)	Es ist mir nicht gelungen, ihn vom Gegenteil zu überzeugen.
umgehen	mit (Dat.)	Wie gehen wir mit den neuen Regeln um?
sich unterhalten	mit (Dat.) / über (Akk.)	Sich mit anderen Leuten über das Wetter zu unterhalten, finde ich sehr langweilig.
sich unterscheiden	von/in (Dat.) / durch (Akk.)	Berlin unterscheidet sich von meiner Heimatstadt vor allem durch das große kulturelle Angebot. In diesem Punkt unterscheiden sich unsere Meinungen nicht.
unterscheiden	zwischen (Dat.)	Ich kann zwischen den Zwillingen nicht unterscheiden.
unterstützen	bei (Dat.)	Könnten Sie mich bitte bei dieser Aufgabe unterstützen?
(sich) verabreden	mit (Dat.)	Ich habe mich mit ihr zum Mittagessen verabredet.
(sich) verabschieden	von (Dat.)	Warte kurz, ich will mich noch von meinen Kollegen verabschieden.
vergleichen	mit (Dat.)	Meine Mutter vergleicht mich immer mit meinem Bruder. Das nervt!
verlangen	von (Dat.)	Meine Schwester verlangt ständig Hilfe von mir.
verlassen (sich)	auf (Akk.)	Auf meine Freunde kann ich mich immer verlassen.
sich verlieben	in (Akk.)	Er hat sich in seinen Kollegen verliebt.
(sich) verpflichten	zu (Dat.)	Ärztinnen und Ärzte sind zum Schweigen verpflichtet.
verstehen	von (Dat.)	Ich verstehe nichts von dem, was du hier erzählst.
sich (gut) verstehen	mit (Dat.)	Mit meinen Kollegen und Kolleginnen verstehe ich mich sehr gut.
(sich) verteidigen	gegen (Akk.)	Ich will mich nicht immer gegen deine Vorwürfe verteidigen.
verzichten	auf (Akk.)	Auf mein Handy könnte ich niemals verzichten.
(sich) **vor**bereiten	auf (Akk.)	Er hat sich gut auf das Bewerbungsgespräch vorbereitet.
wählen	zu (Dat.)	Angela Merkel wurde 2005 zur Bundeskanzlerin gewählt.
warnen	vor (Dat.)	Ich habe dich vor ihr gewarnt. Sie ist wirklich unsympathisch!
warten	auf (Akk.) / mit (Dat.)	Entschuldigung, dass Sie auf mich warten mussten. Wir müssen mit der Entscheidung leider noch warten.
sich wenden	an (Akk.)	Wenden Sie sich mit Ihrer Frage bitte an unseren Kundenservice.
werben	für/um (Akk.) / mit (Dat.)	Das Unternehmen wirbt um die Kunden mit besonders günstigen Preisen für seine Produkte.
wetten	um (Akk.)	Wir haben um eine Flasche Wein gewettet. Ich habe gewonnen.
wirken	auf (Akk.)	Er wirkt heute irgendwie traurig auf mich. Ob etwas passiert ist?
wissen	von (Dat.) / über (Akk.)	Ich weiß von der E-Mail leider nichts. Weißt du etwas über die neue Kollegin?
sich wundern	über (Akk.)	Ich habe mich über sein Verhalten sehr gewundert.
zurechtkommen	mit (Dat.)	Wie kommst du mit deinem neuen Chef zurecht?
zweifeln	an (Dat.)	In letzter Zeit zweifle ich manchmal an mir selbst.

Nomen mit Präpositionen

Nomen	Präposition	Beispielsatz
die Abhängigkeit	von (Dat.)	Die Abhängigkeit von Kohle ist für die Umwelt ein großes Problem.
die Angst	um (Akk.) / vor (Dat.)	Die Angestellten haben Angst um ihre Jobs. Sie hat Angst vor dem Gespräch mit dem Betriebsrat.
der Anruf	bei (Dat.)	Der Anruf beim Kundenservice war leider erfolglos.
die Antwort	auf (Akk.)	Hast du schon eine Antwort auf deine E-Mail bekommen?
die Arbeit	an/bei (Dat.)	Die Arbeit an diesem Projekt hat 2019 angefangen. Die Arbeit bei *Walt Disney World* hat mir gut gefallen.
die Aufregung	über (Akk.)	Es gab viel Aufregung über die neue Studienordnung.
der Ärger	über (Akk.) / mit (Dat.)	Auf dem Wagenplatz gab es Ärger über den Müll. Bei der Konferenz gab es Ärger mit dem Cateringservice.
die Beförderung	zu (Dat.)	Die Beförderung zur Abteilungsleiterin hat sie sehr gefreut.
der Beitrag	zu (Dat.)	Jeder sollte einen Beitrag zum Klimaschutz leisten.
die Beschwerde	bei (Dat.) / über (Akk.)	Meine Kollegin hat beim Management eine schriftliche Beschwerde über ihren Vorgesetzten eingereicht.
die Bewerbung	um (Akk.) / bei (Dat.)	Meine Bewerbung um die Stelle bei Siemens habe ich heute abgeschickt.
die Bitte	um (Akk.)	Ich schreibe Ihnen mit der Bitte um eine schnelle Antwort.
der Dank	für (Akk.)	Mein persönlicher Dank für die gute Zusammenarbeit geht an meine Kolleginnen und Kollegen der Abteilung.
die Demonstration	für/gegen (Akk.)	Die Demonstration für/gegen die neuen Gesetze findet morgen statt.
das Desinteresse	an (Dat.)	In der Bevölkerung wächst das Desinteresse an der Politik.
die Diskussion	mit (Dat.) / über (Akk.)	Die Diskussion mit meinem Professor über das Thema meiner Masterarbeit war leider nicht erfolgreich.
die Eifersucht	auf (Akk.)	Seine Eifersucht auf ihren Ex-Freund ist völlig übertrieben.
die Einigung	mit (Dat.) / auf (Akk.)	Leider konnte mit der Geschäftsführung keine Einigung auf eine Gehaltserhöhung erreicht werden.
die Einladung	zu (Dat.)	Haben Sie schon die Einladungen zum Jubiläum verschickt?
das Engagement	für (Akk.)	Das Engagement für Klimaschutz ist sehr wichtig.
die Entscheidung	für/gegen (Akk.)	Die Entscheidung für/gegen den Umzug fiel mir schwer.
der Entschluss	zu (Dat.)	Vor einer Woche habe ich den Entschluss zur Trennung gefasst.
die Entschuldigung	bei (Dat.) / für (Akk.)	Die Entschuldigung bei meiner Vorgesetzten für mein Verhalten kam gut an.
die Erinnerung	an (Akk.)	Die Erinnerung an meinen Hund macht mich sehr traurig.
die Erwartung	an (Akk.)	Die Chefin hat hohe Erwartungen an ihre Mitarbeiter*innen.
die Flucht	vor (Dat.)	Nach ihrer Flucht vor dem Krieg kamen sie nach Italien.
die Forderung	nach (Dat.)	Die Forderung nach einer Frauenquote in Unternehmen ist heutzutage weit verbreitet.
die Freude	auf (Akk.)	Ich bin wegen meiner neuen Stelle sehr aufgeregt. Aber die Freude auf den neuen Job überwiegt.
die Freude	über (Akk.)	Man sah die Freude über das Geschenk in seinem Gesicht.
die Freundschaft	mit (Dat.)	Denkst du, dass eine Freundschaft mit deiner Ex möglich ist?
das Gespräch	über (Akk.) / mit (Dat.)	Gestern hatte ich ein Gespräch mit meiner Vorgesetzten über meine berufliche Zukunft.
der Glaube	an (Akk.)	Ich habe den Glauben an eine Verbesserung der Situation leider verloren.
der Glückwunsch	zu (Dat.)	Herzlichen Glückwunsch zum Geburtstag!
die Hoffnung	auf (Akk.)	Viele Menschen verlassen ihre Heimat in der Hoffnung auf ein besseres Leben.
das Interesse	an (Dat.)	Ich habe sehr großes Interesse an diesem Seminar.

der Kampf	für/gegen/um (Akk.) / mit (Dat.)	Im Kampf für oder gegen Atomkraft gibt es sehr unterschiedliche Meinungen. Im Kampf mit der Geschäftsführung um die Arbeitsplätze hat der Betriebsrat die Kolleg*innen sehr unterstützt.
die Lust	auf (Akk.)	Ich habe keine Lust auf die Arbeit.
der Neid	auf (Akk.)	Ich verspüre manchmal Neid auf die Leute, die mehr verdienen als ich.
die Neugier	auf (Akk.)	Die Rezension hat meine Neugier auf das Buch geweckt.
der Protest	gegen (Akk.)	Es gibt immer mehr Protest gegen staatliche Kontrolle.
die Reaktion	auf (Akk.)	Die Reaktion meines Chefs auf meine Frage nach einer Gehaltserhöhung war leider nicht so gut.
das Recht	auf (Akk.)	Nach dem Gesetz haben Väter ein Recht auf Elternzeit.
die Rede	über (Akk.) / *auch*: von (Dat.)	Die Rede des Betriebsrats über die neuen Arbeitsschutzregeln war sehr interessant.
die Schuld	an (Dat.)	Er gibt sich immer die Schuld an allem.
der Schutz	vor (Dat.)	Auch Sonnencremes bieten keinen kompletten Schutz vor einem Sonnenbrand.
die Sehnsucht	nach (Dat.)	Seit meinem Urlaub habe ich große Sehnsucht nach dem Meer.
die Sorge	für (Akk.)	Die Sorge für ihre kranken Eltern kostet sie viel Energie.
die Sorge	um (Akk.)	Die ständige Sorge um die eigene Gesundheit kann auch krank machen.
das Spiel	mit (Dat.) / um (Akk.)	Das Spiel mit dem Feuer kam gefährlich sein. An den Spielen um den Vereinspokal nehmen elf Mannschaften teil.
die Stimme	für (Akk.)	Bei der Betriebsratswahl gab es die meisten Stimmen für Frau Le.
der Streit	mit (Dat.) / um/über (Akk.)	Der ständige Streit mit meinem Mann über die Hausarbeit nervt mich. Jeden Abend gibt es Streit um die Fernbedienung.
die Suche	nach (Dat.)	Die Suche nach einer neuen Wohnung kann sehr anstrengend sein.
die Teilnahme	an (Dat.)	Die Teilnahme an den Vorlesungen ist Pflicht.
das Telefonat	mit (Dat.)	Das Telefonat mit der Kollegin hat nicht lange gedauert.
die Trauer	über (Akk.) / um (Akk.)	Die Trauer um ein verstorbenes Haustier kann einen Menschen hart treffen. Die Trauer über den Tod seines Hundes traf ihn besonders hart.
der Traum	von (Dat.)	Wir hoffen, unseren Traum von einem eigenen Haus, bald verwirklichen zu können.
der Umgang	mit (Dat.)	Für viele Menschen ist der Umgang mit digitalen Medien heutzutage selbstverständlich.
die Unterhaltung	mit (Dat.) / über (Akk.)	Die Unterhaltung, die ich gestern mit meiner Professorin über das Thema Stress hatte, war sehr hilfreich.
die Übersetzung	aus (Dat.) / in (Akk.)	Die Übersetzung aus einer Sprache in eine andere ist manchmal nicht so einfach.
die Verantwortung	für (Akk.)	Ich trage die Verantwortung für dieses Projekt.
das Vertrauen	in (Akk.)	Die Menschen verlieren Vertrauen in die Politik.
die Verwunderung	über (Akk.)	Es gab große Verwunderung über die Entscheidung der Geschäftsführung, die Arbeitszeit zu verkürzen.
der Verzicht	auf (Akk.)	Der Verzicht auf Atomenergie ist gut für die Umwelt.
die Vorbereitung	auf (Akk.)	Eine gute Vorbereitung auf ein Bewerbungsgespräch ist sehr wichtig.
die Wahl	zu (Dat.)	Er hat die Wahl zum Bürgermeister klar gewonnen.
die Warnung	vor (Dat.)	Es gibt heute eine Warnung vor starken Gewittern.
die Wette	mit (Dat.)/um (Akk.)	Die Wette mit meiner Schwester um eine Tafel Schokolade habe ich leider verloren.
die Wirkung	auf (Akk.)	Die Wirkung von Drogen auf das Gehirn sollte man nicht unterschätzen.
die Wut	auf/über (Akk.)	Seine Wut auf seinen Chef / über die Kündigung finde ich sehr verständlich.
die Zusage	für (Akk.)	Heute habe ich die Zusage für die Wohnung bekommen.
der Zweifel	an (Dat.)	Negatives Feedback verstärkt die Zweifel an der eigenen Kompetenz.

Adjektive mit Präpositionen

Adjektiv	Präposition	Beispielsatz
(un)abhängig	von (Dat.)	Leonie möchte lieber unabhängig von der Gruppe arbeiten.
angewiesen	auf (Akk.)	Ich bin auf meine Stelle angewiesen.
ärgerlich	auf/über (Akk.)	Ich bin sehr ärgerlich auf ihn / über sein Verhalten.
beeindruckt	von (Dat.)	Ich bin von ihren Sprachkenntnissen sehr beeindruckt.
befreundet	mit (Dat.)	Mit Lena bin ich seit der Schulzeit befreundet.
begeistert	von (Dat.)	Er ist von seinem neuen Job begeistert.
bekannt	als (Nom.)	Er ist weltweit als Schauspieler und Drehbuchautor bekannt.
beliebt	bei (Dat.)	Die Chefin ist bei ihren Mitarbeiter*innen sehr beliebt.
eifersüchtig	auf (Akk.)	Meine Schwester ist auf die Ex-Freundin ihres neuen Freundes sehr eifersüchtig. Sie streiten sich ständig darüber.
einverstanden	mit (Dat.)	Mit der Arbeitsweise ihrer Kommilitonen ist Leonie nicht einverstanden.
entsetzt	über (Akk.)	Ich war entsetzt über die unhöfliche E-Mail meines Kollegen.
enttäuscht	von (Dat.)	Von der Antwort des Betriebsrats war sie sehr enttäuscht.
erkrankt	an (Dat.)	Im Winter waren viele Kolleg*innen an Grippe erkrankt.
froh	über (Akk.)	Ich bin sehr froh über dein Angebot, bei dir zu wohnen.
geeignet	zu (Dat.)	Ein Hausboot ist zum Fahren eigentlich nicht geeignet.
gespannt	auf (Akk.)	Ich bin schon sehr gespannt auf die Ergebnisse der Umfrage.
glücklich	über (Akk.)	Ich bin glücklich über die Entscheidung, ausgewandert zu sein.
interessiert	an (Dat.)	Der Chef war an fairen Gehältern nicht interessiert.
müde	von (Dat.)	Er war müde von der stressigen Woche auf der Arbeit.
neidisch	auf (Akk.)	Er ist neidisch auf die Kolleg*innen, die mehr verdienen als er.
neugierig	auf (Akk.)	Ich bin neugierig auf die neuen Entwicklungen im digitalen Bereich.
skeptisch	gegenüber (Dat.)	Viele Deutsche sind skeptisch gegenüber Elektroautos.
stolz	auf (Akk.)	Meine Großmutter war stolz darauf, dass sie studiert hat.
süchtig	nach (Dat.)	Viele Teenager sind süchtig nach Likes in den sozialen Medien.
traurig	über (Akk.)	Über die Absage war ich sehr traurig.
umgeben	von (Dat.)	Der Platz ist von vielen Bäumen umgeben.
verantwortlich	für (Akk.)	Als Abteilungsleiter ist er für viele Projekte verantwortlich.
verrückt	nach (Dat.)	Mein Mitbewohner ist verrückt nach Schokolade. Er isst jeden Tag mindestens zwei Tafeln.
wütend	auf (Akk.)	Lukas ist wütend auf seine Freundin, weil er im Haushalt so viel allein machen muss.
(un)zufrieden	mit (Dat.)	Professor Hering ist unzufrieden mit der Diskussionskultur in den Seminaren.

Nomen-Verb-Verbindungen

Nomen-Verb-Verbindung	Beispielsatz
etwas in **Anspruch** nehmen	Wenn man ein Kind bekommt, kann man Elternzeit in Anspruch nehmen.
(sich) eine **Auszeit** nehmen	Nach der Schule wollte ich (mir) erstmal eine Auszeit nehmen. Deshalb bin ich sechs Monate durch Lateinamerika gereist.
eine **Diskussion** führen	Bei jeder Besprechung führen wir die gleichen Diskussionen. Das nervt!
unter **Druck** stehen	Ich habe so viel zu tun. Ich stehe bei der Arbeit unter großem Druck.
einen (guten) **Eindruck** auf jdn. machen / einen (guten) Eindruck bei jdm. hinterlassen	Die Bewerberin hat im Vorstellungsgespräch einen guten Eindruck auf die Mitarbeiter der Personalabteilung gemacht / bei den Mitarbeitern der Personalabteilung hinterlassen.
eine **Entscheidung** treffen	Die Bewerber*innen müssen im Assessment-Center verschiedene Alternativen diskutieren und am Ende eine gemeinsame Entscheidung treffen.
einen **Entschluss** fassen	Nach langen Überlegungen habe ich den Entschluss gefasst zu kündigen.
Erfahrungen machen	Ich habe sehr gute Erfahrungen mit dieser App gemacht.
Erfahrungen sammeln	Während ihres Austauschsemesters konnte sie viele neue Erfahrungen sammeln.
eine **Frage** beantworten	Er hat mir meine Frage leider noch immer nicht beantwortet.
eine **Frage** stellen	Entschuldigung, darf ich dir eine persönliche Frage stellen?
die **Gefahr** besteht	Wenn die Arbeitswelt immer digitaler wird, besteht auch die Gefahr, dass Arbeitsplätze verloren gehen.
auf eine **Idee** kommen	Wie seid ihr damals auf die Idee gekommen, ein Restaurant zu eröffnen?
einen **Konflikt** lösen	Es ist nicht einfach, den Konflikt zwischen den beiden Kollegen zu lösen.
in **Kontakt** bleiben	Über die sozialen Medien können wir leichter mit anderen in Kontakt bleiben.
einen **Kredit** aufnehmen	Wir mussten einen Kredit aufnehmen, um das Restaurant eröffnen zu können.
Kritik an etwas/jdm. äußern/üben	Die Studierenden haben Kritik an den Themen des Seminars geäußert/geübt.
in der **Lage** sein	Durch die digitalen Medien sind wir in der Lage, schneller zu kommunizieren.
auf dem **Laufenden** bleiben	Ich nutze die sozialen Medien vor allem, um über das aktuelle politische Geschehen auf dem Laufenden zu bleiben.
eine **Lösung** finden	Wir müssen schnell eine Lösung für das Problem finden.
eine **Meinung** teilen	In diesem Punkt teile ich Ihre Meinung nicht.
zur **Miete** wohnen	Sie wohnt zur Miete in einer kleinen Wohnung.
sich **Mühe** geben	Ich habe mir viel Mühe mit meiner Masterarbeit gegeben.
Neugier wecken	Die Rezension hat meine Neugier auf das Buch geweckt.
eine **Präsentation** halten	Sie hat eine Präsentation über eine neue Entspannungs-App gehalten.
ein **Problem** lösen	Die Umweltprobleme müssen schnell gelöst werden.
ein **Referat** halten	In meinem Seminar über Kommunikationsstile werde ich ein Referat über Körpersprache halten.
sich an die **Regeln** halten	Im Straßenverkehr muss man sich an die Regeln halten.
ein **Risiko** eingehen	Ich will mich selbstständig machen. Natürlich gehe ich damit auch ein großes Risiko ein.
eine (wichtige/große) **Rolle** spielen	Ein guter Lebenslauf spielt bei der Bewerbung eine wichtige Rolle.
zur **Ruhe** kommen	Sie macht regelmäßig Yoga, um nach der Arbeit zur Ruhe zu kommen.
im **Trend** liegen	Wandern und Klettern liegen bei gestressten Großstädtern voll im Trend.
sich an die **Vorschriften** halten	Sie können nicht einfach Feierabend machen, wann Sie wollen! Sie müssen sich an die Vorschriften halten!
zur **Verfügung** stehen	Für die Konferenz steht Ihnen ein Raum mit Beamer zur Verfügung.
einen **Vortrag** halten	Auf der Tagung wurde ein Vortrag über das Thema Burnout gehalten.
zur **Welt** kommen	Letztes Jahr ist unsere Tochter zur Welt gekommen.
sich für etwas/jdn. **Zeit** nehmen	Ich nehme mir leider viel zu wenig Zeit für meine Hobbys.
sich bei/für etwas **Zeit** lassen	Diese Aufgabe ist nicht dringend. Sie können sich dabei/dafür gern Zeit lassen.

Quellen

Bildquellen

Cover: *Illustration* Cornelsen/Carlo Stanga; *Smartphone mit Hand* Shutterstock.com/blackzheep; *Menschen vor einem Bild der East Side Gallery* LOOK-foto/Rainer Martini

S. 10 *7* Shutterstock.com/alphaspirit; *8* Shutterstock.com/Aila Images; *9* Shutterstock.com/chuanpis; **S. 11** *10* Shutterstock.com/BlueOrange Studio; *11* Shutterstock.com/Song_about_summer; *12* Shutterstock.com/franz12 – **S. 14** Shutterstock.com/Dudarev Mikhail – **S. 16** *oben rechts* Shutterstock.com/Rocketclips, Inc.; *Mitte links* Shutterstock.com/Dean Drobot; *unten links* Shutterstock.com/Lipik Stock Media – **S. 18** *A* Shutterstock.com/michaeljung; *B* stock.adobe.com/Marek Brandt/Sinuswelle; *C* Shutterstock.com/Olena Yakobchuk – **S. 20** Shutterstock.com/Kazyavka – **S. 21** *unten* Shutterstock.com/Kazyavka – **S. 24** *1* Shutterstock.com/Dudarev Mikhail; *2* Shutterstock.com/Strahil Dimitrov; *3* Shutterstock.com/sezer66; *4* Shutterstock.com/Chess Ocampo; *5* Shutterstock.com/wavebreakmedia; *6* Shutterstock.com/Bogdan Sonjachnyj; *7* Shutterstock.com/Ammit Jack; *8* Shutterstock.com/Sky Antonio – **S. 26** *1* Shutterstock.com/De Repente; *2* Shutterstock.com/Simon Annable; *3* Shutterstock.com/gpointstudio; *4* Shutterstock.com/Dietrich Leppert; *5* Shutterstock.com/Kanashkin Evgeniy; *6* Shutterstock.com/kurhan – **S. 29** *A* Shutterstock.com/mimagephotography; *B* Shutterstock.com/ESB Professional – **S. 30** *a* Cornelsen/Bianca Schaalburg (Illustration)/ Shutterstock.com/Undrey; *b* Cornelsen/Bianca Schaalburg (Illustration)/ Shutterstock.com/Paul.J.West; *c* Cornelsen/Bianca Schaalburg (Illustration)/ Shutterstock.com/terekhov igor; *d* Cornelsen/Bianca Schaalburg (Illustration)/ Shutterstock.com/romakoma – **S. 32** *1* Shutterstock.com/Monkey Business Images; *2* Shutterstock.com/Jacob Lund; *3* Shutterstock.com/Monkey Business Images; *4* Shutterstock.com/Photographee.eu – **S. 33** Shutterstock.com/Robert Kneschke – **S. 35** *Mitte* Shutterstock.com/Rido; *Haus* Shutterstock.com/runzelkorn; *Büro* Shutterstock.com/Rawpixel.com; *Kleinkinder* Shutterstock.com/Standret; *Fitnessutensilien* Shutterstock.com/Mariiaa; *Geldbündel* Shutterstock.com/Ewa Studio; *Koffer* Shutterstock.com/OlegDoroshin; *Geschäftsführung* Shutterstock.com/Leszek Glasner; *Tropenstrand* Shutterstock.com/icemanphotos; *Strandparty* stock.adobe.com/djile; *Puzzle* Shutterstock.com/nito – **S. 36** *links* Shutterstock.com/fizkes; *rechts* Shutterstock.com/Antonio Guillem – **S. 38** Shutterstock.com/AlessandroBiascioli – **S. 39** Wikimedia Foundation – **S. 40** *von links nach rechts: 1* Shutterstock.com/Stokkete; *2* Shutterstock.com/Monkey Business Images; *3* Shutterstock.com/dotshock – **S. 42** Shutterstock.com/Antonio Guillem – **S. 44** Shutterstock.com/wavebreakmedia – **S. 46** Nathalie Abendroth Scherf – **S. 48** *oben rechts* Shutterstock.com/Dean Drobot; *Mitte* Shutterstock.com/Dev_Maryna – **S. 53** *1* Cornelsen/Bianca Schaalburg (Illustration)/ Shutterstock.com/Pressmaster; *2* Cornelsen/Bianca Schaalburg (Illustration)/ Shutterstock.com/WorldWide; *3* Cornelsen/Bianca Schaalburg (Illustration)/ Shutterstock.com/DC Studio – **S. 54** *Mitte links* Shutterstock.com/Y Photo Studio – **S. 55** *A* Shutterstock.com/Rawpixel.com; *B* Shutterstock.com/DisobeyArt – **S. 56** Shutterstock.com/Yuricazac – **S. 60** *unten rechts* dpa Picture-Alliance/Bernd Settnik – **S. 62** *1* Shutterstock.com/Ysbrand Cosijn; *2* Shutterstock.com/Dean Drobot; *3* Shutterstock.com/Jakapong Paoprapat; *4* Shutterstock.com/Odua Images; *5* Shutterstock.com/Jonas Petrovas; *6* Shutterstock.com/mervas; *7* Shutterstock.com/wavebreakmedia; *Hintergr.* Shutterstock.com/Billion Photos – **S. 64** *a* Shutterstock.com/stockfour; *b* Shutterstock.com/Agata Kowalczyk; *c* Shutterstock.com/StepanPopov – **S. 65** *Hintergr. oben* Shutterstock.com/Feng Yu – **S. 66** *a* Shutterstock.com/Factory_Easy; *b* Shutterstock.com/julius fekete; *c* Shutterstock.com/Mark Agnor; *d* Shutterstock.com/OFC Pictures; *e* Shutterstock.com/Maxim Burkovskiy; *f* Shutterstock.com/Bildagentur Zoonar GmbH; *Hintergr. unten* Shutterstock.com/Feng Yu – **S. 67** *Daumen* Shutterstock.com/krzysmam; *Hintergr. oben* Shutterstock.com/Feng Yu – **S. 68** *oben rechts* Marc Eisberg, BLACKOUT.Morgen ist es zu spät © 2012 Blanvalet Verlag, München, in der Verlagsgruppe Random House GmbH; *Hintergr. unten* Shutterstock.com/Kazyavka – **S. 70** *von links nach rechts: 1* Shutterstock.com/wavebreakmedia; *2* Shutterstock.com/Bolyuk Rostyslav; *3* Shutterstock.com/ESB Professional – **S. 71** Shutterstock.com/Matej Kastelic – **S. 74** *a* Shutterstock.com/frescomovie; *b* stock.adobe.com/Kim Marston/Kim; *c* Shutterstock.com/Smolina Marianna; *d* Shutterstock.com/Andromed; *e* Shutterstock.com/Olena Andreychuk; *f* Shutterstock.com/HUANG Zheng; *g* Shutterstock.com/De Visu; *h* Shutterstock.com/Paul.J.West; *Hintergr.* Shutterstock.com/Pavel Abramov – **S. 76** *Gehirn* Shutterstock.com/Jolygon – **S. 78** *von links nach rechts: 1* Interfoto/Bluebird; *2* Bridgeman Images/SZ Photo/Sammlung Megele/ca. 1876, Fotograf unbekannt; *3* Bridgeman Images; *4* Imago Stock & People GmbH/ZUMA/Keystone – **S. 79** *A* Bridgeman Images/SZ Photo/Sammlung

Megele/ca. 1876, Fotograf unbekannt; *B* Bridgeman Images; *C* Imago Stock & People GmbH/ZUMA/Keystone – **S. 80** Init/Jérôme Tabet – **S. 82** *Stecknadeln* Shutterstock.com/picoStudio; *a* dpa Picture-Alliance/AP Photo; *b* Interfoto/Friedrich; *c* Shutterstock.com/Arsgera; *d* Shutterstock.com/An Vino; *e* Shutterstock.com/S.Bachstroem; *f* Interfoto/Sammlung Rauch; *g* Shutterstock.com/Castleski; *h* akg-images/Heritage-Images/Keystone Archives; *i* akg-images/Sammlung Berliner Verlag/Archiv; *Hintergr.* Shutterstock.com/taviphoto – **S. 83** *Hintergr.* Shutterstock.com/Feng Yu

S. Ü 2 *von links nach rechts: 1* Shutterstock.com/Ekaterina Pokrovsky; *2* Shutterstock.com/Matyas Rehak; *3* Shutterstock.com/Larisa Blinova; *4* stock.adobe.com/Yury Gubin – **S. Ü 6** *1* stock.adobe.com/Wayhome studio; *2* Shutterstock.com/goodluz; *3* Shutterstock.com/Rido – **S. Ü 11** *a* Cornelsen/Bianca Schaalburg (Illustration)/ Shutterstock.com/Edvard Nalbantjan; *b* Cornelsen/Bianca Schaalburg (Illustration)/ Shutterstock.com/Yurasov Valery; *c* Cornelsen/Bianca Schaalburg (Illustration)/ Shutterstock.com/Karel Funda; *d* Cornelsen/Bianca Schaalburg (Illustration)/ Shutterstock.com/Edvard Nalbantjan – **S. Ü 12** Cornelsen/Bianca Schaalburg (Illustration)/ Shutterstock.com/Yurasov Valery – **S. Ü 14** Shutterstock.com/sirtravelalot – **S. Ü 17** Shutterstock.com/Speed-Kingz – **S. Ü 20** Shutterstock.com/SeventyFour – **S. Ü 22** Shutterstock.com/Monkey Business Images – **S. Ü 25** *von links nach rechts: 1* Shutterstock.com/Nejron Photo; *2* Shutterstock.com/Photographee.eu; *3* Shutterstock.com/Halfpoint – **S. Ü 27** Shutterstock.com/DaLiu – **S. Ü 28** *a* Shutterstock.com/Cookie Studio; *b* Shutterstock.com/WAYHOME studio; *c* Shutterstock.com/Halfpoint – **S. Ü 29** *d* Shutterstock.com/sebra – **Ü 30** *1* Shutterstock.com/Viktoriia Hnatiuk; *2* Shutterstock.com/Billion Photos; *3* Shutterstock.com/arek_malang – **S. Ü 33** Shutterstock.com/Lopolo – **S. Ü 34** Shutterstock.com/mavo – **S. Ü 36** Shutterstock.com/DGLimages – **S. Ü 39** Shutterstock.com/Minerva Studio – **S. Ü 41** *1* stock.adobe.com/didecs; *2* stock.adobe.com/George Dolgikh; *3* Shutterstock.com/VTT Studio; *4* stock.adobe.com/Patrick Daxenbichler; *5* stock.adobe.com/exclusive-design – **S. Ü 42** Shutterstock.com/ESB Professional – **S. Ü 48** *a* stock.adobe.com/Victor Koldunov/Victor; *b* Shutterstock.com/ViDi Studio; *c* Shutterstock.com/Cookie Studio; *d* Shutterstock.com/aslysun; *e* stock.adobe.com/Cookie Studio; *f* Shutterstock.com/Yuricazac – **S. Ü 49** Shutterstock.com/Iakov Filimonov – **S. Ü 53** *oben rechts* Shutterstock.com/Cookie Studio – **S. Ü 54** Shutterstock.com/djile – **S. Ü 56** Shutterstock.com/Syda Productions – **S. Ü 59** Shutterstock.com/Aleksandra Belinskaya – **S. Ü 61** Shutterstock.com/Asia Images Group – **S. Ü 63** *von links nach rechts: 1* Shutterstock.com/Roman Samborskyi; *2* Shutterstock.com/Ioannis Pantzi; *3* Shutterstock.com/WAYHOME studio – **S. Ü 65** *Daumen* Shutterstock.com/krzysmam – **S. Ü 66** Shutterstock.com/NadyGinzburg – **S. Ü 70** *von links nach rechts: 1* Shutterstock.com/wavebreakmedia; *2* Shutterstock.com/Bolyuk Rostyslav; *3* Shutterstock.com/ESB Professional – **S. Ü 72** *oben rechts* Shutterstock.com/TunedIn by Westend61 – **S. Ü 73** Shutterstock.com/Tyler Olson – **S. Ü 76** stock.adobe.com/pankajstock123 – **S. Ü 78** mauritius images/alamy stock photo/360b – **S. Ü 80** bpk/Klaus Lehnartz – **S. Ü 83** *von links nach rechts: 1* Shutterstock.com/OFC Pictures; *2* Shutterstock.com/Dietrich Leppert; *3* Shutterstock.com/Dudarev Mikhail; *4* Shutterstock.com/Stokkete; *5* mauritius images/Westend61/Roy Jankowski – **S. Ü 84** Shutterstock.com/Gorodenkoff

Textquellen

S. 20, 21 Kurt Tucholsky. Gesammelte Werke, Anaconda Verlag GmbH, Köln 2018 – **S. 68** Marc Eisberg, BLACKOUT. Morgen ist es zu spät © 2012 Blanvalet Verlag, München, in der Verlagsgruppe Random House GmbH – **S. 80** Tammet, Daniel: Wolkenspringer. Aus dem Englischen von Maren Klostermann. München, Piper 2010, Taschenbuchausgabe, S. 2, Klappentext / Düsseldorf, Patmos 2009, gebundene Ausgabe – **S. 83** Songreiter Musikverlag Alexander Zuckowski bei Budde Music Publishing GmbH; Universal Music Publishing GmbH, Berlin; Wintrup Musikverlag Walter Holzbaur, Detmold/Robin Grubert; Dominik Republik; Mark Tavassol; Henrik Trevisan; Peter Trevisan; Alexander Zuckowski

Notizen